郭紹林 著

文史哲學集成

唐代士大夫與佛教

文史哲出版社印行

國立中央圖書館出版品預行編目資料

唐代士大夫與佛教 / 郭紹林著. -- 初版. -- 臺
北市 : 文史哲, 民８２
面 ; 公分. -- (文史哲學集成 ; 292)
參考書目:面
ISBN 957-547-800-2(平裝)

1. 佛教 - 中國 - 唐(618-907)

228.2 82006697

文史哲學集成 ㉙②

唐代士大夫與佛教

著者：郭紹林
出版者：文史哲出版社
登記證字號：行政院新聞局局版臺業字五三三七號
發行人：彭正雄
發行所：文史哲出版社
台北市羅斯福路一段七十二巷四號
郵撥〇五一二八八一二彭正雄帳戶
電話：三五一一〇二八
印刷者：文史哲出版社

實價新台幣五二〇元

中華民國八十二年九月初版

本書經行政院新聞局同意出版字號爲新聞局局版臺陸字第一〇〇〇〇三號

ISBN 957-547-800-2

出版說明

民國卅八年政府遷臺，與大陸幾近於隔絕有四十多年，其間雙方交流得最早，持續不斷，且逐漸累積的，可說是出版品。

大陸地區印行臺灣地區的出版品詳細情形，不易細講，不過由少而漸多，當是事實。而臺灣地區，在四十年初，已有書局印行大陸出版的圖書，其實就內容說，一直都很自我約束，不要說是在意識形態方面謹守分寸。就是在文字上稍涉違礙甚至遇有留在大陸學者的姓名，都自動加以刪改。近幾年，兩岸往來，建立制度，尺度也跟著放寬。而大陸所編印的圖書，無論是經整理過的古籍，或是新著，不但有較高的水準，而且每有新的資料，為研討、學習人文學科者所常需採用。所以出版漸多，不過各行其是，可說沒有章法。

近年兩岸又各訂辦法，保障各有關人士、機構的權益，合法的印行。本社一本出版學術專著的宗旨，現已出版過若干著述，今後還要慎選有助於文化教育的書籍，繼續促進兩岸出版品的交流。原來用簡化字排印的，改用正體字重排，並請作者再加校訂，以求完善。這一工作，敬請讀者不吝指教，以求不斷改進。

緣　起

中國佛教發展到了唐代，遇到了時代的契機，異軍突起，蔚爲大觀。佛教風靡於全社會，滲透到各個領域，產生了廣泛的影響。在當時佛教、道教、儒教三家鼎立的情況下，從對社會生活的滲透、影響方面來說，佛教雖然不曾取得國教的資格，但在實際上卻有著舉足輕重的地位。在這樣的形勢下，唐代的士大夫階層便不可避免地與佛教發生了千絲萬縷的聯繫。這種聯繫構成了唐代社會生活的重要內容，因而也成爲歷史研究的重大課題。本書所作的初步探討，便是以唐代士大夫與佛教的聯繫和相互間的影響作爲考察對象的。

爲了研究的方便，有必要對唐代士大夫和佛教這兩個概念作出基本的限定。唐代的士大夫是個廣泛的階層，在文獻上有搢紳、朝士、士人、文士、士子、儒者、衣冠、大夫等等不同的稱謂。此外，士大夫一詞有時專指某一類人。北宋王讜《唐語林》卷二說：「代有《山東士大夫類例》，其非士族及假冒者不見錄。」這裡的士大夫，僅僅指地主階級中的士族地主。唐太宗晚年征遼時說：「及朕之未老，用士大夫餘力以取之。」①這裡的士大夫，兼指文臣和武臣。把武人稱作士大夫，古已有之。

西漢司馬遷《史記》卷一〇九《李將軍列傳》說:「彼其忠實心，誠信於士大夫也。」南朝劉宋時范曄著《後漢書》卷一九《耿弇傳》記載，劉秀建東漢前夕，注意拉攏王莽時期的文武人員。破王郎以後，他宣稱:「當與漁陽、上谷士大夫共此大功。」在戰鬥中立功的原王莽下屬，被劉秀封爲大將軍、偏將軍。唐制出將入相，文武不分，很多武人都是文士出身。本書所考察的士大夫，是指以修習儒家著作而安身立命的文人和文人出身的武官，他們的身份不再分別什麼士族、庶族、簪組、布衣，純粹武人則置而不論。而唐代的佛教，既是宗教，又是社會組織、社會勢力和意識形態。本書在敘述和分析的時候，有時指佛教整體，有時則指一個或某幾個方面。

筆者自知能薄才譾、綆短汲深，本書中童牛角馬和紕繆疏陋的地方一定不少，期待方家通人不吝賜教，嚴正批評。

【附　註】

①《資治通鑑》卷一九七唐太宗貞觀十九年條。

唐代士大夫與佛教目錄

第一章　士大夫與佛教的不解之緣

佛教自兩漢之際傳入中國後，經過幾百年的咀嚼消化，便完全成爲中國文化的一部分。它對於中國的政治、經濟、文化等領域的滲透，達到了無孔不入的地步。唐代是佛教的鼎盛期，宗派林立，僧侶無算，佛典充斥於世，佛刹精舍比比皆是。士大夫和其他居民一樣，不得不在自己的生活領域中，和佛教打交道。

第一節　士大夫的崇佛風氣

早在唐祚初建時，太史令傅奕在給唐高祖的一份奏疏中就曾指出：「搢紳門里，翻受禿丁邪戒；儒士學中，倒說妖胡浪語。」①接著，唐太宗又指出，佛教傳入後，「洎於近世，崇信滋深，」以至於「好異者望眞諦而爭歸，始波涌於閭里，終風靡於朝廷。」②到了唐後期，唐文宗又指出：「黎庶信苦空之說，衣冠敬方便之門。」③這些不同時期的相同結論，可以說是官方對於有唐一代士大夫普遍崇佛狀況的通報。

爲了了解士大夫崇佛的普遍性，就需要列舉一些具體的事例。

傅奕的同時代人蕭瑀，就是個代表。蕭瑀「專心釋氏，嘗修梵行，每見沙門大德，嘗與之論難及苦空，思之所涉，必諧微旨。」④唐高祖組織群臣討論傅奕關於廢除佛教的奏疏，蕭瑀激烈反對，和傅奕直接交鋒，說：「佛，聖人也。奕爲此議，非聖人者無法，請置嚴刑。」傅奕反駁說：「蕭瑀非出於空桑，乃遵無父之教。臣聞非孝者無親，其瑀之謂矣！」蕭瑀不能回答，只是合掌咒罵道：「地獄所設，正爲是人。」⑤唐太宗曾經賜給他繡佛像一軀，佛像旁繡有蕭瑀形狀，以爲供養之容；還賜給他一部王褒書寫的《大品般若經》和充當講誦之服的袈裟。蕭瑀的家族中有將近二十人出家，據唐初僧人道宣《續高僧傳》卷二八所載，有僧慧銓、智證；據《金石萃編》卷五四《濟度寺尼蕭法願墓志》和《關中石刻文字新編》卷三《大唐濟度寺故比丘尼法樂法師墓志》、《大唐濟度寺故比丘尼法燈法師墓志》，有尼法樂、法願、法燈、惠源等。蕭瑀爲《法華經》撰疏，採集十多家注解，間有自己的心得體會，經常邀集京師的名僧加以討論。蕭瑀的哥哥太府卿蕭璟，一生誦讀《法華經》一萬多遍，雇人抄寫一千部，每次朝參，要讓侍從人員在前面手執經卷，公事之隙，抓緊誦讀。家族中無論尊卑貴賤，都能成誦。道宣對這個佛教世家大加贊賞，說：「蕭氏一門，可爲天下楷模矣。」⑥

王維字摩詰，他的名字就是由於崇佛而取典於佛教維摩詰居士的。王維《嘆白髮》詩說：「人生幾許傷心事，不向空門何處銷？」⑦他平常斷葷血，食蔬菜，不穿華美的衣服。在京師，他每天飯名僧十數，以玄談爲樂事。齋中除了茶鐺、藥臼、經案、繩床，沒有別的擺設。退朝以後，他便焚香獨坐，專事坐禪誦經。妻死後，不再娶，三十年獨居一室。臨終之際，他給平生親故寫信，「多敦厲朋友奉佛修心之旨。」⑧

裴休出生在一個世代奉佛的家庭。他在公事之餘，常常遊踐山林，與僧人講求佛理。他在鐘陵當觀察使時，將希運禪師由洪州高安縣黃檗山迎至州治的龍興寺，早晚問道。後來到了宛陵，再迎希運至所部，安置於開元寺，旦夕受法。他將和希運的問答記錄下來，成爲《筠州黃檗山斷際禪師傳心法要》一文。他以華嚴宗人宗密爲師，還爲宗密所寫佛教文字撰序。裴休中年後不食葷血，齋戒屏棄嗜欲，「香爐貝典，不離齋中，詠嘆贊唄，以爲法樂。」⑨他還按照印度原始佛教的作法，經常身披毳衲，到歌妓院持缽乞食，所謂接受墮落女人的供養。他還宣稱：「不爲俗情所染，可以說法爲人」；「願世世爲國王，弘護佛法。」⑩

士大夫對僧人的尊崇和禮遇，不僅包括當時活著的，也包括已經去世的。武則天時，禪宗創始人慧能，在韶州傳弘佛教。後來，宋之問貶官衡陽，特意到韶州參謁他，還寫了首長詩，說：「洗慮賓空寂，焚香結精誓。願以有漏軀，聿（一作辛）薰無生慧。物用益（一作一）衝曠，心源日閑細。」⑪武平一通過其門人懷讓鑄巨鐘，武平一自撰銘贊，宋之問書寫。唐玄宗時，宋璟節度廣州，專誠去禮謁慧能塔，向其弟子令韜問無生法忍意。宋璟聽令韜講完後，非常高興，向塔乞示徵祥。不一會兒，便出現奇瑞。唐憲宗時，馬摠廉問嶺南，因慧能死後百餘年尚無稱號，就疏奏朝廷，請求賜號，於是「詔謚大鑒禪師，塔曰靈照之塔。」⑫

裴寬曾上表請求出家爲僧，沒有獲得批准。他和僧人往來，焚香禮懺，老而彌篤。他當河南尹時，禪宗北宗普寂禪師去世，他偕同妻孥，穿上孝服，設次哭臨，妻孥都送喪至嵩山。嚴挺之和僧惠義十分友善。惠義去世，他穿孝服送喪至龕所。他自己病重時，自撰墓志說：「十一月，葬於大照（按：大照是惠義的謚號）和尙塔次西原，禮也。」⑬

士大夫設齋念經，在當時是司空見慣的現象。這一方面是由於祈求冥福，一方面是由於日常生活中這種不成文規定已成爲社會默認的程序。李林甫每逢自己過生日，就請僧人到家設齋贊佛。此外，還有寫、刻佛經的。揚州司戶曹司馬喬卿，母親去世，毀瘠骨立，「刺血寫《金剛般若經》二卷」。⑭張說《般若心經贊》說：「秘書少監、駙馬都尉滎陽鄭萬鈞，深藝之士也，學有傳癖，書成草聖，乃揮灑手翰，鐫刻《心經》。……國老張說聞而嘉焉，贊揚佛事，題之樂石。」⑮

士大夫不僅自己崇奉佛教，還進行義務的傳教活動。朝散大夫郟城令牛騰自稱布衣公子，到牂牁做官時，「素秉誠信，篤敬佛道，雖已婚宦，如戒僧焉。口不妄談，目不妄視，言無僞，行無頗，以是夷獠漸漬其化，遂大布釋教於牂牁中。」⑯

士大夫的崇佛，還表現在研讀佛典、探討佛理方面。有不少士大夫是僅僅次於佛門高僧的佛教典籍的研究者。蕭穎士「儒釋道三教，無不該通。」⑰李華、段成式等也是如此。有的士大夫，佛學造詣遠遠超過高僧。他們不但數十年如一日，孜孜以求，把佛學理論解得十分透徹，而且還比較內學外學的同異，找出其淵源和交叉滲透的成份。柳宗元說：「吾自幼好（一作學）佛，求其道積三十年。」⑱他的《晨詣超師院讀禪（一作蓮）經》一詩，敘述了自己的讀經活動，詩云：「汲井漱寒齒，清心拂塵服。閑持貝葉書，步出東齋讀。眞源了無取，妄跡世所逐。遺（一作遺）言冀可冥，繕性何由熟。道人庭宇靜，苔色連深竹。日出霧露餘，青松如膏沐。澹然離言說（一作語），悟悅心自足。」⑲可以看得出，他把研讀佛典安排在一天中最寶貴的時刻。對於佛理有了深刻的理解之後，他還批評一些他認爲不符合佛教原義的理解，「而今之言禪者，有流蕩舛誤，迭相師用，妄取空語，而脫略方便，顚倒眞實，以陷乎己而又陷乎人。又有能言體而不及用者，不知二者之不可斯須離也。離之外矣，是世之所大患也。」⑳劉禹錫說：自己做官二十年，百慮而無一得，在懂得了世間所謂道無非畏途之後，深感「唯出世間法可盡心耳，」因而案席上放的多是「旁行四句之書」（佛教典籍），自己達到了「事佛而佞」㉑的地步。

白居易早年即「棲心釋梵，」㉒「通學小中大乘法。」㉓據他的《與濟法師書》、㉔《華嚴經社石記》，㉕以及《錢虢州以三堂絕句見寄因以本韻和之》，㉖《病中看經贈諸道侶》㉗和《開龍門八節石灘詩二首》㉘等詩自注，可知他讀過的佛教典籍有《維摩經》、《首楞嚴三昧經》、《法華經戒》、《法王經》、《金剛三昧經》、《金剛經》、《華嚴經》、《法華經》、《涅槃經》等等。他在《蘇州重玄寺法華院石壁經碑文》中，表現了自己對佛典的高度嫻熟程度：

夫開示悟入諸佛知見，以了義度無邊，以圓教垂無窮，莫尊於《妙法蓮華經》，凡六萬九千五百五言。證無生忍，造不二門，住不可思議解脱，莫極於《維摩經》，凡二萬九千九十二言。攝四生九類，入無餘涅槃，實無得度者，莫先於《金剛般若波羅蜜經》，凡五千二百八十七言。壞罪集福，淨一切惡道，莫急於《佛頂尊勝陀羅尼經》，凡三千二十言。應念順願，願生極樂土，莫疾於《阿彌陀經》，凡一千八百言。用正見觀眞相，莫出於《觀音普賢菩薩法行經》，凡六千九百九十言。詮自性，認本覺，莫深於《實相法密經》，凡三千一百五言。空法塵，依佛智，莫過於《般若波羅蜜多心經》，凡二百五十八言。是八種經，具十二部，合一十一萬六千八百五十七言，三乘之要旨，萬佛之秘藏，盡矣。㉙

在這樣的社會條件下，可以說找不出一個對佛教知識一無所知的士大夫。即使對佛教持否定態度的人，他們對佛教理論也是有一定程度的理解的。南宋馬永卿引友人王抃話說：「世人但知韓退之（韓愈）不好佛，反不知此老深明此意。觀其《送高閑上人序》云：『今閑師浮屠氏，一死生，解外膠，是其爲心，必泊然無所起；其於世，必淡然無所嗜。泊與淡相遭，頹墮委靡潰敗，不可收拾』。觀此言語，乃深得歷代祖師向上休歇一路。其所見處，大勝裴休。且休嘗爲《圓覺經序》，考其造詣，不及退之遠甚。唐士大夫中，裴休最號爲奉佛，退之最號爲毀佛，兩人所得之淺深乃相反如此。」㉚這個説法雖不符合實際（參看本書第三章第二節），但也有一定的道理。

士大夫崇佛的普遍性，還可以通過對另外兩種人的分析加以說明。一種人以李白爲代表。李白思想中，儒釋道三家雜糅，而受道教影響最深。南宋葛立方對李白的思想變化作出了這樣的分析：「李白跌宕不羈，鐘情於花酒風月則有矣，而肯自縛於枯禪，則知淡泊之味賢於啖炙遠矣。白始學於白眉空，得『大地了鏡徹，回旋寄輪風』之旨；中謁太山君，得『冥機發天光，獨照謝世氛』之旨；晚見道崖，則此心豁然，更無疑滯矣，所謂『啓開七窗牖，托宿掣電形』是也。後又有談玄之作云：『茫茫大夢中，惟我獨先覺。騰轉風火來，假合作容貌。問語前後際，始知金仙（按：金仙子是佛的別稱）妙』。則所得於佛氏者益遠矣。」㉛

另一種人以李翺爲代表。李翺可以說是一位戲劇性的人物。他寫有《去佛齋》一文，反佛態度非常堅決，享有同反佛巨將韓愈幾乎相當的聲望。在他仕途蹭蹬，由內官貶爲朗州刺史時，卻謁見朗州藥山禪僧智儼，受法警悟，作了兩首偈：「煉得身形似鶴形，千株松下兩函經。我來相問無餘說，雲在青天水在瓶。」「選得幽居愜野情，終年無送亦無迎。有時直上孤峰頂，月下披雲嘯一聲。」佛教徒很會抓住一點，大作文章。北宋僧人贊寧著《宋高僧傳》卷十七《惟儼傳》這樣寫道：「初，翺與韓愈、柳宗元、劉禹錫爲文會之交，自相與述古言，法六籍，爲文黜浮華，尙理致，言爲文者韓柳劉焉。……無何，翺邂逅於儼，頓了本心。」李翺還著《復性書》上中下三篇，「韓柳覽之，嘆曰：『吾道萎遲，翺且逃矣。』」贊寧站在佛教的立場上評介這件事，所說韓、柳的感嘆，未必可信。因爲柳宗元自己信佛，對於李翺信佛，有什麼可嘆的；韓愈的友人中，信佛者不少，對別人能容忍，何獨要對李翺感嘆？南宋僧人普濟摘錄《景德傳燈錄》等五種佛教典籍爲《五燈會元》一書。該書卷五將李翺列爲藥山儼禪師法嗣，題作「刺史李翺居士。」但李翺《復性書》溝通儒佛兩家思想，以佛解儒，則屬事實。南宋人葉夢得和朱熹，都已明確揭出（參看本書第四章第四節）。淸人錢大昕雖持有不同見解，卻無法否認李翺和佛教的這種關係。他說：「《復性》三篇繼孟、荀，羽之（李翺）文與退之倫。偶題雲水天瓶句，認作《傳燈錄》上人。」㉜

唐代士大夫崇佛非常普遍，形成社會風氣。李白和李翺這兩類人，在這一社會風氣的制約下，程度不同地受到佛教的影響。反佛的韓愈也不得不與佛教發生一些瓜葛。這都說明，士大夫的崇佛，是唐代社會的常態。

第二節　儒釋交遊

一、唐代儒釋交遊是前代儒釋交遊的繼續

唐代士大夫和佛教打交道，最大的一部分內容是和僧人交朋友。士大夫和僧人都是多層次的社會集團，各自的社會地位有貴賤之分，經濟狀況有貧富之分，文化水平有高低之分。因而儒釋交遊便顯得錯綜複雜，但其中仍有規律可循。

柳宗元在《送文暢上人登五台遂遊河朔序》中總結說：「昔之桑門上首，好與賢士大夫遊。」他列舉晉宋以來支道林、道安、慧遠、惠休等高僧，所交遊的謝安石、王逸少（羲之）、習鑿齒、謝靈

運、鮑照等士大夫，都是一時人選。說到這位文暢上人，柳宗元指出，當時吏部尚書顧少連、兵部侍郎韓皋和廷尉、吏部郎中鄭、楊、劉諸公，有謝安石的品德，王逸少的高逸和習鑿齒的才華，「皆厚於上人，而襲其道風。」㉝可見，唐代的儒釋交遊是前代儒釋交遊的繼續，不過在程度上更加廣泛普遍，並且帶著自己的時代特點。

二、唐代僧人異於前代僧人的時代特點

唐代的僧人中，處於領袖地位的桑門上首，較之東晉南朝有了明顯的變化。東晉廬山東林寺僧人慧遠，抗跡塵外，不出入市廛三十餘年，不和朝廷合作，和士大夫的交遊只限於傳播佛教、詩歌酬唱，而且以東林寺爲中心，送客不過虎溪。當時很多上層僧人，都能高蹈出世，嘯傲王侯，故被譽爲高僧而不稱名僧。到了隋唐時期，佛教各宗相繼建立，除了禪宗的慧能以外，其餘多數宗派的領袖都和朝廷交接，甚至積極干預政治。

法相宗（唯識宗、慈恩宗）的奠基人玄奘，是一個嚴肅的佛教學者，但和朝廷交接，卻很主動。他從天竺遊學回國，在東都洛陽受到唐太宗的接見，「別勑引入深宮之內殿，面奉天顏，談叙眞俗，無爽帝旨，從卯至酉，不覺時延，迄於閉鼓。」㉞他曾三十多次上表唐太宗、唐高宗父子，或感謝御制《大般若經序》和大慈恩寺碑文，或請呈遞自己的譯著。甚至在武則天難產時，還上表說：「深懷憂懼，願乞平安。」武則天產後一月間，他竟四次上表祝賀。他還在《賀皇子爲佛光王表》中說：

「當願皇帝皇后，百福凝華，齊輝北極，萬春表壽，等固南山。罄娛樂於延齡，踐薩雲於遐劫。儲君允茂，綏紹帝猷。寵番惟宜，翊亮王室。襁褓英胤，休祉日繁，標志節於本枝，嗣芳塵於草座。」㉟這已經超出了宗教範圍，顯得很庸俗。

華嚴宗（賢首宗）創始人法藏，深入禁中，還爲武則天講解《華嚴經》。武周神功元年（六九七年），武周和契丹發生軍事衝突。武則天詔令法藏依經教阻遏契丹內侵。法藏上奏說：「若令摧伏怨敵，請約左道諸法。」得到批准後，他即沐浴更衣，建立十一面道場，置觀音像。行道幾天後，契丹軍隊即看見武周軍隊無數神王之衆，還看見觀音之像浮空而至。契丹軍隊相次逗撓，武周軍隊獲勝。武則天下詔表彰說：「蒯城（按：蒯城當爲薊城之誤）之外，兵士聞天鼓之聲；良鄉縣中，賊衆睹觀音之像。醴酒流甘於陣塞，仙駕引纛於軍前。此神兵之掃除，蓋慈力之加被。」武則天病重期間，張柬之發動政變，殺掉張易之、張昌宗兄弟，翊戴唐中宗復辟。法藏在這次政變中，「內弘法力，外贊皇猷。」唐中宗賜他三品，固辭，固授，遂請轉賜給自己的弟弟，「俾諧榮養。」唐中宗下詔表揚法藏「夙參梵侶，深入妙門。傳無盡之燈，光照暗境；揮智慧之劍，降伏魔怨。凶徒叛逆，預識機兆，誠懇自衷，每有陳奏，奸回旣殄，功效居多。」㊱

禪宗神會，安史亂中，洛陽失守，隱於民間。當時朝廷財政困難，右僕射裴冕建議置壇度僧，收香水錢，以助軍需。神會被邀請主持其事，「所獲財帛，頓支軍費。」對於唐廷收復兩京，「會之濟用，頗有力焉。」因而唐肅宗詔令入內供養，「敕將作大匠並功齊力，爲造禪宇於荷澤寺中是也。」㊲

其他如號稱兩京法主、三帝國師的禪宗北宗領袖神秀，號稱開元三大士的密宗領袖梵僧善無畏、金剛智、不空等等，都是出入宮廷、交接王侯的佛教巨子。

還有一些僧人，成爲唐廷的御用僧人。有的在宮廷裡的內道場講誦佛經，有的被任命爲以詩文應制的內供奉僧，有的被任命爲京城大德。廣宣、次融、永讙、玄觀、棲白、僧鸞等等，都作過內供奉。廣宣是唐憲宗、唐穆宗兩朝的內供奉僧。白居易《廣宣上人以應制詩見示因以贈之詔許上人居安國寺紅樓院以詩供奉》詩云：「香積筵承紫泥詔，昭陽歌唱碧雲詞。紅樓許住請銀鑰，翠輦陪行蹋玉墀。」㊳廣宣《禁中法會應制》詩云：「侍讀沾恩早，傳香駐日遲。在筵還向道，通籍許言詩。空愧陪仙列，何階答聖慈？」㊴《降誕日內庭獻壽應制》詩云：「登霄欣有路，捧日愧無功。……修齋長樂殿，講道大明宮。」㊵《再入道場紀事應制》詩云：「自喜恩深陪侍從，兩朝長在聖人前。」㊶姚合《贈供奉僧次融》詩云：「開經對天子，騎馬過聲聞。」㊷這些詩都反映了供奉僧的社會地位、日常活動和心情。唐人趙璘《因話錄》卷四嘲笑僧人自高身價，竟然取號爲文章大德。他認爲文章和僧徒毫不相干，「夫文章之稱，豈爲緇徒設耶？」然而這類稱號，有時竟是政府賜與的。唐武宗會昌毀佛，盡管勢頭迅猛，但有如曇花一現。唐武宗去世後，唐宣宗一上台，就立即恢復佛教。在收復河湟地區以後，杜牧爲唐宣宗起草了《敦煌郡僧正慧苑除臨壇大德制》。慧苑原職不但是敦煌管內釋門都監察僧正，還兼州學博士。他「利根事佛，餘力通儒」，「舉君臣父子之義，教爾青襟。」「領生徒坐於學校，貴服色舉以臨壇。若非出群之才，豈獲兼榮之授，勉弘兩教，用化新邦。」於是在保留原銜的基

礎上，再敕授「京城臨壇大德。」㊸

對於以上這些高級僧人，朝廷給予了種種特殊的恩遇。主要有以下幾種：

1.賜紫。唐制規定，官員章服的顏色按品級加以區分，三品以上服紫。當時僧人穿黑袈裟，故被稱爲緇徒、緇流。朝廷爲了對高級僧人表示殊榮，就賜以紫色袈裟。唐文宗時，僧宗密賜紫。唐宣宗時，內供奉僧棲白也曾賜紫。

2.賜師號、謚號、國師號。唐代宗時，梵僧不空賜號大廣智三藏，已故的梵僧金剛智追賜大弘教三藏。唐德宗時，僧澄觀賜號鎭國大師。唐懿宗時，僧徹賜號淨光大師，可浮賜法智大師。慧能死後，唐憲宗追謚大鑒禪師。武則天時，法藏賜賢首國師號。唐憲宗時，僧澄觀賜清涼國師號；唐穆宗唐敬宗時，又封大照國師；唐文宗時，加封大統國師。

3.賜官爵。唐代宗時，追贈金剛智爲開府儀同三司，賜不空爲特進、試鴻臚卿，後加開府儀同三司，封肅國公，食邑三千戶。

可見，這些高級僧人已經不是出世的方外人士，而是入世的俗人，是穿著袈裟的國務活動家和御用墨客騷人。

這類僧人雖然地位顯赫，能量巨大，影響深廣，但爲數畢竟有限。在其餘的僧人中，除了多數並非一定信仰和理解佛教，只是爲了逃避賦稅徭役或混飯糊口才削髮爲僧者外，仍有相當一批僧人，或者精通高深的佛學理論，或者遵守戒律、德高望重，或者具有詩歌創作、評論、書法、美術、音樂、棋奕、天文、歷法、醫學、園藝等等多方面的知識和技能，或者會搞魔術似的厭勝活動，等等。

上述種種，構成了唐代僧人異於前代僧人的時代特點。

三、士大夫對僧人的選擇

在士大夫和僧人兩大類人並存的唐代，彼此交遊就成了必然的事。士大夫和僧人結識交往，是世俗友誼的補充和世俗生活的點綴，積習所染，競相仿效，成了一件十分時髦的事。反過來，僧人和士大夫接近，一方面能獲得一些實際利益，一方面借賦詩撫琴邀得名聲，充實生活，無疑是一件高雅的事。這種兩者都可得到好處的交往，便構成了唐代社會生活的重要內容。

儒釋交遊是有選擇的。只有上述那些佛教領袖和兼通內外學、具有各種技能的高僧，以及僻居山林、潔身自好的山僧，才能成爲士大夫企圖結交的對象。反之，愚昧粗鄙的下層僧衆只能受到士大夫的嗤笑，不守內律和國家法律，爲非作歹，危害社會秩序的僧徒，還要受到士大夫的打擊和鎮壓。

我們可以看一看士大夫結交的幾種僧人典型。

玄奘未出國前，已經是一位具有相當佛學修養的青年學者了。僕射宋國公蕭瑀「敬其脫穎」，㊹奏請讓玄奘安住莊嚴寺。僧神秀學道於所謂禪宗五祖弘忍門下，最有希望成爲弘忍的接班人，但同來學道的慧能以一首頓悟的偈，表現出自己的領悟超出神秀之上，弘忍便將所謂禪宗初祖菩提達摩的傳法信物——袈裟，授予了慧能。慧能南遁嶺南，創立了禪宗。而神秀在佛教界，聲望亦相當高。弘忍死後，神秀居住在江陵當陽山。「四海緇徒，向風而靡，道譽馨香，普蒙熏灼。」他建立了禪宗北宗。武則天知道他以後，就召赴神都洛陽。神秀肩輿上殿，武則天對他親加跪禮。「時王公已下，京邑士庶，競至禮謁，望塵拜伏，日有萬計。洎中宗孝和皇帝即位，尤加寵重。中書令張說嘗問法執弟子禮。」㊺神秀死後，張說爲他寫了碑文《唐玉泉寺大通禪師碑》，介紹了他的生平、主張和北宗的傳承關係，使得處於禪宗攻訐打擊下的北宗，不至於完全湮沒無聞。天台宗的中興大師湛然，本來也是士大夫，唐玄宗天寶初年，出家爲僧。他廣泛向道俗宣講教義，「朝達得其道者，唯梁肅學士。」梁肅著文評介說：在天台宗面臨危機的關鍵時刻，湛然使之「渙然中興。蓋受業身通者，三十有九僧；縉紳先生，高位崇名，屈體承教者，又數十人。師嚴道尊，遐邇歸仁。向非命世而生，則何以臻此？」贊寧評論湛然和梁肅的關係是，「非此人何以動鴻儒，非此筆何以銘哲匠？」㊻

律宗高僧法慎，居住在揚州龍興寺，道德高尚，行爲端正。當時朝廷大員銜命往還路經揚州者，每年數以百計。他們都敬重法慎，「不踐門閾，以爲大羞，仰承一盼，如洗飢渴。」黃門侍郎盧藏用是個才高名重，自視頗高的人，極少推崇別人。法慎到京師後，盧藏用一見他，竟然「慕味循環，不能離坐，退而嘆曰：『宇宙之內，信有高人。』」太子少保陸象先，兵部尚書畢構，少府監陸餘慶，吏部侍郎嚴挺之，河南尹崔希逸，太尉房琯，中書侍郎、平章事崔渙，禮部尚書李登，辭人王昌齡，著作郎綦毋潛等人，「僉所瞻奉，願同灑掃。」唐玄宗天寶七載（七四八年），法慎去世，北從淮泗地區，南到嶺表，緇素弟子「望哭者千族，會葬者萬人。」㊼

吳興皎然名畫，與越州靈澈、杭州道標，是中唐時期有名的三位詩僧。當時有「霅之晝，能清秀；越之澈，洞冰雪；杭之標，摩青霄」[48]的說法廣爲流傳。顏眞卿、梁肅、韋應物、孟簡、嚴維、劉長卿、皇甫曾、包佶、權德輿、李益、李吉甫、嚴綬、韓皋、呂渭、盧群、李敷、孫栻、盧輔、盧幼平、賈全、白居易、丘丹、裴樞、朱放越、薛戎、吳季德、李萼、崔子向、薛逢、楊達等等士大夫，或簪組，或布衣，睹面論心，分聲唱和，相與結爲林中契。皎然還著有《儒釋交遊傳》。

僧彥範俗姓劉，早年曾鑽研儒家經典，被邑人稱爲劉九經。顏眞卿、劉晏、穆寧、穆贊等人「皆與之善，各執經受業者數十人。」彥範講書，「剖析微奧，至多不倦，」還批評「近日尊儒重道，都無前輩之風。」穆贊給彥範的信，極爲恭敬，說：「某偶忝名宦，皆因善誘。自居班列，終日塵屑，卻思昔歲臨清潤、蔭長松，接侍座下，獲聞微言，未知何時復遂此事？遙瞻水中月、嶺上雲，但馳攀想而已。」信上只署「門人姓名，狀上和尙法座前，不言官位。當時嗜學事師，可謂至矣。」[49]

此外，一些山僧雖在佛教界地位不高，但僻居出林，潔身自好，在一定程度上實踐其出世主張，與那些承恩服紫，干謁王侯，以出世而入世的僧侶貴族，在處世態度上大相徑庭，因而爲一些隱而待仕，或因仕途坎坷而憤世嫉俗的士大夫所敬重。柳宗元解釋自己好與僧人交遊的原因說，那些按照佛教規定而修行的僧人，「不愛官，不爭能，樂山水而嗜閑安者爲多。吾病世之逐逐然唯印組爲務以相軋也，則捨是其焉從？」[50]右丞狄歸昌喜歡吟誦李涉的詩句「因過竹院逢僧話，又（一作偸）得浮生半日閑。」[51]狄歸昌雖然愛與僧人交遊，但「有服紫袈裟者，乃疏之。」[52]都官郎中鄭谷廣泛「結契山僧」，曾說山僧象蜀茶一樣，「未必皆美，不能捨之。」㊼他寫給狄歸昌的詩裡，也有「愛僧不愛紫衣僧」㊽的句子。這句詩幾乎成了警句，影響波及於半個世紀以後。僧人贊寧經五代十國而入宋，一直交接權貴，巴結最高統治者。他廣讀儒書，博聞強記，文筆辯才，都很出色，但在爲人方面，卻過於便佞。北宋初年，政府以大規模的軍事行動，卓有成效地結束五代十國的割據分裂狀況。吳越王錢俶，懾於北宋的強大威力，主動表示歸順。贊寧作爲吳越的僧統，也隨之歸國。宋太宗親自接見他，任爲僧統，賜紫方袍。宋太宗在京師開封相國寺燒香，問是否應當拜佛像，贊寧回答說：「現在佛不拜過去佛。」㊾贊寧的這種行徑，必然引起士大夫的反感。一次，安鴻漸在街上看見贊寧和數僧相隨而行，就指著他們嘲諷道：「鄭都官不愛之徒，時時作隊。」贊寧應聲回答道：「秦始皇未坑之輩，往往成群。」㊿不過，若把鄭谷所說不愛承恩上層貴族僧人視爲實錄，那卻是一種誤會。實際上，他交的僧友中，有一位法名文秀的，也是御用的內供奉僧。鄭谷有五首同文秀唱和的詩，透露了一些消息。《次韻和秀上人遊南五台》詩說文秀「內殿評詩切，身回心未回。」《次韻和秀上人長安寺居言懷寄渚宮禪者》詩說：「出寺只知趨內殿，閉門長似在深山。……唯恐興來飛錫去，老郎無路更追攀。」㉛可見鄭谷和供奉僧交遊非常主動，深恐失去機會。從儒釋交遊總的情況來看，山僧也是士大夫結交的一種類型。

以上是士大夫願意結交的幾種僧人典型。而那些愚昧的下層僧衆，是佛門的芸芸衆生，自然缺乏招徠士大夫的魅力。唐人馮翊子子休《桂苑叢談》記載，有人接連三次到京師青龍寺訪僧，寺主諸事猬集，沒來得及接待，這人盛怒之下，在門上題了首詩就揚長而去了。詩云：「龕龍東去海，時日隱西斜，敬文今不在，碎石入流沙。」顯然，這是一首廋語詩。寺裡的僧衆都不解是什麼意思，只有一個沙彌——該書交代說，這個沙彌是唐懿宗朝的供奉僧文皓——知道這首詩是辱罵僧衆爲「合寺苟卒」的不遜之言，其他僧人才大悟。這樣的僧衆太平庸了，當然得不到士大夫的青睞。

四、僧人對士大夫的選擇

在士大夫階層中，有的鐘鳴鼎食，有的位居要津，有的學富五車，有的詩名飛揚，有的卓犖昂藏，有的瀟灑倜儻，有的溫柔敦厚，有的高逸恬澹，當然也有相當一批人窮困潦倒、鬱鬱不得志。同士大夫對於僧人有自己的取捨標準相彷彿，僧人對於士大夫，也是有選擇的。

白居易《唐故撫州景雲寺律大德上弘和尚石塔碑銘》指出：「佛法屬王臣」，因而律僧上弘「與姜相國公輔、太師顏眞卿，暨本道廉使楊君憑、韋君丹四君子友善」。[58]另外，文以人傳，人以文傳，對於作者來說是這樣，對於文字涉及到的人來說，也是這樣。楊炯在《送幷州旻上人詩序》中寫道：「旻上人天骨多奇，神情獨王。法門梁棟，豈非龍象之雄？晉國英靈，即是河汾之寶。道尊德貴，所以名稱並聞；盡性窮神，所以身心不動。遍觀天下，暫遊城闕。劉眞長之遠致，雅契高風；習鑿齒之宏才，深期上德。」[59]柳宗元《送元暠師序》說：「元暠，陶氏子，其上爲通侯，爲高士，爲儒先。資其儒，故不敢忘孝；跡其高，故爲釋；承其侯，故能與達者遊」。[60]很多士大夫的詩文，都把僧人稱爲開士、大士，或者比作前代的高僧遠公（慧遠）、支公（支遁，即支道林）、生公（竺道生）。士大夫的這類文字，可以看作是給僧人寫的操行評語和政治鑒定，無疑可以抬高僧人的身價，傳播開來，僧人的名聲便不脛而走。皎然寫信給以文章風韻爲世宗的中丞包佶，盛贊靈澈的詩作，說：「伏冀中丞高鑒深量，其進諸乎？其捨諸乎」？並且帶著靈澈去拜見包佶，包佶「禮遇非輕」。㉑右庶子李益在京師極力誇獎道標，道標因而「聲價軼於公卿間」。㉒因此，那些達官貴人、一代文宗和著名詩人，便首先成爲僧人攀附的對象。

攀附這一類士大夫，廣宣可以稱得上是最活躍的。他和劉禹錫、白居易、韓愈、楊巨源、韋臯、李益、雍陶、王起、鄭絪、段文昌等人過從頻繁，彼此有詩歌酬唱傳世。就連名妓薛濤，也有一首題爲《宣上人見示與諸公唱和》的詩㉓。可見，廣宣根本沒有恪守佛教關於不近女人的最基本的禁戒。韓愈有詩題爲《廣宣上人頻見過》，從標題可以看出，廣宣交接士大夫是極爲主動的，以致於使得以反佛爲事業的韓愈，也不得不曲爲應酬，寫上幾句客套話：「久爲（一作慚）朝士無裨補，空愧高僧數往來」。㉔廣宣是個不安分守己的僧人，有時候手伸得太長，什麼都想干預。唐武宗會昌年間（八四一年—八四六年），王起主持科舉考試，廣宣寫詩恭維，王起答詩吹捧他爲「彌天上士」。㉕但有時候，廣宣不但不能受到稱許，反而自討沒趣。他曾跑到尚書右丞韋貫之家，對韋貫之說：「竊聞閣下不久拜相。」士大夫對這一類涉及到自己在朝廷上地位的問題，本來就是極力避嫌的，何況又是由供奉僧透露出來的小道消息，韋貫之就呵叱道：「安得不軌之言！」還草擬奏疏，準備匯報，廣宣嚇得連忙走開。[66]

士大夫中那些被僧人認定有潛在力量而暫時不得意的人，也會受到僧人懷著期待的尊重。韋昭度出身於破落士族，年青時窮困潦倒，經常投靠京師左街僧錄淨光，隨僧吃粥，維持生活。淨光有人倫之鑒，斷定韋昭度一定會有脫穎而出的機會，「常器重之」。[67]果然，韋昭度於唐懿宗咸通八年（八六七年）進士擢第，唐僖宗時期，累遷尙書郎、知制誥、中書舍人、戶部侍郎，後來還當上宰相。據五代人孫光憲《北夢瑣言》卷六記載，韋昭度當宰相，是依靠一位名澈的承恩僧人在禁中周旋所致。這位僧澈，無疑就是被唐懿宗賜號爲淨光大師的僧徹。

而對於那些前途未卜的士大夫，僧人們卻捨不得那碗飯。王播少時，孤貧無援，曾客居揚州惠昭寺木蘭院，隨僧吃飯。僧衆對他非常討厭，爲了趕走他，就把敲鐘開飯改爲飯後敲鐘。王播按慣例聽到鐘響前往吃飯，卻撲了空。但僧人們作事也留有餘地，王播在寺中的題詩並沒有銷毀。一旦事情有了轉機，王播當了官，僧人們馬上就把拉長了的臉調整成笑容可掬的神色。二十多年後，王播自重位出鎭揚州，舊地重遊，發現自己當年的題詩已被僧人用碧紗籠罩，刻意保護，不禁感慨地寫了兩首七絕：「二十年前此院遊，木蘭花發院新修。而今再到經行處，樹老無花僧白頭。」「上堂已了各西東，慚愧闍黎飯後鐘。二十年來塵撲面，如今始得碧紗籠。」[68]可見，空門中並不缺乏世態炎涼。

五、以李白、韓愈為代表的儒釋交遊的兩種特殊類型

在儒釋交遊方面，崇佛的士大夫和僧人交遊，既不免趨之若鶩，對佛教持理解而不過分崇奉或根本不贊成態度的士大夫，也不能例外地保持孤身自潔。下面以李白和韓愈爲代表，對兩種特殊類型的儒釋交遊加以分析。

上節談到李白的思想，儒釋道三家雜糅，而受道教的影響最深。他才華橫溢，心雄萬夫，一般僧衆是不屑一顧的。他所接近的僧人，都是佛門的佼佼者。他的著眼點只在於僧人的學識、才華、氣質、風度、操守、品行。這反映在他的詩歌裡。《僧伽歌》說：「眞僧法號號僧伽，有時與我論三車。……嗟予落魄江淮久，罕遇眞僧說空有。一言散盡波羅夷，再禮渾除犯輕垢」。⑲《自梁園至敬亭山見會公談陵陽山水兼期同遊因有此贈》說：「會公眞名僧，所在即爲寶。」⑳《贈宣州靈源寺仲浚公》說：「此中積龍象，獨許浚公殊。風韻逸江左，文章動海隅。觀心同水月，解領得明珠。今日逢支遁，高談出有無。」㉑《贈僧行融》說：「梁有湯惠休，常從鮑昭遊。峨眉史懷一，獨映陳公出。卓絕二道人，結交鳳與麟。行融亦俊發，吾知有英骨」。㉒《別山僧》說：「謔浪肯居支遁下，風流還與遠公齊」。㉓因爲李白的標準很高，所以他雖然遍遊京師、重鎭和名山大川，也沒有幾個能夠深交的㉔。

至於以斥佛老爲己任的韓愈，在交遊方面也不能違背世情。從他的詩文中，可知他交的僧友有景常、元惠、文暢、廣宣、高閑、澄觀、令縱、大顚、靈、盈、穎等人。在《送浮屠令縱西遊序》中，韓愈寫道：

其行異，其情同，君子與其進，可也。令縱，釋氏之秀者，又善爲文，浮遊徜徉，跡接天下。藩維大臣，文武豪士，令縱未始不褰衣而負業，往造其門下。其有尊行美德，建樹功業，令縱從而爲之歌頌，典而不諛，麗而不淫，其有中古之遺風歟！乘間致密，促席接膝，譏評文章，商較人氏，浩浩乎不窮，愔愔乎深而有歸。於是乎吾忘令縱之爲釋氏之子也。其來也雲凝，其去也風休，方歡而已，辭雖異而不求，吾於令縱不知其不可也。[75]

這裡，我們一方面可以看出僧人接近士大夫多麼的主動，一方面可以看出，令縱的言談舉止與士大夫並無二致，他的神采風韻使韓愈幾乎忘掉了他的僧人身份。

韓愈這篇序寫得還客氣，在其它詩文中，不是直斥佛教，敦勸僧人還俗，就是拐彎抹角地諷刺一番。在《送惠師》一詩中，韓愈宣稱「子道非吾遵。……吾非西方教，憐子狂且醇。吾疾惰遊者，憐子愚且諄。」[76]在《送靈師》一詩中，他總結說：「佛法入中國，爾來六百年。齊民逃賦役，高士著幽禪。官吏不之制，紛紛聽其然。耕桑日失隸，朝署時遺賢。」僧靈「圍棋鬥白黑，生死隨機權，六博在一擲，梟盧叱回旋。戰詩誰與敵，浩汗橫戈鋋。飲酒盡百盞，嘲諧思逾鮮。有時醉花月，高唱清且綿。」士大夫對他「強留費日月，密席羅嬋娟。」詩還說：「方將斂之道，且欲冠其顛。」[77]在《送僧澄觀》一詩中，韓愈說，士大夫都認爲澄觀雖是僧徒，但是個詩人，而且「公才吏用當今無。」韓愈表示「我欲收斂加冠巾。」[78]在《贈譯經僧》一詩中，韓愈說：「萬里休言道路賒，有誰教汝度流沙！只今中國方多事，不用無端更亂華。」[79]在《送高閑上人序》中，韓愈指出，張旭的草書成就極高，而僧人高閑之於草書，沒學到張旭草書的精神，只學了點皮相，就因爲他是佛教徒，「一死生，解外膠，是其爲心，必泊然無所起，其於世，必淡然無所嗜。泊與淡相遭，頽墮委靡潰敗，不可收拾，則其爲書，得無象之然乎！」⑳韓愈和僧無本交往，極力動員他返俗應科舉。無本終於接受勸告，恢復世俗姓名賈島，成爲韓愈「人其人」㉛主張實施過程中的成功一例。

通過以上事例，不難看出，韓愈只是把僧人看作社會上一種類型的人，作爲個人身份，有原則有節制地加以交往，而不贊成他們的宗教主張，不和他們勾結，並且不失時機地向他們宣傳自己的反佛主張，動員他們還俗。

鳳翔法門寺阿育王塔內，有一節所謂佛骨，據說是釋迦牟尼中指的一節，長約唐制一寸八分，唐太宗、唐高宗、武則天、唐中宗、唐肅宗、唐德宗諸帝，或建塔，或禮迎，或紀之國史，或禮之法官。因此，人們以爲阿育王塔一開，「則玉燭調，金鏡朗，氛祲滅，稼穡豐。」㉜因爲非同一般，所以三十年才奏請朝廷開放一次。功德使將情況上報唐憲宗，唐憲宗決定迎佛骨。元和十四年（八一九年），唐憲宗派遣宦官，將佛骨迎入京師，先在禁中供奉三天，然後送到京師各佛寺。當時這算是國家的大典，熱鬧非常。「王公士民瞻奉捨施，惟恐弗及，有竭產充施者，有然香臂頂共養者」。㉝韓愈上表切諫，唐憲宗大怒，要將韓愈處死，經大臣裴度、崔群營救，降死罪貶爲潮州刺史。

韓愈到了南荒潮州後，和僧大顛來往，並有寫給大顛的三封信傳世。信文如下：

其一

愈啓：孟夏漸熱，〔伏〕惟道體安和。愈弊劣無謂，坐事貶官到此，久聞道德，切思見顏，緣昨到來，未獲參謁，倘能暫垂見過，實爲多幸。已帖縣令具人船奉迎，日久佇瞻。不宣。愈白。

其二

愈啓：海上窮處，無與話言，側承道高，思獲披接。專輒有此咨屈，倘惠能降喻，非所敢望也。至此一二日，卻歸高居，亦無不可。旦夕渴望。不宣。愈白。

其三

愈啓：惠勻至，辱答問，珍悚無已。所示廣大深迴，非造次可諭。易大傳曰：「書不盡言，言不盡意。」然則聖人之意，其終不可得而見邪？如此而論，讀來一百遍，不如親〔見〕顏色，隨問而對之易了。此旬來晴明，旦夕不甚熱，倘能乘間一訪，幸甚！旦夕馳望。愈聞道無疑滯，行止系縛，苟非所戀著，則山林閑寂與城郭無異。大顛師論甚宏博，而必守山林，義不至城郭，自激修行，獨立空曠無累之地者，非通道也。勞於一來，安於所適，道故如是。不宣。愈頓首。⑧④

這三封信，起初韓愈的文集中沒有收錄，北宋歐陽修最早搜集到。歐陽修說：「韓文公《與顛師書》世所罕傳。余以集錄古文，其求之既勤且博，蓋久而後獲。其以《易》『繫詞』爲『大傳』，謂著山林與著城郭無異等語，宜爲退之之言」。⑧⑤稍後，蘇軾則認爲是僞作，說：「世乃妄撰退之《與大顛書》，其詞凡陋，退之家奴僕，亦無此語。」[86]對於韓愈和大顛的交往，歷來也有很多說法，佛教界杜撰得更加離奇。首先，他們將這位極普通的下層山僧稱作潮州靈山大顛寶通禪師，似乎是一位在禪宗史上有影響有地位的上層僧人；接著就繪聲繪色地編造韓愈參見大顛的細節：

韓文公一日相訪，問師春秋多少，師提起數珠，曰：「會麼？」公曰：「不會」。師曰：「晝夜一百八。」公不曉，遂回。次日再來，至門前，見首座，舉前話問意旨如何，座扣齒三下。及見師，理前問，師亦扣齒三下。公曰：「元來佛法無兩般。」師曰：「是何道理？」公曰：「適來問首座，亦如是。」師乃召首座：「是汝如此對否？」座曰：「是。」師便打趁出院。文公又一日白師曰：「弟子軍州事繁，佛法省要處，乞師一語。」師良久，公罔措。時三平爲侍者，乃敲禪床三下。師曰：「作麼？」平曰：「先以定動，後以智拔。」公乃曰：「和尚門風高峻，弟子於侍者邊得個入處。」[87]

古人考察信的眞僞，評價韓愈和大顛的交往，是從韓集諸本的收與不收，與韓愈的文風和反佛主張是否一致，爲出發點的。這都有可取之處。我認爲，應該著重從韓愈的一貫主張、交遊標準和所處環境出發，結合書信的內容進行考察，即知人論世。

韓愈幸免於殺身之禍，赴貶所潮州，路經藍關時，他的侄孫韓湘來看望他。他當時悲憤已極，寫了一首七律，云：「一封朝奏九重天，夕貶潮州路八千。欲爲聖朝除弊事，肯將衰朽惜殘年！雲橫秦嶺家何在？雪擁藍關馬不前。知汝遠來應有意，好收吾骨瘴江邊。」[88]路八千是極言其遠，實際上，據時人李吉甫《元和郡縣圖志》卷三十四，潮州「西北至上都取虔州路五千六百二十五里」。當然，這也夠遠了。唐代比死刑輕一等的流刑，最遠也才三千里。

韓愈到了南荒，置身於他認爲「夷面鳥語」的人群之中；身世之感，異鄉之情，難免要時時縈回在心頭。他需要排遣，需要訴說，需要友誼。南荒的廣大地區，在那個時代文化狀況如何，從下列兩則資料，我們不難想見其彷彿：

南人率不信釋氏，雖有一二佛寺，吏課其爲僧，以督責釋之土田及施財。間有一二僧，喜擁婦食肉，但居其家，不能少解佛事。土人以女配僧，呼之爲師郎。或有疾，以紙爲圓錢，置佛像旁，或請僧設食，翌日，宰羊豕以啖之，目曰除齋。

又南中小郡多無緇流，每宣德音，須假作僧道陪位。唐昭宗即位，柳韜爲容廣宣告使，赦文到下屬州。崖州自來無僧，皆臨事差攝。宣時，有一假僧不伏排位。太守王弘夫怪而問之，僧曰：「役次未當，差遣編並。去歲已曾攝文宣王，今年又差作和尚。」見者莫不絕倒。㊸

在這樣窮僻荒涼愚昧的地方，連朝廷赦文的宣布儀式所需要的「文宣王」，都找不到一個儒生來充當，那麼，被韓愈評價爲「頗聰明，識道理」的山僧大顛，就成了韓愈交遊不得已而求其次者的人物。韓愈在給嗜佛的友人孟簡的書信中，對這件事進行解釋：「有人傳愈近少信奉釋氏，此傳之者，妄也。」至於大顛，「遠地無可與語者，故自山召至州郭，留十數日，實能外形骸，以理自勝，不爲事物侵亂。與之語，雖不盡解，要自胸中無滯礙，以爲難得，因與來往。及祭神至海上，遂造其廬；及來袁州，留衣服爲別，乃人之情，非崇信其法，求福田利益也。」⑽這個解釋，應該說是符合事實眞相的。可見，韓愈是在成郭召見大顚；到海上祭神時，順便到大顚的住處去探望了一下。這既符合韓愈的身份，也符合他的主張，遠不是佛教徒所編造的那樣，連日拜見大顚，參禪訪道。

事實上，並非所有的僧人都怨恨韓愈。在韓愈貶潮州時，大多數僧人高興得手舞足蹈，一位叫做簡的僧人，卻憤然走訪皇甫湜，要去潮州拜見韓愈，請皇甫湜爲自己寫篇序。皇甫湜在序中，極力稱贊僧簡「雖佛其名而儒其行，雖夷狄其衣服而人其知。」他雖然不是鳳羽麟毛般的聖人，然而「不猶愈於冠儒冠、服朝服、惑溺於淫怪之說，以斁彝倫者邪？」他那「不顧蛇山鱷水萬里之嶮毒，將朝得進拜而夕死可者」的精神，使皇甫湜十分感動，感嘆道：「嗚呼！悲夫！吾絆而不得侶師以馳。」⑾大顚雖沒有僧簡這樣的立場和感情，但沒見幸災樂禍和咄咄逼人的表示，韓愈和他保持適當的交往，是可以理解的。況且，作這樣的姿態向朝廷表示一下自己對反佛有所反省，對自己也是有利的。而且，三封信無非說些表面的客套話，無聊的吹捧、應酬文字而已。因而三封信的寫作權歸於韓愈，當屬無疑。

韓愈自認是儒學的正宗，雖然有一些諸如干謁權貴、汲汲求進、潤筆諛墓、表裡不一等舊式文人的劣根性，但在結交方面，卻頗有些儒家所表彰的那種坦坦蕩蕩的正人君子氣象。他和政治上處於對立狀態的柳宗元爲好朋友，能夠把那裡奉佛的友人和門生團結自己周圍，能夠和佛教徒私人交往，這正反映了他的文壇領袖的雅量和氣度。元人李治說：韓愈認爲荀子和揚雄「大醇而小疵」，而韓愈自己，對於僧徒，「奈何惡其爲人而日與之親，又作爲歌詩語言以光大其徒，且示己所以相愛慕之深。有是心則有是言，言既如是，則與平生所素蓄者，豈不大相反耶？若《送惠師》詩云：『惠師浮屠者，乃是不羈人』。《送靈師》云：『飲酒盡百盞，嘲諧思愈鮮』。《送公暢》云：『已窮佛根源，粗識事輗軏』。《送無本》云：『老懶無門心，久不事鉛槧。欲以金帛酬，舉室常顑頷』。《聽穎師彈琴》云：『嗟予有兩耳，未省聽絲篁，自聞穎師彈，起坐在一床』。《送澄觀》云：『皆言澄觀雖僧徒，公才吏用當今無』。《別盈上人》云：『山僧愛山出無期，俗士牽俗來何時。』《廣宣上人頻見過》云：『夕爲朝士無裨補，空愧高僧數往來。』又有送文暢、高閑等序，招大顛三書，皆情分綢繆，丁寧反復，密於弟昆。又其《與孟簡書》，則若與人訟於有司，別白是非，過自緣飾。以是而摘其疵，何特荀、揚已乎！」[92]李治的這種指摘，並未中其肯綮。他所引的韓詩，凡是其中韓愈批評佛教，勸僧人還俗的句子，他一概不提，僅僅挑了一些符合自己口味的，加以批評。就拿他挑的這些詩句來看，或云僧人倜儻不羈，或云有行政才幹，或云嗜酒嘲諧，或云工於絲竹。這些行爲都不是佛教徒的本色，怎麼談得上是「光大其徒」呢？這種歪曲事實、削足適履的批評，適足以表現批評者本人氣度的褊狹、思想方法的主觀片面和作法的深文周納。今人有認爲韓愈「竟然除了和尚就『無與話言』」者，「對於一個尚屬一般的和尚，已經是佩服得五體投地了」，「收到大顛的一封回信，簡直有點『受寵若驚』了。」「大概是大顛不願意到韓愈的官邸來，他就用一種完全是佛教僧侶的口吻進行『勸說』。在這裡韓愈確實已從唯心主義走向『公開的僧侶主義』了」！[93]用今日的尺度去孤立衡量古代的個別人，而不是從歷史條件、社會條件去考察當時大多數人，並將個別人放到大多數人中一并考察，這種作法難免苛刻，結論也就不能平允。

通過本節五個問題的論述，我們一方面可以看出，唐代的佛教是世俗化的社會勢力，是開放性的社會團體；一方面可以看出，儒釋交遊是社會生活的常態。岑參《靑龍招提歸一上人遠遊吳楚別詩》說：「久交應眞侶。」⑭應眞是羅漢的別譯，意思是能上應眞道，成爲修行佛教而覺悟者。應眞侶即指僧友。白居易《喜照密閑實四上人見過》詩說：「交遊一半在僧中」。⑮這是岑、白二人交遊僧人的自我總結，也不妨看成是唐代儒釋交遊現象的概括。

儒釋交遊本身不是什麼錯誤，而是當時合理合法的社會現象，需要作的是，區別其中的良莠曲直，而給以不同的評價。

第三節　儒釋間的提攜磋磨

隨著士大夫同僧人之間友誼的加深，雙方都會互相提攜、磋磨。

先看僧人方面從士大夫方面得到的好處。

會稽僧縣一，唐玄宗開元五年（七一七年）西遊長安，努力學習外學，經常向左常侍褚無量請教《周易》，同著名的《史記》專家、國子司業司馬貞討論《史記》。在士大夫的幫助下，縣一「遂漁獵百氏，囊括六籍，增廣見聞」。於是「公卿向慕，京師籍甚。」[96]

皎然才思敏捷，精於律詩。他還未脫穎而出、蜚聲詩壇時，曾去拜謁前輩詩人韋應物。他怕律詩不合韋應物的口味，就迎合韋應物的古體嗜好，在船上作了十多篇古體詩，投獻給韋應物。韋應物概不欣賞，皎然極爲失望。第二天，他將舊作律詩獻上，韋應物吟諷後，大加嘆賞，對他說：「師幾失聲名！何不但以所工見投，而猥希老夫之意。人各有所得，非卒能致。」皎然非常佩服他高度的鑒賞能力。[97]顏眞卿曾組織士大夫撰《韻海敬源》，皎然也參加了，皎然「至是聲價籍甚。」[98]皎然還和盧幼平、吳季德、李萼、皇甫曾、梁肅、崔子向、薛逢、呂渭、楊達等等很多士大夫交遊，「凡所遊歷，京師則公相敦重，諸郡則邦伯所欽。」[99]以至於唐德宗貞元八年（七九二年）正月，敕令抄寫皎然的文集入於秘閣。

靈澈從嚴維學習詩法，開始有點名氣。他通過皎然的介紹，又和以文章風韻爲世宗的包佶、李紓兩位侍郎交遊，「以是上人之名，由二公而飈，如雲得風，柯葉張王」。他於唐德宗貞元年間（七八五—八〇五年）「西遊京師，名振輦下。」[100]

齊己投詩鄭谷，《早梅》詩中有「前村深雪裡，昨夜數枝開」的句子。鄭谷指出「數枝非早也，未若一枝佳。」齊己茅塞頓開，拜鄭谷爲「一字師」。[101]齊己的另一聯詩句「自封修藥院，別下著僧床」，經鄭谷指出一字不妥後，齊己改爲「別掃著僧床，」得到鄭谷的嘉賞。[102]

清塞俗姓周，名賀，工近體詩，格調清雅。唐敬宗寶歷年間（八二五年—八二七年），姚合任杭州刺史，清塞就攜書投刺以求品第。姚合熱情地接待了他。當姚合看到清塞悼念亡僧的詩句「凍鬚亡夜剃，遺偈病中書」時，非常器重他，「因加以冠巾，使復姓字。」⑩³無本俗姓賈，名島，由於累試不第，阮囊羞澀，才出家爲僧的。他到京師後，京兆尹韓愈偶然認識了他，共論詩道，非常投機，就結爲布衣之交。韓愈教他作詩文，動員他還俗。賈島於是「去浮屠，舉進士」。⑩⁴

除了學術和詩文，在其它方面，僧人也會從士大夫方面得到好處。湖南僧懷素（俗姓錢，字藏眞）是位著名的草書書法家。他對自己取得的成就相當得意，「自言得草聖三昧。」⑩⁵他的舅舅錢起對他也給了極高的評價：「能翻梵王字，妙盡伯英書。」⑩⁶伯英是東漢書法家張芝的字，他善寫章草。懷素的草書，使得很多士大夫爲之傾倒，寫詩加以贊美的，《全唐詩》中有蘇渙、戴叔倫、王顒、竇冀、魯牧、朱逵、許瑤、任華、裴說、楊凝式等人；《全唐詩外編》錄近人王重民先生輯《敦煌唐人詩集殘卷》中有馬雲奇，近人童養年先生輯《全唐詩續補遺》卷十三有韓偓。這些士大夫不全是同輩的人，有些沒有見過懷素。他們以懷素草書爲題材來作詩，我認爲這是一個習作的詩題，因爲在描繪懷素的草書時，作者可以馳騁想像，運用比喻，任意鋪張渲染，一則可以賣弄才華，二則可以鍛鍊寫作能力。以僧人䛒光和廣利的草書爲題而作詩的，也當出於此意。但一經寫成，流傳開來，卻無疑是給懷素的草書作了廣告。

我們不妨徵引一些詩句。王顒是懷素當時所在地永州的刺史，他在《懷素上人草書歌》中說：

「忽作風馳如電掣，更點飛花兼散雪。寒猿飲水撼枯藤，壯士拔山伸勁鐵。君不見張芝昔日稱獨賢，君不見近日張旭爲老顛。二公絕藝人所惜，懷素傳之得眞跡。崢嶸蹙出海上山，突兀狀成湖畔石。一縱又一橫，一欹又一傾，臨江不羨飛帆勢，下筆長爲驟雨聲。我牧此州喜相識，又見草書多慧力。懷素懷素不可得，開卷臨池轉相憶。」[107]時人竇冀同題說：「狂僧揮翰狂且逸，獨任天機摧格律。龍虎慚因點畫生，雷霆卻避鋒鋩疾。……忽然絕叫三五聲，滿壁縱橫千萬字。……涵物爲動鬼神泣，狂風入林花亂起。殊形怪狀不易說，就中驚燥尤枯絕。邊風殺氣同慘烈，崩槎卧木爭摧折，塞草遙飛大漠霜，胡天亂下陰山雪。」[108]後人裴說《懷素台歌》說：「杜甫李白與懷素，文星酒星草書星。」[109]韓偓《題懷素草書》詩說：「怪石蹲秋澗，寒藤掛古松，若教臨水畔，字字恐成龍。」[110]懷素的聲名能夠播揚海內，固然由於他的草書成就，而士大夫的捧場，無疑也起了推波助瀾的作用。任華《懷素上人草書歌》一語破的：「狂僧狂僧，爾雖有絕藝，猶當假良媒。不因禮部張公將爾來，如何得聲名一旦宣九垓？」[111]

僧䛒光也有類似經歷。陸希聲在東南隱居時，以雙鉤寫法教䛒光，䛒光的草書因而大有長進，飄逸瀟灑，有張旭之妙，很得了一些士大夫的誇獎。䛒光進京師後，以善書得幸於唐昭宗，入內供奉。羅隱《送䛒光大師》詩云：「聖主賜衣憐絕藝，侍臣摛藻許高蹤。」[112]

下面再論述一下士大夫從僧人方面得到的好處。

僧人中對於詩歌很內行的也大有人在。唐太宗時，僧慧靜編《續英華詩苑》，流行於世。他常說：「作之非難，鑒之爲貴。吾所搜揀，亦《詩三百篇》之次。」[113]唐憲宗時，長安有位僧人擅長文學批評，尤其善於發現作品中和他人語意相合的句子。水部員外郎張籍「頗恚之」，就冥思苦索，作出兩句詩：「長因送人處，憶得別家時。」他自以爲獨創，十分得意，就興沖沖地去找這位僧人炫耀一番。不料這位僧人沉著從容地答道：「此有人道了也。」於是吟道：「見他桃李樹，因憶後園春。」張籍心服口服，「撫掌大笑」。[114]可見，這位僧人的鑒賞修養，並不比士大夫稍遜一籌。道標、皎然、靈澈，都是詩僧中的巨擘，「每飛章寓韻，竹夕華時，彼三上人當四面之敵，所以辭林樂府，常採取聲詩。」[115]其中以皎然爲最，他的詩「合律乎清壯，亦一代偉才焉。」[116]他不但有詩歌創作實踐，還有詩歌理論著作《詩式》傳世。據說，詩人李端「少時居廬山，依皎然讀書。」[117]劉禹錫曾受業於皎然、靈澈，他回憶說：「初，上人（靈澈）在吳興，居何山，與晝公（皎然）爲侶。時予方以兩髦執筆硯，陪其吟詠，皆曰孺子可教。」[118]那麼，大量的士大夫和僧人交接，互相學習，也就不難理解了。

士大夫和僧人在詩歌方面的互相磋磨，範圍只限定在詩僧內，詩歌創作畢竟不是僧人的職業宗風。僧人是以佛教爲最基本的立足點的，因而士大夫還比較多地向僧人請教佛學理論問題。《荷澤神會禪師語錄》是士大夫和僧人同禪宗神會的問答記錄。向神會請教的士大夫很多，有戶部尚書王趙公、崔齊公，禮部侍郎蘇晉，潤州刺史李峻，燕公張說，侍郎苗晉卿、鄭璇，常州司戶元思直，潤州司馬王幼琳，侍御史王維，蘇州長史唐法通，揚州長史王怡，相州別駕馬擇，給事中房琯，浚儀縣尉李冤，內鄉縣令張萬頃、蔡鎬，洛陽縣令徐鍔，南陽太守王弼等人。戶部尚書王趙公向神會問三車義，說：「一車能作三，三車能作一，何不元說一，辛苦說三車？」神會回答道：「若爲迷人得，一便作三車；若約悟人解，即三本是一。」禮部侍郎蘇晉問大乘、最上乘及其差別。神會回答說：「菩薩即大乘，佛即最上乘」，「言大乘者，如菩薩行檀波羅蜜，觀三事體空，乃至五波羅蜜，亦復如是，故名大乘。最上乘者，但見本自性空寂，即知三事本來自性空，更不復起觀，乃至六度亦然，是名最上乘。」苗晉卿問：「若爲修道得解脫？」神會回答道：「得無住心，即得解脫。」他還引《金剛經》加以解說。常州司戶元思直問什麼是空和不空，神會答道：「眞如體不可得，名之空。以能見不可得見體，湛然常寂，而有恆沙之用，故名不空。」此外尚有很多問答，不必縷述。士大夫們所提的問題雖然琳瑯滿目，但都是佛教最基本的常識。

士大夫中問道最勤的人，當屬裴休。他向希運旦夕問道，自以爲領悟了禪宗的精髓。他把自己寫的一篇佛學文章拿給希運看，希運根本不看，說：「若形於紙墨，何有吾宗」？裴休問其緣故，希運說：「上乘之印，唯是一心，更無別法。心體一空，萬緣俱寂，如大日輪升於虛空，其中照耀，靜無纖埃。證之者無新舊、無淺深，說之者不立義解，不開戶牖，直下便是，動念即乖。」⑪⑨裴休把向希運問道時，希運給他作的系統而完整的解答記錄下來，成爲佛教的重要文獻。

佛教邏輯學因明，是一門「考定正邪，研覈眞僞」⑫⓪的學科。玄奘從印度回國後，譯出《因明論》，因明學說才傳入中國。由於剛剛傳入，社會上對因明的理解不多，也不準確。譯僧經棲玄，是尚藥奉御呂才少年時代的朋友，將《因明論》拿給呂才看，呂才就「更張衢術，指其長短，作《因明注解立破義圖》。」他用《易》的說法來比附因明，加以闡釋，對於自己認爲成問題的地方，歸納爲四十多條，提出責難。這在佛教界和政府間引起一片混亂。譯經僧慧立寫信給左僕射于志寧，指責呂才「不能精悟，好起異端，苟覓聲譽，妄爲穿鑿，誹衆德之正說，任我慢之褊心，媒衒公卿之前，囂喧閭巷之側。」但太常博士柳宣、太史令李淳風都說呂才作《因明注解立破義圖》，旨在弘宣佛教，他本人也希望得到玄奘法師的指正，「若其是也，必須然其所長；如其非也，理合指其所短。」況且「朝野俱聞呂君請益，莫不側聽瓶瀉，皆望蕩滌掉悔之源，銷屏疑忿之聚。」於是唐高宗「敕遣群公學士等往慈恩寺請三藏（玄奘）與呂公對定。呂公詞屈，謝而退焉。」⑫因明是關於思想方法的學說，剔除其佛教外殼，其內涵仍有可取之處。佛教徒和士大夫就對因明的理解展開討論，互相磋磨，從思想史的角度來看，也有一定的積極意義。

此外，白居易和濟法師討論佛法，言猶未已，第二天又寫信詢問；韋應物向僧人請教嘉陵江水聲的產生問題；李渤向僧人請教芥子納須彌山的問題（參看本書第四章第一節），等等，都是雙方互相磋磨的例證。

受過士大夫好處的僧人，也盡力報答士大夫。翌光成爲供奉僧後，陸希聲依然不得意，不又甘心身老滄洲，就寄詩翌光說：「筆下龍蛇似有神，天池雷雨變逡巡。寄言昔日不龜手，應念江頭洴澼人。」⑫這裡用了《莊子》內篇《逍遙遊》中不龜手之藥的典故，委婉地懇求對方知恩報恩。翌光就利用出入禁中的方便，推薦陸希聲。陸希聲後來當上了宰相。但這類事僅是個別的現象。儒釋間的提攜有一定的範圍，超過了這個範圍，就會遭到輿論的譴責。韋昭度因供奉僧人而拜相，陳岵因供奉僧進所注佛經而得刺史，都遭到非議（參見本書第一章第四節），即說明了這一點。朝廷對官吏和僧尼的交往有一定的限制，有些就是針對著這些事的。

僧釋間的互相提攜，僧人一方得到的實惠要大些。這是因爲士大夫中，一部分人是社會上的頭面人物，手中有實權，掌握著一些實際利益，一部分人具有文化的優勢，享有一定的詩名；而僧人，儘管可以受到社會的尊敬，其中大部分畢竟遊離於各種世俗利益之外，手頭除了「空」以外，一無所有。因此，在儒釋雙方的交往過程中，天秤總是失去平衡的。

第四節　在家出家

一、在家出家是士大夫變通折衷的修持方法

終生未仕而過著隱居生活的士大夫孟浩然，在《題終南翠微上人房（一作宿終南翠微寺）》詩中總結道：「儒、道雖異門，雲林頗同調」。[123]然而絕大多數士大夫，儘管崇奉佛教，卻不願脫掉逢掖之衣而換上袈裟，也不願拋棄地位，歸隱林泉。岑參在《登嘉州凌雲寺》一詩中說：「一官詎足道，欲去令人愁。」[124]杜甫《謁眞諦寺禪師》詩表示：「未能割妻子，卜宅近前峰。」[125]嚴維在《奉和皇甫

大夫夏日遊花嚴寺》詩中寫道：「禪庭未可戀，聖主寄蒼生。」⑫司空曙在《閑園即事寄暕公》詩中講得很具體：「欲就東林寄一身，尙憐兒女未成人。深山蘭若何時到？羨與閑雲作四鄰。」⑫武元衡這種政治上很活躍的人物，更是割不斷世情了。他在《玉泉寺與潤上人望秋山懷張少尹》詩中寫道：「禪心殊衆樂，人情滿秋光。莫怪頻回首，孤雲思帝鄕。」⑫孟郊則帶著惆悵的心情，在《夏日謁智遠禪師》詩中發出感嘆：「不得爲弟子，名姓掛儒宮。」⑫許渾也在《和漸西從事劉三復送僧南歸》詩中發出同樣的感嘆：「憐師不得隨師去，已戴儒冠事素王（孔子）。」⑬不管理由是如何的五花入門，其根本點都在於世俗利益壓倒了佛教崇奉。士大夫們只好順從世俗利益，懷著深深的眷戀和苦澀的不安，望著彼岸，興嘆不已。

僧人對於士大夫的這種猶豫態度，有時是很不滿的。御史大夫韋丹在江南西道作觀察使時，和靈澈爲忘形之契，詩歌酬唱，每月四五次。韋丹讀到靈澈寄給他的詩《匡廬七詠》後，雖然不想出家爲僧，卻萌動了歸隱的念頭，作《思歸》絕句奉寄靈澈。詩云：「王事紛紛無暇日，浮生冉冉只如雲。已爲平子歸休計，五老巖前必共君。」靈澈毫不客氣地挖苦道：「相逢盡道休官去，林下何曾見一人。」⑬傳爲千秋笑柄。士大夫歸隱江湖尙且下不了決心，出家當僧人就更難下決心了。

在這種情況下，士大夫只能採取一種變通的折衷方法來調和自己佛教崇奉和世俗利益之間的矛盾，這種方法就是在家出家法：或者受菩薩戒，接受佛教戒律，作爲在家居士，帶髮修行；或者在家研讀佛典，悟入佛智，達到思想上的解脫。據日本奈良時代的文學家淡海三船（眞人元開）所著《唐大和上東征傳》記載，揚州大明寺律僧鑒眞出國途中，在南方多次爲士大夫授菩薩戒，僅始安郡都督馮古璞這一次，就有「其所都督七十四州官人、選舉試學人幷集此州，隨都督受菩薩戒人，其數無量。」

在家出家的典型例子，可以舉白居易爲代表。他曾多次表示自己的佛教信仰。在《因沐感發寄朗上人二首》中，他說：「只有解脫門，能度衰苦厄。」[132]在《不二門》詩中，他說：「唯有不二門，其間無夭壽。」[133]在《郡齋暇日憶廬山草堂兼寄二林僧社三十韻多叙貶官已來出處之意》詩中，他又說：「不堪匡聖主，只合事空王。」[134]在《畫彌勒上生幀記》中，他說自己「歸三寶，持十齋，受八戒者有年歲矣。常日日焚香佛前，稽首發願，願當來世，與一切衆生，同彌勒上生，隨慈氏下降，生生劫劫，與慈氏俱，永離生死流，終成無上道。」[135]於是他便經常出入佛寺，體驗生活。他在《蘭若寓居》詩中寫道：「名宦老慵求，退身安草野。家園病懶歸，寄居在蘭若。薜衣換簪組，藜杖代車馬。行止輒自由，甚覺身瀟灑。晨遊南塢上，夜息東庵下。人間千萬事，無有關心者。」[136]在《山居》詩中，他說：「朝餐唯藥菜，夜伴只紗燈，除卻青衫在，其餘便是僧。」[137]這種半僧的身份，可以說是得到了佛教的候補資格，處在見習階段，算是部分地兌現了自己的信仰。在《早服雲母散》詩中，他便進而指出：「每夜坐禪觀水月，……身不出家心出家」。[138]即組織上未完全加入佛教，但思想上已加入。他還特地寫了首《在家出家》的詩，說：「衣食支吾婚嫁畢，從今家事不相仍。夜眠身是投林鳥，朝飯心同乞食僧。清唳數聲松下鶴，寒光一點竹間燈。中宵入定跏趺坐，女喚妻呼多不應。」

⑬士大夫的在家出家，於此可見一斑。

二、在家出家法提出的社會根源

士大夫爲什麼只能採取在家出家法呢？難道一旦眞正出家，任何實際利益都要失去嗎？那些佛教領袖不是比袞袞諸公還要炙手可熱，那些著名僧人不是贏得了幾乎全社會的普遍尊敬嗎？明人胡應麟寫道：「唐羽流（道士）還俗，率顯榮；而緇流（和尚）還俗，多偃蹇，如賈島、周賀之類，窮厄終身，較爲僧但多髮耳。」⑭他能指出這種現象，是很可貴的，但他沒有探討問題的實質，爲此，我提出以下看法作爲補充和說明。

有唐一代，儒釋道三家並存。這三家既是欽定的官方意識形態，又是三而一、一而三的社會勢力。就它們爲封建統治服務來說，三家鼎立，缺一不可。但它們之間存在著矛盾和鬥爭。尤其是佛教，同時還和李氏朝廷、封建國家存在著矛盾和鬥爭。三家的社會地位，在朝廷看來，是有區別的。李唐統治者爲了神化自己的統治，認道教主老聃爲自己的祖先，道教便幸運地占據了名義上的優勢，列於佛教之上。道教是中國的國產宗教，有一定的民族基礎，但在服藥長生方面，往往露出破綻，理論也相當差，爲佛教界所蔑視。唐初佛道辯論，道教徒往往被佛教徒問得張口結舌。

唐高祖武德八年（六二五年），僧人慧乘問道士李仲卿說：「先生廣位道宗，高邁宇宙，向釋《道德》，云上卷明道，下卷明德。未知此道，更有大此道者，爲更無大於道者？」李仲卿回答道：

「天上天下，唯道至極最大，更無大於道者。」慧乘又問：「道是至極最大，更無大於道者，亦可道是至極之法，更無法於道者？」李仲卿認爲是這樣。慧乘接著說：「《老經》自云：『人法地，地法天，天法道，道法自然』。何意自違本宗，乃云更無法於道者？若道是至極之法，遂更有法於道者，何意道法最大，不得更有大於道者？」李仲卿回答：「道只是自然，自然即是道，所以更無別法能法於道者。」慧乘說：「道法自然，自然即是道，亦得自然還法道不？」李仲卿答：「道法自然，自然不法道。」慧乘問：「道法自然，自然不法道，亦可道法自然，自然不即道？」李仲卿答：「道法自然，自然即是道，所以不相法。」慧乘說：「道法自然，自然即是道，亦可地法於天，天即是地。然地法於天，天不即地，故知道法自然，自然不即道。若自然即是道，天應即是地。」這裡，僧人僅僅以邏輯和概念的關係爲出發點，徐徐深入，步步爲營，就弄得道士難以招架，狼狽敗陣。李仲卿當場「周慞神府，抽解無地，忸赧無答。」⑭唐高宗時，僧靈辯又挫敗道士方惠長，還嘲笑說：「黃冠（道士）暫逢緇服（和尚），不覺心迷。」⑭到了唐後期，佛教界還是看不起道教的理論，僧宗密說：「道教只知今此世界未成時一度空劫，云虛無混沌一氣等，名爲元始，不知空界已前，早經千千萬萬遍成住壞空，終而復始。故知佛法教中，小乘淺淺之教，已超外典深深之說。」⑭

唐太宗時，僧人法琳爲了改變佛道二教的地位，甚至還冒著大不敬的風險，指出李氏統治者出自代北鮮卑族拓跋達闍達一系，譯爲漢語即爲李，而不是出自隴西老聃之李。他還造謠說，老聃的父親叫韓虔，字元卑（即寒蹇卑下的人），是個獨眼瘸子，終生窮困，娶不起妻，七十二歲時和鄰居家的老婢私通，才生下老聃，因爲在李子樹下生的，故冒姓李。這種污穢的謠言，使唐太宗很難堪，法琳也差一點喪命，然而道教的獨尊地位卻沒有動搖。

唐玄宗崇道抑佛，使士大夫在處理同佛道二教的關係方面出現了一些波動。賀知章原來崇奉佛教，他和其他士大夫同僧人道亮交遊，「同心慕仰，請問禪心」，⑭同僧人玄儼「具法朋之契」，⑮同僧人一「並爲師友」。⑯但他晚年在唐玄宗崇道抑佛精神的感召下，信仰和舉止都發生了變化。他轉而崇奉道教，號四明狂客，用道教的眼光看待周圍的人。李白回憶說：「太子賓客賀公，於長安紫極殿一見余，呼余爲謫仙人。」⑰唐玄宗天寶三年（七四四年），賀知章已八十六歲，「上表乞爲道士還鄉。」唐玄宗批准後，他即於正月初五啓程回會稽。唐玄宗詔令「六卿庶尹大夫，供帳靑門，寵行邁也。豈惟崇德尙齒，抑亦勵俗勸人。」玄宗親自賦詩送行。⑱

然而道教的發展，依然遠遠比不上佛教。道教徒也有轉而加入佛教的。武則天崇佛，道士杜乂就搞政治投機，請求棄道當僧。武則天親自批准，把他安排在佛授紀寺，法名叫元嶷。這位新手由於沒有僧齡，在佛教界地位甚低，武則天甚至破天荒賜他夏臘三十年，使他「頓爲老成」。⑲

唐代統治者對道教的功利主義政策，旣保證了道教的社會地位，又保證了道教徒還俗後的政治待遇。「韋渠牟本道士還俗，至唐宰相，」⑳確實很顯榮。

與道教占據了名義上的優勢同時，佛教占據了實際上的優勢。佛教是舶來品，經過幾個世紀的發展，雖然已變成了中國的文化，但仍被視爲夷狄，往往在嚴夷夏之防中不那麼理直氣壯。傅奕認爲佛教是「妖胡浪語」，應該「退還天竺」。⑮¹李翺認爲佛教是「夷狄之術」，「以夷狄之風而變乎諸夏，禍之大者也。」⑮²佛教對於統治者來說，利害參半，一方面，它以勸善的說教來教育臣民服服貼貼地接受統治，逆來順受，不要造反，收到所謂陰助教化、調御人天的效果；一方面，它發展了大批教徒，占有大量田產，在分割利益時，同統治者爭奪剝削對象。佛教的基本主張，有很多和儒家衝突，特別在出世入世方面是這樣。當統治階級需要佛教「利」的一面時，佛教就有了發展的方便條件，其宗派領袖和貴族僧侶就有了顯赫的機緣。佛教的經濟實力雄厚，上層僧侶的社會地位和實際利益當是很可觀的。佛教發展越快，僧衆越多，就越不希罕，越不值錢。發展超過了一定的限度，就會危害國家的利益，影響到財政收入；再加上僧侶和官吏的勾結以及左道害政，統治階級就越來越警惕地看到它的「害」的一面，不得不採取措施加以限制或打擊。儒家和道教對佛教的鬥爭，使佛教發展的波浪式過程愈益加劇。處於低潮時，佛教徒會受到異己力量的嘲笑否定；處於高潮時，也不能擺脫這種遭遇，只是程度上稍微緩和些而已。

儒家學說是中國佔主導地位的傳統文化，經過各個時期的充實和發展，成爲統治集團經邦濟世的理論和民衆爲人處世的準則。儒家學說爲全社會所必需，它的存在是不成問題的。士大夫既奉儒家學說爲圭臬，又作爲安身立命的社會支柱。崇佛的士大夫中，即使是陷得很深的，絕大多數仍是以儒家學說爲主導的。儒家學說中修身齊家治國平天下的古訓，賦予了士大夫一種歷史使命感。崇佛的士大夫沒有忘記自己的責任，對佛教持不贊成態度的人，更有一種捨我其誰的精神。崇佛而保持住士大夫的身份，可以被視爲高逸、曠達、瀟灑；眞正削髮爲僧，徹底失去士大夫的身份，那便意味著逃避責任，顚倒了公私進退顯隱的關係。如果安分守己地當僧人，也未嘗不可；如果還俗，要想顯榮，只能站在士大夫的行列中，走仕途經濟的道路。且不說在成功者十分寥寥的這個龐大的行列裡，又加了這麼一些競爭者，即以還俗僧在爲人處世方面的反復無常來說，也爲士大夫所非議、所不齒。因此，對於僧人還俗，士大夫是另眼相看的。僧人還俗，大多數只能落個窮厄終身的下場。

五代人孫光憲所著《北夢瑣言》卷三記載，唐末，張策由僧人反初，參加科舉考試，主考官趙崇非常鄙視地，說：「張策，衣冠子弟，無故出家，不能參禪訪道，抗跡塵外，乃於御簾前進詩，希望恩澤。如此行止，豈掩人口。」他堅決表示：「某十度知舉，十度斥之！」同書卷十記載，僧鸞原是個有才華而不檢點的人，不堪作爲舉子。薛能勸他放棄科舉，出家爲僧。出家後，他曾入京師當文章供奉，結識了一批士大夫，特別爲賜紫柳玭大夫和租庸張相所器重。柳、張二人極力誇獎他，說他可大用。二人說他可大用，是指作爲僧人可大用。他卻乘機還俗。還俗後，柳、張二人對他採取了迥乎不同的態度。他去拜訪柳玭，柳玭「鄙之而不接」；又去拜謁張相，「張相亦拒之」。這兩個還俗僧的遭遇很能說明問題。

有的人不是僧徒還俗，而是地地道道的士大夫，因爲和僧人交往過多，或走僧人門徑而獲利，也會受到士大夫的冷遇。陳岵爲《維摩經》作注，通過供奉僧進奉朝廷而當上刺史，受到左補闕劉寬夫的抨擊。⑮³韋昭度通過承恩僧人潛結宦官而當上宰相，受到「頃因和尙，方始登庸」⑮⁴的指責。甚至有位士大夫，退朝後，去一位朋友家，看見有僧人在座，立即憤憤而去，後來批評這位朋友說：「公好毳褐夫，何也？吾不知其言，適且覺其臭」。⑮如果僧人的號與儒家沾點邊，也會受到奚落。《因話錄》卷四說，僧人有取號爲文章大德的，「夫文章之稱，豈爲緇徒設耶？」

「儒有經傳在乎致遠，力學在乎請益，」⑯一生孜孜以求的，無非名利二字。薛能就坦白地表示：

「還應笑我功名客，未解嫌官學大乘。」⑰因而士大夫對於世俗利益，是不忍割棄的。當他們目睹到只有少數上層僧人，由於政治的需要，禮儀式地享有高位，而絕大多數僧人並不能如此走運，還俗後困厄屯蹇，世俗利益就要完全失去，還會受到冷遇，遭到白眼，他們當然不願自覺地置身於這種社會壓力之下，於是在家出家就成了最恰當的方式。

這一點，蕭瑀表現得很典型。他曾請求出家，唐太宗允許後，他卻立即翻悔，說：「臣頃思量，不能出家。」唐太宗十分生氣，下詔給予嚴厲的指責和處分。詔文說：

> 太子太保，宋國公瑀，踐覆車之餘軌，襲亡國之遺風。棄公就私，未明隱顯之際；身俗口道，莫辯邪正之心。修累葉之殃源，祈一躬之福本。上以違忤君主，下則扇習浮華。往前朕謂張亮云：「卿既事佛，何不出家？」瑀乃端然自應，請先入道，朕即許之，尋復不用。一迴一惑，在於瞬息之間；自可自否，變於帷扆之所。乖棟梁之大體，豈具瞻之量乎？朕猶隱忍至今，瑀尚全無悛改。宜即去茲朝闕，出牧小藩，可商州刺史，仍除其封。⑱

這實際上是逼著蕭瑀出家，來洗刷自己「全無悛改」之過。儘管這樣，蕭瑀還是不出家。

三、在家出家何以能夠成立

士大夫的在家出家法，爲什麼能夠成立，需要從士大夫崇佛的主要傾向、思想的主導成份和士大夫身份的保持幾個方面加以說明。

㈠士大夫崇佛的主要傾向是求得思想的解脫

爲了搞清楚士大夫崇佛的主要傾向是什麼，有必要先了解一下佛教的基本主張，以及佛教是什麼樣的宗教。

佛教的創始人喬達摩·悉達多，是尼泊爾一個城邦主淨飯王的王子，屬於尼泊爾和印度邊境的釋迦族，被稱爲釋迦牟尼。他約略和我國春秋時期的孔子同時。他在將近而立之年時，爲人生的諸種痛苦所煎熬，爲了尋求解脫，就出家修行。在外出遊歷中，他不斷觀察和思考問題，心得體會逐漸積累，趨於系統周密，他便作了總的概括。這個概括據說是坐在畢鉢羅樹下完成的。從此，他便成等正覺，稱爲佛陀。畢鉢羅樹也因而稱爲菩提樹，菩提是覺、智的意思。佛滅度以後，佛教在發展過程中，亡羊歧路，支派繁衍，漸次出現很多理論分歧。儘管如此，佛教最初的出發點和各派都加以宣傳的基本理論，卻是對於人生痛苦的解脫和理想境界的追求。佛教把世界上的東西分作兩類，一類叫無情，是沒有生命的東西，如沙礫塵土；一類叫有情，又叫衆生，梵語音譯爲薩埵，是有情識的生物。有情又分作十等，佛、菩薩、緣覺、聲聞是其中修持佛教獲得不同程度的覺悟者。佛是達到最高境界，大徹大悟，自覺覺他的聖者。菩薩是菩提薩埵的省稱，意譯爲覺衆生、覺有情或發大心的人，其覺悟程度僅次於佛，相當於賢者，能利己，又能利他。緣覺又譯爲獨覺或辟支佛，是指獨自憑藉十二因緣即佛教的緣起因果學說而覺悟的人，程度又次於菩薩。聲聞是靠聆聽佛的親自教誨而悟得眞理的人，程度又次於緣覺。緣覺和聲聞，根基比較低，主要是自我解脫，不能利他。佛、菩薩、緣覺、聲聞，統稱四聖。另外六等是天、人、阿修羅、畜生、餓鬼、地獄，統稱六凡；後三者又稱三途或三惡道。六道衆生處在遷流不息的輪回之中，根據本身行爲產生的因，決定以後的果，即地位的變化。衆生居住的世界是欲界、色界和無色界，總稱三界。欲界是低，居住著具有食欲、情欲等諸種粗鄙欲望的衆生，有所謂地獄、餓鬼、畜生、人、天等五層。欲界之上叫色界，居位者是仍有形體的衆生，他們已經沒有了粗鄙的欲望，但還有一些細微的欲望。色界之上是無色界，是沒有形體的精神世界。人是處在三界六道輪回中的衆生，受著種種痛苦的煎熬，有生老病死的痛苦，有輪回的痛苦，這叫苦諦；造成種種苦相的原因，在於煩惱和業力的聚集，這叫集諦；種種苦惱的因果能被滅掉而達到解脫，這叫滅諦；唯一的辦法就是按照佛教的正道來修行，達到涅槃境界，這叫道諦，總稱苦集滅道四諦。涅槃又譯作圓寂，是佛教修行的最高境界，是一種積極的狀態，達到這個境界，就不生不死，常樂我淨，超脫輪回，永離苦海，圓滿而寂靜，也就是說，從人世間的此岸世界，到達了佛教的彼岸，超凡入聖，居於十方淨土之中。涅槃因程度的差別，分爲有餘涅槃和無餘涅槃兩種。有餘涅槃尚不徹底，只達到精神的解脫；無餘涅槃是徹底覺悟的狀態，肉體和精神都已解脫。要想達到涅槃境界，就要改變自己的無明狀態，掌握佛教眞理，即第一義諦，破二執，斷二障，去三毒，立三學。人們對於自身和主觀認識作用的執著叫我執，對於外界事物和道理的執著叫法執，都是偏見，應該破除。這就需要知道事物的起源。世界的本體是眞如佛性（有的派別說成心）。眞如是不生不滅、湛然常寂、永恆存在的實體，叫做妙有、實有。世間各種物質的和精神的東西，統稱爲法或名色，都是眞如本體變現出來的。眞如本體通過作爲主要條件的因和輔助條件的緣，和合而成了宇宙萬物。因而宇宙萬物都是虛幻不實的，沒有自身質的規定性，不能視爲眞實存在，而只是假有、似有。萬事萬物的合成，依據的關係是地水火風四大。人是依據內四大和五蘊這些因緣條件和合而成的。內四大的地指骨肉，水指津液，火指氣息，風指筋脈。五蘊又叫五陰，指色、受、想、行、識。因而人同樣是假有，於無我中取我相，我即非我，我即無我，不必執著。破除了我執法執，才能證得我空法空。但空並不是眞空、斷空，而是通過假有體現的實有。煩惱的原因很多，稱爲三毒的貪、瞋、癡是毒害最大的因素。要想破除三毒，斷除煩惱障和所知障，就需要一整套手段。這就是六波羅蜜，波羅蜜是由人生此岸度到涅槃彼岸的意思，故六波羅蜜又稱爲六度。六度是檀波羅蜜，即布施；尸波羅蜜，即持戒；羼提波羅蜜，即忍辱；毗梨波羅蜜，即精進；禪定波羅蜜，即禪定；般若波羅蜜，即智慧。其主幹部分是戒、定、慧三學。戒、定、慧相應地破除貪、瞋、癡，就斷除了煩惱障。衆生同一眞如本性，人也好，其它生物（甚至無情識的東西）也好，都有成佛的希望，關鍵在於是否按佛教的規定修行。成佛與否的標誌在於覺悟，悟即爲佛，不悟則爲衆生。成佛沒有數量限制，可以像恆河的沙粒一樣多。成佛後，即居住在十方淨土中，永遠地脫離了輪回和生死之苦。

既然佛、菩薩都是覺悟者，佛教的理論是開導世人覺悟的學說，那麼，我認爲佛教實際上也就是覺悟主義。佛教和其它宗教一樣，都是顚倒了的世界觀。佛教硬是要指實爲虛，指有爲無，這種顚倒黑白的作法，決定了它的根本荒謬性。但是，它又在很多方面和其它宗教不同。它不是企圖依據蒙昧主義、神秘主義來建立宗教權威、宗教秩序、宗教心理和宗教憧憬，要人們盲目地服從；相反，它是通過理論探討來解釋世界和說服群衆的。因此，佛教是理論的宗教、哲學的宗教和藝術的宗教。它不但擁有卷帙浩繁的經、律、論三藏和佛教史著作，也還擁有自己的專家學者，教育手段和文學藝術。這是任何以故事和箴言而成立的宗教根本不可企及其萬一的。排除了佛教的荒謬外殼，我們依然可以在它的內核裡發現有價值的理論，至少從人類思想發展史的角度來考察，是值得珍視的。那麼，佛教爲唐代廣大的士大夫所崇奉，也就可以理解了。

在了解了佛教最基本的主張和佛教是什麼樣的宗教以後，讓我們再來看一看士大夫的自述。

王績《薛記室收過莊見尋率題古意以贈》詩說：「人生詎能幾？歲歲（一作蹙迫）常不舒。賴有北山僧，教我以眞如，使我視聽遣，自覺塵累祛。」[159]

蘇頲《茲恩寺二月半寓言》詩說：「問津窺彼岸（一作注鏡），迷路得眞車。行蜜幽關靜，談精俗態祛。」[160]

沈佺期《九眞山淨居寺謁無礙上人》詩說：「欲究因緣理，聊寬放棄慚。」[161]

王維《胡居士臥病遺米因贈》詩說：「了觀四大因，根性何所有？妄計苟不生，是身孰休咎？」《謁璇上人》詩說：「少年不足言，識道年已長。事往安可悔，餘生幸能養。誓從斷臂（一作葷）血，不復嬰世網。」[162]

裴迪《遊天竺寺》詩說：「洗意歸清淨，澄心悟空了。始知世上人，萬物一何擾。」[163]

李頎《宿瑩公禪房聞梵》詩說：「始覺浮生無住著，頓令心地欲皈依。」[164]

孟浩然《陪姚使君題惠上人房》詩說：「會理知無我，觀空厭有形。迷心應覺悟，客思未遑寧。」[165]

韋應物《答崔主薄問兼簡溫上人》詩說：「緣情生衆累，晚悟依道流。諸境一已寂，了將身世浮。」[166]

岑參《與高適薛據登慈恩寺浮圖》詩說：「淨理了可悟，勝因夙所宗。誓將掛冠去，覺道資無窮。」[167]

杜荀鶴《贈臨上人》詩說：「不計禪兼律，終須入悟門。……眼豁浮生夢，心澄大道源。」[168]

張說《般若心經贊》說：「入此門者爲明門，行此路者爲超路。」[169]

柳宗元《送僧浩初序》說：「浮圖……往往與《易》、《論語》合，誠樂之，其於性情奭然，不與孔子道異。……吾之所取者，與《易》、《論語》合，雖聖人復生，不可得而斥也。」[170]

這樣的說法俯拾皆是，引用以上這一些，已足以顯示其普遍性。可以看出，士大夫是把佛教當作

《解脫學原理》和《人生觀概論》來加以學習的。士大夫通過學習佛教，取得佛教的世界觀、人生觀、方法論和認識論，用這個修養功夫，另眼看待和估價自身及周圍的一切，擺脫現世的煩惱，獲得恬適和滿足，達到思想的解脫。這個解脫，是士大夫企圖擺脫各種社會力量的束縛，追求個人解放的幼稚單薄的行爲。柳宗元《送玄舉歸幽泉寺序》說得直接了當：「佛之道，大而多容，凡有志乎物外而恥制於世者，則思入焉。」[171]這便是士大夫崇佛的主要傾向。這和愚夫愚婦信神弄鬼、祈求保祐、貪圖來世好報的傾向，是有根本區別的。

(二)崇佛士大夫思想主導成分仍是儒家

士大夫崇佛，在思想上是佛儒二元化，還是以佛、儒中的某一種占主導地位？這需要從主要方面加以分析。誠然，佞佛極深的人是有的，但那僅是個別現象。例如襄州居士龐蘊，「世本儒業，少悟塵勞，志求眞諦。」他在唐德宗時謁見禪宗石頭，豁然省悟，終身不仕。石頭問他：「子以緇邪？素邪？」他回答說：「願從所慕」，遂不剃染。在他所到之處，老宿往往向他詢問佛理，他都機鋒頓起，隨機應響。他死後，僧俗傷悼，認爲「禪門龐居士，即毗耶淨名（維摩詰居士）矣。」[172]唐初由儒入佛的李師政，也是這種純粹的居士。而絕大多數士大夫，和他們有著很大的差別。

柳宗元在《送巽上人赴中丞叔父召序》中總結了包括自己在內的士大夫以儒學佛風氣：「其由儒而通者，鄭中書洎孟常州。中書見（巽）上人，執經而師受，且曰：『於中道吾得以益達』。常州之言曰：『從佛法生，得佛法分。』皆以師友命之。今連帥中丞公（宋人孫甫說：「柳公綽拜御史中丞，李吉甫當國，出爲湖南觀察使。」)，具舟來迎，飾館而俟，欲其道之行於遠也，夫豈徒然哉！以中丞公之道清嚴重，中書之辯博，常州之敏達，且猶宗重其道，況若吾之昧昧者乎？」[173]

劉禹錫在《贈別君素上人》詩序中，披露了自己以佛解儒，合二爲一的消息，並且矢口否認自己的思想是佛儒二元化：「曩予習《禮》之《中庸》，至『不勉而中，不思而得』，悚然知聖人之德，學以至於無學。然而斯言也，猶示行者以室廬之奧耳，求其徑術而布武，未易得也。晚讀佛書，見大雄（佛）念物之普，級寶山而梯之，高揭慧火，巧熔惡見，廣疏便門，旁束邪徑。其所證入，如舟泝川，未始念於前而日遠矣。夫何勉而思之邪？是余知突奧於《中庸》，啓鍵關於內典，會而歸之，猶初心也。不知予者，誚予困而後援佛，謂道有二焉。」[174]

元稹《大雲寺二十韻》詩說：「多生沉五蘊，宿習樂三墳。喻鹿車雖設，如蠶緒正棼。且將平等義，還奉聖明君。」[175]

裴休侫佛至極，但他仍保持了士大夫的基本特徵。當他在唐宣宗朝當宰相時，由於「能文章，爲人醞藉，進止雍閑」，被唐宣宗稱贊爲「眞儒者。」[176]

即如受佛教影響極深的白居易，我們依然可以根據他一生窮達隱顯的經歷，來說明他的思想以儒家爲主導；即使是奉佛，也帶著儒家「窮則獨善其身」[177]的思想烙印。因而他積極出仕，干預政治和社會生活，甚至批評佛教的過度發展（參本書第三章第一節）。他在《議釋教》一文中清醒地指出，儒釋道三教鼎立，但治理天下要一元化，不能都加以利用。佛教的禪定、慈忍、報應、齋戒，雖然可以「誘掖人心，輔助王化」，然而這些內容「王道備焉，何必使人去此取彼？若欲以禪定復人性，則先王有恭默無爲之道在。若欲以慈忍厚人德，則先王有忠恕惻隱之訓在。若欲以報應禁人僻，則先王有懲惡勸善之刑在。若欲以齋戒抑人淫，則先王有防欲閑邪之禮在。雖臻其極則同歸，或能助於王化，然於異名則殊俗，足以貳乎人心，故臣以爲不可者以此也。況僧徒日益，佛寺日崇，勞人力於土木之功，耗人利於金寶之飾，移君親於師資之際，曠夫婦於戒律之間。古人云：一夫不田，有受其餒者，一婦不織，有受其寒者。今天下僧尼，不可勝數，皆待農而食，待蠶而衣。臣竊思之，晉、宋、齊、梁以來，天下凋弊，未必不由此矣。」⑱

杜甫也有崇佛傾向，《同諸公登慈恩寺塔》詩說：「方知象教力，足（一作立）可追冥搜。」⑲《謁文公上方》詩說：「久遭詩酒污，何事忝簪裾？王侯與螻蟻，同盡隨兵墟。願聞第一義，回向心地初。」⑱然而他卻是地地道道的儒者，每每自比稷契，致君堯舜，即使發過「儒冠多誤身」⑱的牢騷，迂闊的報負卻始終不渝。

羅隱崇佛的思想也偶有流露。他下第後，百感交集，僧禪月（貫休）寄詩安慰，他寫《和禪月大師見贈》作答，說：「高僧惠我七言詩，頓豁塵心展白眉。……應觀法界蓮千朵，肯折人間桂一枝！」⑱但他的另外兩首詩卻頗有意思。《謁文宣王廟》說：「晚來乘興謁先師，松柏淒淒人不知。九仞蕭牆堆瓦礫，三間茅殿走狐狸。雨淋狀似悲麟泣，露滴還同嘆鳳悲。倘使小儒名稍（一作粗）立，豈教吾道受棲遲！」⑱《代文宣王答》說：「三教之中儒最尊，止戈爲武武尊文。吾今尚自披簑笠，你等何須讀典墳！釋氏寶樓侵碧漢，道家宮殿拂靑雲。若敎顏（顏回）、閔（閔損）英靈在，終不羞他李老君！」⑱④

通過以上的分析，可見士大夫儘管崇佛，其思想的主導成分仍是儒家。這說明唐代的士大夫具有時代的特徵，知識結構不同於前代的士大夫，因而全然不是前代醇儒的面貌和風格。

㈢士大夫身份的保持

士大夫既然是把佛敎當作理論和哲學來學習的，那麼，只消在思想上皈依佛敎，就能夠達到精神解脫的目的。高適《同群公宿開善寺贈陳十六所居》詩說陳章甫「談空忌外物，持戒破諸邪」，「知君悟此道，所未披袈裟。」⑱⑤這樣，士大夫便保持了自己的原有身份；假若在組織上遁入空門，他們便是僧而不是士大夫了。杜荀鶴《贈僧》詩說：「利門名路兩何憑，百歲風前短焰燈。只恐爲僧僧（一作心）不了，爲僧得（一作心）了總（一作盡）輸僧。」⑱⑥這種思想和身份的中界線的劃定，取決於士大夫的修持方法，於是，在家出家法得以成立。

第五節　史的鳥瞰

一、安史之亂前後鳥瞰

㈠安史亂前鳥瞰

士大夫與佛教的關係，不能不受到社會的政治、經濟發展總趨勢的制約。

中國佛教發展到一定階段後，其內部對於佛學理論和實踐的理解出現了歧異，各執己見，代代傳承，形成不同的學派。隨著佛教勢力的擴張，佛教擁有了雄厚的經濟實力，在學派的基礎上創立宗派，就成爲歷史的必然。隋朝建立後，僧智顗創立了天台宗，僧吉藏創立了三論宗，僧信行創立了普法宗（三階教）。唐高祖武德元年（六一八年），唐王朝建立，國內的政治局勢趨向穩定，經濟逐漸恢復發展。這種局面維持了一百三十七年，直到唐玄宗天寶十四載（七五五年）安史之亂爆發爲止。這種局面爲佛教的興旺發達，爲已有宗派的繼續發展和新宗派的不斷創立，提供了條件。於是佛教文獻大量翻譯，寺塔平地而出，法相宗、律宗、淨土宗、華嚴宗、禪宗、密宗等宗派，鱗次櫛比，應運而生。這些宗派的奠基人、創始人和領袖，都具有相當的活動能量。東晉僧人道安說過：「不依國主，則法事難立。」⑱⑦唐代僧人也體會到這一點，因而除了向民間傳播的宗派淨土宗和禪宗的創立者以外，其它宗派的領袖，都和朝廷交接。士大夫在這種情況下，必然要染指其間，或者參與譯經，或者在政教之間起溝通疏導的作用，或者重視佛教配合儒家調御人天的功能而與僧人交往，或者看到僧人出入禁中而不得不巴結。安史之亂爆發以前，大的宗派的創立活動都已完成，只有一些小的支派——禪宗內部分衍出的潙仰宗、臨濟宗、曹洞宗、雲門宗、法眼宗這五家，是在晚唐五代時期成立的。安史亂前這一時期的儒釋關係，以朝廷要員與佛教上層僧侶的交往爲特點，就其內容的主要方面來說，表現在宗教方面和政治方面。

唐太宗晚年，親自披閱了玄奘所譯的《瑜伽師地論》，敕令寫成九本，頒與九州。玄奘囑請唐太宗題序，唐太宗雖覺氣力不如往昔，仍然「願作功德爲法師作序」，寫成《大唐三藏聖教序》。序寫成後，在明月殿由弘文館學士上官儀對士大夫宣讀。士大夫聽後，紛紛稱慶。從此以後，「朝宰英達，咸申擊贊，釋宗弘盛，氣接成陰。」唐高宗顯慶元年（六五六年），在玄奘居住的慈恩寺爲皇太子設大齋，「朝宷總至」。黃門侍郎薛元超、中書侍郎李義府問玄奘：「譯經佛法之大，未知何德以光揚耶？」玄奘列舉姚秦時鳩摩羅什譯經，政府派安成侯姚嵩筆受，元魏菩提流支譯經，政府派侍中崔光錄文，特別指出唐太宗時波頗譯經，僕射蕭瑀和其兄太府卿蕭璟及東宮庶子兼崇文館學士杜正倫等朝貴，監閱詳定。玄奘坦率地說：「譯經雖位在僧，光價終憑朝貴」，「今並無之，不足光遠。」大慈恩寺是聖上作太子時爲亡母薦福而新建的，弘大壯麗，但「騰實之美，勿過碑頌。若蒙二公爲致言，則不朽之跡，自形於今古矣。」薛元超、李義府當即答應，呈報唐高宗後，唐高宗一一允諾。唐高宗指派左僕射于志寧、中書令來濟、禮部尙書許敬宗、黃門侍郎薛元超、杜正倫、中書侍郎李義府、國子博士范頵等學士，協同譯經；接著，親自撰寫了慈恩寺碑文。碑文送到寺中時，儀式極爲隆重。「京寺咸造幢蓋，又敕王公已下太常九部及兩縣伎樂，車徒千餘乘，駐弘福寺。上居安福門，府臨將送。京邑士女，列於道側，自北之南二十餘里，充仞衢街，光俗興法無與儔焉。」⑱這可以看成是由士大夫作媒介，政權與神權的一次聯姻。

士大夫參與譯經活動，安史亂前，非常頻繁（參本書第二章第一節）。此外，尚有不少宗教的和政治的活動。

武則天如意元年（六九二年）七月十五日，大周聖神皇帝武則天，在神都洛陽南門，舉行了盂蘭盆會。盂蘭盆會是依據佛教故事，結合中國傳統倫理道德的主要成分——孝道，而舉行的佛事活動。佛經故事以爲，佛的十大弟子之一的目連，用天眼看見自己的先妣仍在六道中輪回，正處在餓鬼道，受著飢餓的煎熬，如處倒懸。目連心中不忍，就去向佛請示。佛讓他在七月十五日設盂蘭盆，盛以百味五果，供養十方僧衆，即可使自己的七世父母脫離餓鬼道，升到人、天道中，享受清福。南朝梁武帝大同四年（五三八年）開始設盂蘭盆會，以後逐漸形成風俗，朝廷和民間都在每年的七月十五日舉行，以超度祖宗，報答祖德。武則天這次的盂蘭盆會，是一次國家的盛典。楊炯《盂蘭盆賦》記載了當時的情況，武則天「乃冠通天，佩玉璽，冕旒垂目，紞纊塞耳。」朝中士大夫「穆穆然南面以觀矣」，並且再拜稽首而言曰：「聖人之德，無以加於孝乎！」下面的議論，極少涉及佛教，而且借題發揮，繞了一個圈子，用儒家的老調，對政治狀況寄托希望：「夫孝始於顯親，中於禮神，終於法輪。武盡美矣，周命惟新。聖神皇帝於是乎唯寂唯靜，無營無欲，壽命如天，德音如玉。任賢相，惇風俗，遠佞人，措刑獄，省遊宴，披圖籙，捐珠璣，寶菽粟，罷官之無事，恤人之不足，鼓天地之化淳，作皇王之軌躅。」[189]從這幾句的口氣來看，楊炯對於武則天這次大典的過度鋪張，似乎是不以爲然的。士大夫參加這樣的活動，純屬政治性質，與佛教沒有內在的聯繫。

武則天以後，李唐政權恢復，士大夫不必再違心地歌頌大周革命了，佛教反倒成爲士大夫在政治鬥爭中亮相的一種道具。唐中宗即位之初，全國各地普遍設置龍興寺，那用意恐怕主要還是慶賀李家的皇帝又龍飛九五了。張說在政權嬗替的過程中，明確地亮明自己的態度。他在《唐陳州龍興寺碑》一文中說：「唐祚中微，周德更盛，歷載十六，奸臣擅命，伯明氏有盜國之心，一闡提有害聖之跡。」⑲一闡提是一闡提迦的省文，意爲斷善根，信不具。有的宗派認爲他永遠不能成佛，有的宗派認爲佛性普遍存在，一闡提迦，甚至無情類，也可成佛。不管怎麼說，都認爲一闡提迦根性最鈍，但不一定品質上都有毛病。人們都喜歡用一闡提迦來比喻壞人。早於張說的李師政就曾說過，出家人分散於全國各地，「縱令五三凶險，一二闡提，既無緣以烏合，亦何憂於蟻聚？」⑲這樣的比喻，其實並不是十分恰當的。假若根器最鈍，但無劣跡可尋，恐怕也不好說人家就是壞人。實際上，佛典中有現成的典故可以運用。佛教故事說，調達（又譯爲提婆達多）跟隨佛學習佛教，誦讀經典多至六萬，連大象都馱不了，但是後來成了叛逆者，反對佛教，犯了破僧罪，受到報應，墮入地獄。張說接著把那位極度昏庸懦弱的唐中宗吹捧爲一代偉人，「皇上操北斗，起東朝，排閶闔，運扶搖，張目而叱之，殷乎若震雷發地，欻號翕響，以克彼二凶（張易之、張昌宗）；赫然若太陽升天，晞照仰像，以復我萬邦。返元後傳國之璽，受光武登壇之玉。尊祖繼宗，郊天祀地之禮既洎；修舊布新，改物班瑞之典又備。乃考出世之法，鼓大雄（釋迦牟尼）之事，入無功用之品，住不思議之方。一光所燭，庶兆爲之清涼；一音所宣，大千爲之震動。雲蒸風靡，不崇朝而壞之踊塔遍天下矣。」正是在這種情況下，陳州刺史韓琦、長史張齊賢等一批士大夫，也「欽若王言，建立靈寺。」當地民衆看見龍興寺，「豈不思天子之至仁乎！」⑲²到了唐玄宗時期，張說巡視塞上，又在朔州忍辱尼寺中，「見有高祖、太宗造金像銀趺，刻題尊號，彼州士女，屢瞻佛光」，張說竟「懇思聖心，如在咫尺」，覺得「物有小而感深，事有微而傳遠」，於是「謹將金像隨表奉進。」⑲³根據這些史實，我認爲道安「不依國主，則法事難立」的說法是片面的，應該補充一句：不假佛法，則治理難成。唐代皇帝並非全部信奉佛教，但都知道利用佛教，原因也就在這裡。

唐中宗景龍二年（七〇八年），開始設置學士。這些學士隨從唐中宗宴饗遊覽，應制賦詩。這年九月，唐中宗登慈恩寺塔，上官婉兒獻詩，學士唱和；閏九月，唐中宗登總持寺塔，十月幸三會寺，十二月幸薦福寺，學士都隨場賦詩。宋之問《奉和九日登慈恩寺浮圖應制》詩說：「天歌將梵樂，空裏共裴回。」⑲⁴趙彥昭同題說：「皇心滿塵界，佛跡現虛空。日月宜長壽，人天得大通。」⑲⁵李迥秀同題說：「御酒調甘露，天花拂彩旒。堯年將佛日，同此慶時休。」⑲⁶李從遠同題說：「中宵日天子，半座寶如來。」⑲⁷這些應制詩是在特定的背景下寫成的，免不了歌功頌德，阿諛奉承，以出世間的莊嚴靜穆狀態，來粉飾人世間的懶散和平狀態，把此岸權威和彼岸權威等同起來，相提並論，從而證明封建統治的合理性和永恆性。同時也需要指出，安史之亂爆發以前的這一時期，李唐承隋代結束南北朝分裂狀況而統一天下的緒業，在東方建立了強有力的統治，創造了當時世界上第一流的物質文明和精神文明，生機勃勃，方興未艾，爲周邊各族政權所企羨和威服；而佛教同樣地進入了發皇時期，諸多宗派如雨後春筍，破土而出，成爲世界佛教中心。在時代精神的鼓舞下，士大夫也葆有積極進取的精神，透過佛教的出世說教，去尋求向上的力量。因此，他們的詩文中便朦朦朧朧地籠罩著一種宗教的莊嚴肅穆和諧凝重的神秘氣氛，透露出恢宏的氣象。在士大夫的眼裡，那些上層僧人都是大智大覺的人，因而屢屢被歌頌爲前代的支公、遠公、生公似的人物。盧照鄰《五悲·悲人生》一賦，比較了儒、道、佛三家，假托一位佛門大聖的口氣說，儒、道二者「孰與夫離常離斷，不始不終，恆在三昧，常遊六通，不生不住無所處，不去不滅無所窮，放毫光而普照，盡法界與虛空。苦者代其勞苦，蒙者導其愚蒙，施語行事，未嘗稱倦，根力覺道，不以爲功。」在盧照鄰這一類士大夫的眼中，佛教是何等的輝煌燦爛，何等的凌厲奮發，何等的磊落坦蕩，何等的睿智明敏！盧照鄰接著寫道，這位佛門大聖話未說完，儒、道二客即離席再拜，說：「大聖哉！丘（孔子）聞道晚，聃（老子）今已老，徒知其一，未究其術」，「不有大聖，誰起大悲。請北面而趨伏，願終身而敎之」。⑲⑻可見，一部分士大夫對佛教的選擇，是由於他們認爲佛教高妙，遠遠超過儒、道二家；他們奉佛，是人生途中碰壁後的奮起和解脫，而不是頹唐沉淪和消極就範。

㈡安史亂後鳥瞰

從唐玄宗天寶十四載（七五五年），到唐代宗廣德元年（七六三年），歷時七年多的安史之亂，成爲唐王朝由盛而衰的轉折點，從安史之亂爆發，到唐哀帝天祐四年（九〇七年）唐王朝滅亡，這一百五十二年中，皇權衰落，大一統局面化爲由中央轄區和部分藩鎮稱雄割據的獨立王國構成的二元化體系，戰爭也時有進行。這一時期，由於自身的發展和其它原因，多數佛教宗派盛極而衰，即使僥幸中興者，也只是作爲殘餘勢力而存在，再也不能恢復昔日的繁盛局面。唐武宗會昌毀佛，又給了佛教以毀滅性的打擊，強令僧尼還俗二十六萬零五百人，解放寺院奴婢十五萬人，拆毀佛寺四千六百多所，招提、蘭若四萬多所，收上等良田數千萬頃，「容貌於土木者沉諸水，言詞於紙素者烈諸火。」⑲只有禪宗，因爲主張見性成佛，不假外求，寺院經濟和佛典佛像，不管政府怎樣加以沒收或銷毀，禪宗僧人的思想卻無法被沒收、銷毀；⑳再加上它的修行方法簡便，在倫理道德方面和儒家一致，它便幾乎達到了一峰獨秀、獨木成林的地步。

在這種背景下，佛教徒的數量驟然增多。《宋高僧傳》卷六《湛然傳》指出，安史亂後，「當大兵大饑之際，揭厲法流，學徒愈繁，瞻望堂室，以爲依怙。〔湛〕然慈以接之，謹之守之，大布而衣，一床而居」。湛然是天台宗的中興大師，衆多學徒以他爲靠山，主要是爲了逃避戰亂，也就不管什麼宗派了。士大夫也是這樣。唐彥謙《題證道寺》詩說：「記得逃兵日，門多貴客車。」㉑僧人數量的急劇增加，難免造成龍蛇混雜的猥濫局面。僧人的成分相當繁雜，什麼詩僧、儒僧、茶僧、棋僧、勞役僧、俠僧、妖僧、氣色僧、搞厭勝術黃白術的僧人，等等，千奇百怪，靡所不具；不守戒律、爲非作歹的僧人，也所在多有。

這一時期，士大夫對於佛教的態度，也不是如同前一時期那樣眞誠的崇信、熱烈的嚮往，相反，有時很不正經。王建《貽小尼師》詩說：「新剃青頭髮，生來未掃（一作畫）眉。身輕禮拜穩，心慢記經遲。喚起猶侵曉，催齋已過時。春晴階下立，私地弄花枝。」⑳²唐代社會生活受北朝胡族習俗的影響，再加上進士科培植出了一大批浪蕩才子，倡妓文學頗爲流行，男女之間的接近，比宋代理學節烈觀影響下的社會要隨便很多。王建詩的後兩句，含畜地表達了佛教禁欲主義對少女正當生活權力的束縛。整首詩的口氣，不甚莊重。劉言史《贈童尼》詩說：「舊時豔質如明玉，今日空心是冷灰。料得襄王惆悵極，更無雲雨到陽台。」⑳³吳融《還俗尼（本是歌伎）》詩說：「柳眉梅額倩（一作靚）妝新，笑脫袈裟得舊身。三峽卻爲行雨客，九天曾是散花人。空門付與悠悠夢，寶帳迎回暗暗春。寄語江南徐孝克，一生長短托清塵。」⑳⁴詩寫得都很放肆、下流，居然沒受到指責而流傳下來。僧人文溆的俗講，多是些淫穢鄙褻的內容，「愚夫冶婦，樂聞其說，聽者塡咽。」⑳⁵這一切都表明，唐代佛教世俗化程度的加深。

這一時期，情況開始出現逆轉。由於戰爭的破壞，政府的毀佛，或者年久失修，宗派式微，廢寺普遍存在。顧況《經廢寺》詩說：「石路無人掃，松門被火燒。斷幡猶掛剎，故板尙揩橋。數卷殘經在，多年字欲銷。」⑳⁶耿湋《廢慶寶寺》詩說：「黃葉前朝寺，無僧寒（一作閑）殿開。池晴龜出暴，松暝鶴飛回。古井（一作砌）碑橫草，陰廊畫雜苔。」⑳⁷王建《廢寺》詩說：「廢寺亂來爲縣驛，荒松老柏不生煙。空廊屋漏畫僧盡，梁上猶書天寶年。」⑳⁸張籍《遊襄陽山寺》詩說：「寺貧無施利，僧老足慈悲。薜荔侵禪窟，蛤蟆占浴池。」⑳⁹張祜《毀浮圖年逢東林寺舊》詩說：「可憐東林寺，空門失所依。……隙地　聲在，荒途馬亦稀。」⑳¹⁰杜牧《池州廢林泉寺》詩說：「廢寺林（一作碧）溪上，頹垣依亂峰。」[211]劉滄《經龍門廢寺》詩說：「山色不移樓殿盡，石台依舊水雲空。唯餘芳草滴春露，時有殘花落晚風。」[212]又《題古寺》詩說：「古寺蕭條偶宿期，更深霜壓竹枝低。長天月影高窗過，疏樹寒鴉半夜啼。池水竭來龍已去，老松枯處鶴猶棲。傷心可惜從前事，寥落朱廊墮粉泥。」[213]面對這種荒涼冷落、衰敗肅剎的景象，難怪士大夫要感嘆「佛亦遇艱難」，[214]「禪宮亦銷（一作衰）歇，塵世轉堪哀」[215]了。那麼佛教也就很難再裝作普渡衆生的樣子，去解救和庇護世人了。在會昌廢佛高潮時，僧徒四處逃竄，有的身著烏帽麻衣，躲到士大夫莊園的土山上，[216]有的穿上士大夫的逢掖之衣，蒙混過關。[217]即使沒遇上「法難」，有的僧人處境也相當可憐。南宋人陳巖肖《庚溪詩話》卷下記載，唐末，一所山寺中，有位僧人臥病既久，就在門上題詩說：「枕有思鄉淚，門無問疾人。塵埋床下履，風動架頭巾。」恰好有位部使者路過，看見題詩，就去探望，對病僧非常同情，把他轉移到別處加以治療。後來這位部使者顯貴了，就上言朝廷，朝廷才令天下寺院設置延壽寮，專門安養病僧。

這一時期，也出現了一些完全不同於安史亂前那一時期的高僧形象的僧人。下面這些詩句，就是士大夫對於這種僧人的直觀反映。段成式《呈輪上人》詩說這個僧人「殘陽擇虱懶逢迎。」[218]吳融《閿鄉寓居十首·山僧》詩說：「石臼山頭有一僧，朝無香積夜無燈。近嫌俗客知蹤跡，擬向中方斷石層。」[219]周賀《題柏巖禪師》詩說這個僧人「乞食嫌村遠，尋溪愛路平。多年柏巖住，不記柏巖名。」[220]鄭綮《老僧》詩則更為具體：「日照四山雪，老僧門未開。凍瓶粘柱礎，宿火陷爐灰。童子病歸去，鹿麑寒入來。齋鐘知遠近，枝鳥下生台。」㉑杜荀鶴《題覺禪和》詩說：「有時問著經中事，卻道『山僧總不知』」。又《題江寺禪和》詩說：「江寺禪僧似悟禪，壞衣芒履住茅軒。懶求施主修眞像，翻說『經文是妄言』」。㉒禪宗是所謂教外別傳，於經典不事研讀，但仍以《金剛經》、《壇經》和重要僧人的語錄，來傳播本宗的主張，不能完全脫離文字。總的來說，禪宗僧人的佛學理論修養是相當低的，一到朝廷以試經來決定僧籍的時候，他們就慌了手腳。唐文宗大和（八二七年—八三五年）末年，敕令僧尼試經若干紙，不通就勒令還俗。有個山僧來懇求成都少尹李章武，說：「禪觀多年，未常念經，今被追試，前業棄矣。願長者念之。」㉓即是一例。禪宗主張頓悟，見性成佛，不假外求，把禪觀、念經等等佛事都看作是阻礙成佛的舉動。馬祖道一在南岳傳法院修持佛教，獨處一庵，專事坐禪，有誰來訪，他根本不看。其師懷讓去，他也不看。懷讓爲了開導他，就在庵前磨磚。起初，道一毫不理會，時間長了，就問懷讓磨磚作什麼。懷讓回答用磚磨一面鏡子。道一說：「磨磚豈得成鏡。」懷讓回答：「磨磚既不成鏡，坐禪豈能成佛。」還開導他：「汝學坐禪？爲學坐佛？若學坐禪，禪非坐臥；若學坐佛，佛非定相。於無住法，不應取捨。汝若坐佛，即是刹佛，若執坐相，非達其理。」道一聽後，豁然開悟，就完全拋棄了坐禪這樣的外求形式。㉔四川的這位山僧和杜荀鶴筆下那位「似」悟禪的僧人，連自己宗派的常識都不具備，更談不上登堂入室了。佛教倡導利他、行善，六波羅蜜有精進和忍辱兩項，其意義都是積極的，儘管爲著宗教的目的。而上述這些僧人，何等的慵懶萎縮，何等的愚昧頹唐，何等的渺小利己！這哪是什麼「開士」，「上人」，簡直是行屍走肉，是十足的寄生蟲。這還是安分守已的，那些爲非作歹的僧人，就更不齒於人類了。

唐末詩僧貫休有兩首關於乞食的詩，是頗具諷刺效果的。《乞食僧》寫道：「擎鉢貌清羸，天寒出寺遲。朱門當大路，風雪立多時。似月心常淨，如麻事不知。時人莫輕誚，古佛盡如斯！」㉕《道中逢乞食老僧》寫道：「時人只施盂中飯，心似白蓮哪得知。」㉖古佛本來就是這麼寒酸、晦氣的樣子，時人千萬不要輕易嘲笑！這反映出人們的嘲笑和不解較爲普遍，佛教徒自己不得不挺身而出，曲爲辯解。

在這樣的社會條件下，士大夫和佛教的關係，較之安史亂前，發生了很大的變化。儒釋交遊廣泛鋪開，以不同層次的士大夫和成分繁雜的僧人交往爲特點，就其內容的主要方面來說，表現在世俗生活方面和文化方面。文化修養高深的士大夫和高級僧人吟詩屬文、品茶飲酒，間或談玄說空；下層士大夫和下層僧衆搞些日常生活程序所需要的祈福禳災、設齋念經等等活動。本書很多章節提到的柳宗元、劉禹錫、韋應物、白居易、張籍、王縉、姚合、方干、鄭谷、司空圖等等士大夫的事跡，都是佐證。

二、空間分布

士大夫和佛教的關係，在空間的分布上是很不平衡的。佛教的空間分布，有一定的地方特色。劉禹錫指出：「佛法在九州間，隨其方而化。中夏之人鄙於榮，破榮莫若妙覺，故言禪寂者皆宗嵩山。

北方之人銳以武，攝武莫若示現，故言神通者宗淸涼山。南方之人剽而輕，制輕莫若威儀，故言律藏者宗衡山。是三名山爲莊嚴國，必有達者與山比崇」。㉗這是士大夫從教化的角度來看待佛教的地區分布的。

佛教的發展，雖然和社會的政治、經濟的發展不是正比關係，但和政治、經濟狀況卻緊密相關。在政治中心和經濟發達地區，佛教發展順利，士大夫密度大，其聯繫就頻繁廣泛。兩京地區和發達地區的州治之所，就是這樣的地方。長安、洛陽是全國佛寺最集中的地區，直到現在，還有不少塔寺碑碣和造型藝術的遺存。多數宗派都在兩京創立和發展。士大夫在這樣的方便條件下，溝通政教，遊覽佛寺，結交僧人，也就成了順理成章的事。這樣的事例已屢如前述，本書後面還將不斷提供同類的事例。揚州地處長江和運河交匯的地方，是東南重鎮，出現了像法愼、鑒眞那樣的高僧，士大夫也不放棄路過的機會，參謁問道。而本書第一章第一節和第二節提到的牂牁和嶺南這樣的不發達地區，從人文地理的角度看，和內地有天壤之別，佛教發展稀疏、滯緩，士大夫稀少，交往就受到阻礙。在這樣的地區，不是佛教開導士大夫，而是士大夫提倡、推廣和利用佛教。這從政治方面著眼，也有一定的積極意義。這個積極意義，當然不是體現在士大夫以先覺覺後覺方面，而是體現在士大夫的歷史主動性方面。士大夫注意用內地占統治地位的文化去影響落後地區，或者像牛騰那樣大力傳播佛教，或者像柳韜等人那樣，宣布朝廷敕令時，依然按照內地的形式和程序進行，指派土著充當僧、道，臨時陪位。這樣做，有利於縮小落後地區和內地文化的差距，用文化的紐帶來維繫內地和邊遠地區、中央和地方的聯繫，從而鞏固中華民族的大統一。安史之亂平定後，唐朝的經濟重心轉移到江淮地區，與之相適應，政治、文化都發達起來。發源於南方的禪宗之所以能夠迅猛發展，風靡全國，和這個大背景有著極爲密切的內在聯繫；其它宗派雖已銷歇，也還能餘嗣不絕。南方，特別是東南地區，就有可能出現大批才華出衆的高僧。元人辛文房一口氣列舉了五十多位詩僧，特別指出靈一、靈澈、皎然、清塞、無可、虛中、齊已、貫休八人，是詩僧中「喬松於灌莽，野鶴於雞群者」，「皆東南產秀，共出一時。」㉘士大夫和佛教的聯繫，也就成爲日常化的事了。

三、宗派選擇

在宗派的選擇上，士大夫由於自己的身份、經歷、遭際、環境、文化、性格、愛好、機會等方面的不同，是因人而異的。有的人和一種宗派關係密切，有的以一種爲主，間或聯繫其它宗派，有的人只是把僧人當作個人身份來交往，不管他的派別。

佛教宗派大體分爲律、教、禪三類。禪宗慧海在回答三類僧人何者最勝的問題時指出：

> 夫律師者，啓毗尼之法藏，傳壽命之遺風，洞持犯而達開遮，秉威儀而行軌範，牒三番羯磨，作四果初因，若非宿德白眉，焉敢造次？
>
> 夫法師者，踞師子之座，瀉懸河之辯，對稠人廣衆，啓鑿玄關，開般若妙門，等三輪空施，若非龍象蹴蹋，安敢當斯？

夫禪師者，撮其樞要，直了心源，出源卷舒，縱橫應物，咸均事理，頓見如來，拔生死深根，獲現前三昧，若不安禪靜慮，到這裡總須茫然。隨機授法，三學雖殊，得意忘言，一乘何異？故經云：十方佛士中，唯有一乘法，無二亦無三，除佛方便說，但以假名字，引導於衆生。㉙

這裡指出了律、教、禪各自的特點和同一出發點。

律、教、禪三類，佛教徒認爲都很重要，缺一不可，但在實際上，卻有著不同的盛衰命運。三類中，持戒爲佛教最基本的要求，因而律宗綿延不絕；而禪宗蔚爲大國，幾乎獨步天下，它們成爲士大夫最爲矚目的兩個宗派。其它屬於教派的天台、三論、法相、華嚴各宗，或乍起乍落，或勢單力薄，根本無法和律宗、禪宗比肩。因而下面我們著重分析士大夫和律宗、禪宗的關係。

和律宗關係最深的士大夫，多是朝廷要員。唐初，道宣以《四分律》爲依據，創立律宗。他後來居住在終南山豐德寺，故他創立的律宗又稱南山宗。同時傳弘《四分律》的，還有相州日光寺僧法礪和京師西太原寺東塔僧懷素（俗姓范）。他們對於《四分律》的解釋，互相歧異而各具影響，故分別被稱爲相部宗和東塔宗，但都不及南山宗興盛。法礪和別人合撰《四分律疏》和《羯磨疏》，懷素不同意其見解，又撰新疏加以闡發。律宗三家遂有新舊疏之爭。爭論的焦點是戒體。戒體舊譯無作，新譯無表。道宣曾隨玄奘譯經，受唯識學說的影響，認爲《四分律》通於大乘，以心識所藏的種子爲戒體，提出唯識圓教戒體說。法礪依據《成實論》，以爲無作非色非心，提出非色非心戒體說。懷素依據《俱舍論》，以爲無表業爲色法，提出色法戒體説。彼此聚訟紛紜，莫衷一是。唐代宗時，宰相元載「篤重素公（懷素），崇其律數，」㉚影響到唐代宗。元載死後，唐代宗大歷十三年（七七八年），敕令律宗三家代表聚會討論新、舊二疏，由律僧如淨負責主持。唐德宗建中二年（七八一年），如淨奏二疏並行，還受命爲懷素作傳。這是士大夫企圖配合朝廷調解律宗內部分歧的一個例子。律宗僧人玄儼、法愼、曇一、朗然、辯秀、靈澈、道標、上恒、慧琳等等，所與交接的士大夫，據《宋高僧傳》卷十四、十五、十六各傳所記，全是「朝廷之士」、「朝宰」、「公卿」、「名公」、「簪組上流」、「辭學高度。」律宗之見重於袞袞諸公，我以爲有以下幾方面原因。

1. 律宗是依據戒律而立宗的。戒律是佛教的繁文縟節，是佛教徒的行爲規範。士大夫把律比作儒家的禮。許棠《送省玄上人歸江東》詩説：「釋律周儒禮，嚴持用戒身。」㉛柳宗元《南岳大明寺律和尚碑》文説：「儒以禮立仁義，無之則壞；佛以律持定慧，去之則喪。是故離禮於仁義者，不可與言儒；異律於定慧者，不可與言佛。」㉜可見，戒律在鞏固封建秩序方面，具有和世俗的禮和法律同等的功能，甚至能起到世俗法律所不能起的作用，即打著宗教的幌子，更能麻痺、束縛人民。白居易指出，撫州景雲寺律僧上弘，「提振禁戒，故講《四分律》，而從善遠罪者無央數。」㉝劉禹錫分析南方律宗昌盛的原因是「南方之人剽而輕，制輕莫若威儀，故言律藏者宗衡山。」㉞他們指出了律宗的社會效果，並隱隱透露出國家重視律宗的奧秘。可見，律宗和朝廷，一爲神權，一爲政權，是一而二、二而一的。朝廷要員是封建國家機器的人格化體現。他們行施國家權力，需要一種超自然的力量來配合和輔助。律宗最適合扮演這個角色。

2.律宗雖有關於戒法、戒體、戒行、戒相等問題的理論探討，但比起天台、法相、華嚴等教派來說，理論要薄弱、簡單得多，幾乎沒有自己的理論體系。這便於公務繁忙、不遑讀書的士大夫接近。

3.律宗上層僧人，利用自己的地位和影響，宣傳儒家的倫理道德，成爲不享受國家俸祿的編外政工幹部，雖然和封建官員在服裝上有區別，但從政治方面的作用來看，卻構成了互爲表裡的關係。法愼「與人子言依於孝，與人臣言依於忠，與人上言依於仁，與人下言依於禮。佛教儒行，合二爲一。」㉟曇一認眞學習儒家著作和各種外學，在「儒家調御人天，皆因佛事」㊱的宗旨下，爲公卿向慕而發揮作用。

4.律宗高僧對於戒律身體力行，常常表現出多方面的美德。鑒眞爲了追求眞理、普渡衆生，應邀渡海赴日本傳弘佛教，堅定不移，百折不撓，忠誠無私，精進勇健。南岳衡山大明寺律僧惠開，兩度被朝廷列爲上首僧人和講律僧，「凡其衣服器用，動有師法，言語行止，皆爲物軌。執巾匜奉杖屨爲侍者數百，剪髮髦被數戒爲學者數萬。得衆若獨，居尊若卑，晦而光，介而大，灝灝焉無以加也。」㊲這種僧人，正是封建秩序所要求的那種循規蹈矩的人，自然能成爲人倫的楷模。士大夫樂於和他們交往。

禪宗是武則天時一位出身於勞動人民的目不識丁的僧人慧能創立的。禪宗初創時，企圖恢復前代佛教僻居山林、抗跡塵外的宗尚，所以慧能創宗不在首都，而在南荒韶州曹溪寶林寺；而且不主動交接朝廷，即使武則天、唐中宗邀請入朝，也不應命。王維以東晉僧人「遠公（慧遠）之足，不過虎溪」㉓⑧來盛贊慧能禪師。禪宗很快就發展成爲最大的宗派。禪僧成分相當複雜，一部分能恪守門風，一部分開始交接朝廷，於是如章孝標《送無相禪師入關》詩所說：「暫捨中峰雪，應看內殿春。……聖主方崇教，深宜謁紫宸。」㉓⑨出現了像神會那樣的貴族僧侶和一批像僧鸞那樣「歌詩精外學，天子是知音」㉔⓪的內供奉僧人。因而和禪宗關係最深的士大夫，也相應地包括了最廣泛的類型。禪宗爲士大夫所重，我認爲有以下幾點原因。

1.禪宗雖是慧能創立的，在淵源上卻可以上溯到北魏時來華的南天竺僧菩提達摩。菩提達摩稱爲禪宗初祖，慧能稱爲六祖。再往上推，禪宗人把本宗宗風的濫觴上溯到佛的大弟子迦葉。據說靈山會上，如來拈花，迦葉不正面用語言來加以闡釋，只是會意地微微一笑，表示已經領悟了佛的旨意，開了教外別傳的風氣之先。菩提達摩來華，在嵩山少林寺修持，一方面提倡《楞伽經》，一方面從事禪觀實踐，長期靜坐，積累漸悟，致有面壁十年的佳話。到慧能時，這種宗教實踐的風格爲之一變。慧能認爲，衆生心中有同樣的眞如佛性，悟即爲佛，不悟即爲衆生，所以衆生不必外求，只要直指心性，去掉遮蓋在上面的妄情浮雲，一悟即至佛地。這種頓悟主張，不講究文字的研習記誦，沒有鑽研艱深理論的辛勞，不必長年乃至萬世累劫的修持，便於雅俗共賞，提高自信心。這種主張導致了修行方法的變化，在家出家法完全成爲可能。慧能說：「若欲修行，在家亦得，不由在寺。在寺不修，如西方心惡之人。在家若修行，如東方人修善。但願自家修清淨，即是西方。」㉔①這正是士大夫所能接受的調和佛教崇奉和世俗利益的折衷方法。許渾《晨起二首》詩說：「心閑即無事，何異住山僧。」[242]劉商《題道濟上人房》詩說：「何處營求出世間，心中無事即身閑。」[243]都反映了這一情況。

2.這種簡便的修行方式，保證了大量的時間可用於非宗教性的世俗活動和文化活動。張祜《題重居寺》詩說：「浮圖經近郭，長日羨僧閑。」《題蘇州思益寺》詩又說：「會當來結社，長日爲僧吟」，[244]可見一斑。這爲士大夫與之聯繫提供了方便。

3.禪宗是中國化程度最高的佛教派別，它不但擁有儒家的倫理道德，也擁有大量的儒僧。這和士大夫的思想很合拍。慧能教人，「始以性善，終以性善」。[245]禪宗還宣揚：「恩則孝養父母，義則上下相憐，讓則尊卑和睦，忍則衆惡無喧。……改過必生智慧，護短心內非賢」。[246]一些禪僧也身體力行。劉得仁《和范校書贈造微上人》詩說：「得性見微公，何曾執著空，修心將佛並，吐論與儒通。」[247]姚合《送僧默然》詩說：「出家侍母前，至孝自通禪。」[248]這樣，儒家「道不同，不相爲謀」[249]的古訓，面臨這種情況，便失去了防範的意義。

4.禪宗不向外求，發展的結果，到了極端的地步。一方面，取消一些約束，「心平何勞持戒」；[250]一方面，又建立了簡易的清規戒律。禪僧本來住在律寺中，隨著禪宗的發展，需要另立禪居。禪僧懷海適應這種形勢，創建禪門規式，由於他住在江西洪州新吳界的百丈山，故又稱爲百丈清規。其主要內容是，禪僧中得道眼者號爲長老，也就是化導之主，按維摩詰居士住方丈之室的例子，長老居於方丈之中。禪僧一律住僧堂。僧堂中設置通鋪大床，僧衆以斜枕床唇的姿勢睡覺，叫帶刀睡。堂中還設椸架掛放道具。僧衆朝參夕聚，長老上堂，升座主事，僧衆排列兩行，在下聆聽。齋飯隨宜，務求節儉。禪僧不分地位高低，平時一律參加集體勞動。寺院內不設佛殿，不供佛像，只設講法廳堂，表示佛祖親自囑授方丈爲講法的尊者。㉕1後來，禪宗乾脆發展到呵佛罵祖、蔑視宗教權威的地步。「你欲得如法見解，但莫受人惑，向裡向外，逢著便殺，逢佛殺佛，逢祖殺祖，逢羅漢殺羅漢，逢父母殺父母，逢親眷殺親眷，始得解脫，不與物拘，透脫自在。」㉕2我們假若撇開宗教含義，就會發現這種不受任何拘束的徹底解放態度，在實際生活中，必然產生痛快淋漓的效果，能夠吸引英雄失路、托足無門的士大夫，藉以宣洩心中的悒鬱憤懣。鄧州丹霞天然禪師，本來是走仕途經濟道路的士大夫，在進京應考的途中，住在一所旅店裡。一位禪僧問他幹什麼去，他回答：「選官去」。禪僧說：「選官何如選佛」。他便去當了禪僧。一次天寒，他將木雕佛像拿來燒火取暖。院主呵斥他說：「何得燒我木佛！」他用杖子撥了下火灰，說：「吾燒取舍利」。院主說：「木佛何有舍利？」他說：「既無舍利，更取兩尊燒」。他後來還說：「豈有佛可成！佛之一字，永不喜聞！」㉕3即是一例。這種不與物拘，透脫自在的態度，體現在任隨自然上，「隨緣消舊業，任運著衣裳，要行即行，要坐即坐」；㉕4「飢來吃飯，困來即眠，」㉕5便是用功修道。這種態度很能適應士大夫的瀟灑性格。

天台宗、三論宗、法相宗、華嚴宗等教派，是帶有很濃的學術味的佛教團體。它們擁有豐富縝密的哲學思想、神學理論，有的甚至還擁有詳密的心理學學說。這些宗派，有的中衰而稍興，有的風行三四十年即歸消歇，有的逐漸與禪宗融合。士大夫中除一部分參與譯經外，尙有少數人具有思辯興趣，和教派有一定的關係。比如梁肅就是直接跟從天台宗湛然學道的數十名士大夫之一。他的佛學修養被認爲超過了佛教徒。柳宗元也是天台宗信仰者，他認爲：「佛道愈遠，異端競起，唯天台大師爲得其說。」[256]他們都曾站在教、律的立場上，批評禪宗的勃興使得佛教徒「小律而去經」，這是「浮圖之道衰」，[257]甚至「佛法將滅」[258]的體現（參看本書第五章第二節）。顧況《獨遊青龍寺》詩說：「乘茲第八識，出彼超二見。擺落區中緣，無邊廣弘願。」[259]顯然，他在思想上受到法相宗理論的影響。

然而士大夫對於教派，遠沒有像選擇律宗禪宗那樣熱衷。這固然由於教派本身衰落迅速，勢單力薄，也由於士大夫缺乏理論興趣。截至唐代，中國封建社會長期滯遲緩慢的發展，再沒有出現戰國那樣急劇突變的階段，以及百家爭鳴的活躍氣象。儒家學說定於一尊之後，適應了這種漸變狀況，歷史沒有將總結和建立新的理論體系的任務提到日程上來。作爲這種狀況的產物，是唐代社會在科舉中重進士而輕明經；同時，這又成爲這種狀況的促成力量。佛教作爲外來文化，對中國的傳統文化進行了一次衝擊。然而，它又不得不順應中國的國情和時代的潮流，逐漸與儒家學說融合，作爲中國固有文化的補充和附庸而並行於世。這種歷史條件釀成了唐代士大夫缺乏理論興趣的品格。他們通過閱讀佛教基本讀物、接觸僧人、談論佛理，了解到一些佛教知識；但淺嘗輒止，不再深究。因而他們中間沒有產生有影響的理論家，無論是唯物主義的，還是唯心主義的。士大夫崇佛的主要傾向是求得精神解脫，這是以粗知一些佛教知識爲基礎的，並不一定需要和教派發生最爲密切的聯繫。

此外，佛教派別中尙有淨土宗和密宗。淨土宗沒有什麼理論，專以唱佛名爲往生西方淨土的手段，主要在社會下層流行。高級士大夫也有羼和其它宗派而期待往生西方淨土的。白居易晚年捨俸錢三萬，讓工人杜宗敬按照《阿彌陀經》和《無量壽經》的故事，畫成高九尺、寬一丈三尺的巨幅圖畫，彌勒佛坐在中間，兩旁爲觀世音和大勢至兩位侍者，「天人瞻仰，眷屬圍繞，樓台妓樂，水樹花鳥，七寶嚴飾，五彩彰施，爛爛煌煌」。畫成之後，白居易「焚香稽首，跪於佛前」，發願說：「西方世界清淨土，無諸惡道及衆苦。願如老身病苦者，同生無量壽佛所。」[260]他的朋友李浙東說，世間傳聞白居易將歸海上仙山，他寫詩作答說：「吾學空門非學仙，恐君此說是虛傳。海山不是吾歸處，歸即應歸兜率天」。自注說：「予晚年結彌勒上生業，故云。」[261]南宋葛立方評論說，世傳白居易學佛，深得佛光寺禪僧如滿的旨趣，但是看他「吾學空門不學仙」，「歸即應歸兜率天」的詩句，「則豈解脫語邪！」葛立方引元稹《遣病》詩中「況我早師佛，屋宅此身形。捨彼復就此，去留何所縈。前身爲過跡，來世即前程。」「蛻骨龍不死，蛻皮蟬自鳴」等句，進而指出：「元微之（元稹）詩唯不及樂天（白居易）遠甚，然其得處，豈樂天所能及哉？」[262]這是批評白居易不懂禪宗，沒學到佛教的精髓。白居易讀佛書不少，卻沒有融會貫通，佛學修養不高，即從作功德期待往生淨土來說，也確實夠庸俗的了。這也可見，淨土宗是民間愚夫愚婦普遍接受的宗派，高雅一點的士大夫是不屑一顧的。

密宗是以咒語爲佛教修習手段而立宗的。密宗的神秘主義色彩最濃，最善搗鬼，一部分庸俗鄙陋的士大夫也和密宗聯繫。唐玄宗時，密宗領袖梵僧不空到了南海郡，「採訪使劉巨鄰懇請灌頂。」[263]另一領袖梵僧金剛智去世，「灌頂弟子中書侍郎杜鴻漸，素所歸奉，述碑紀德焉。」[264]杜鴻漸在唐代宗時當上宰相，西蜀爲爭奪節度使權力而發生動亂，他受命前往平定。他「心無遠圖，志氣怯懦，又酷好浮圖道，不喜軍戎，」㉖⑤因而不復問罪，務爲姑息。他回京後，甚至「飯千僧，以使蜀無恙故也。」㉖⑥他和王縉，都「捨財造寺無限極。」㉖⑦他臨死前，讓僧人爲他剃髮，還囑咐其子「依胡法塔葬，不爲封樹，冀類緇流。」由於他奉佛過於庸鄙，在當時已經是「物議哂之」㉖⑧了。

四、經典流布

到了唐代，佛教典籍譯出的數量已經相當多了。佛教典籍共分爲經藏、律藏、論藏三類，統稱三藏。經，梵語音譯爲修多羅，凡是佛所說的教法和佛同意的教法，形諸文字，概稱爲經。律，又譯作離行、滅惡，梵語音譯爲毗尼，是關於佛教戒規的文獻。論，梵語音譯爲阿毗曇或阿毗達磨，是佛的大弟子和歷代義學高僧闡述經義的著作。這三類文獻，對於佛教的建設和教義的傳播，都有重大作用，但是經藏的支配地位，卻是律藏和論藏莫之與京的。唐代社會把誦讀、抄寫、鐫刻佛經作爲一種功德，佛經中作爲佛教基本讀物和立宗依據的部分，在佛教界和社會上的流傳就比較廣泛一些。本書第一章第一節引白居易《蘇州重玄寺法華院石壁經碑文》中關於一些佛經的字數統計和主題思想的概括，即說明了這一點。

佛教各宗派都宣傳本宗所依據經典爲優勝。天台宗依據的經典是《法華經》。《法華經》有三種譯本。西晉竺法護譯的，題爲《正法華經》，勒爲十卷。姚秦鳩摩羅什譯的，題爲《妙法蓮華經》，勒爲七卷。隋代闍那崛多共笈多譯的，題爲《添品妙法蓮華經》，勒爲七卷。天台宗依據的是鳩摩羅什的譯本。該譯本卷六《隋喜功德品》是這樣來勸誘人們誦讀、解脫、書寫《法華經》的：「若善男子、善女人，受持是《法華經》，若讀，若誦，若解脫，若書寫，是人當得八百眼功德，千二百耳功德，八百鼻功德，千二百舌功德，八百身功德，千二百意功德。」得到這麼多功德，好處無窮，僅以眼、耳功德爲例，自己的眼睛「見於三千大千世界內外所有山林河海，」耳朵能聽到三千大千世界內外的「種種語言、音聲」，比如「象聲、馬聲、牛聲、車聲，」等等。

華嚴宗依據的經典是《大方廣佛華嚴經》。《華嚴經》梵本據說有十萬偈，漢譯本有三種。東晉佛馱跋陀羅譯的，勒爲六十卷，又稱《六十華嚴》，或《舊華嚴》、《晉經》。這個譯本不是《華嚴經》的足本，僅二萬六千偈。武則天聽說于闐有梵文足本，很想弄到，于闐僧實叉難陀得知後，就攜帶梵本入朝，奉詔翻譯。譯事未畢，實叉難陀病故，由參與翻譯的中、外籍僧人菩提流志、義淨、弘景、圓測、神英、法藏、復禮繼續翻譯，積四年之功，終於武則天聖歷二年（六九九年）大功告成，勒爲八十卷，故又稱爲《八十華嚴》或《新華嚴》、《唐華嚴》，也僅有四萬五千偈。第三個譯本是唐代僧人般若譯的，勒爲四十卷，又稱《四十華嚴》、《貞元經》。實際上，這個譯本僅僅是新、舊《華嚴經》中的部分重譯，沒有什麼影響。

法藏既參與翻譯《新華嚴》，又依《華嚴經》創宗，對新、舊《華嚴》很有研究，前後講解三十多遍，並有多種著疏。華嚴宗僧人也編造很多荒誕的說法，勸人誦讀《華嚴經》。一爲雍州萬年縣人何容師因嗜食雞子無數而暴死，和其他七百人入鑊湯獄，附信返魂者，令其第四子何行證懇求法藏贖罪。法藏讓何行證誦寫《華嚴經》。何行證第二年寫畢，請僧齋懺時，會衆當場看見何容師和七百鬼徒到席前禮謝。二爲京兆人王明干，死後入地獄，地藏菩薩敎他誦偈：「若人欲了知，三世一切佛，應當如是觀，心造諸如來。」王明干去見閻王時，誦讀此偈，閻王當即將他放免，三天後又活了。法藏說：「此乃《華嚴第四夜摩會》中偈。」㉖⑨三爲雍州長安縣人郭神亮，修習佛敎而暴死，諸天引他見如來，一位菩薩批評他說：「何不受持《華嚴》？」他說沒人講，菩薩說：「有人現講，胡得言無！」郭神亮死而復蘇，「衆驗〔法〕藏之弘轉妙輪，人天咸慶矣。」四爲道士訾玄元，在曹州講場同法藏辯論，攻擊佛敎，第二天早晨洗臉，忽然「鬚眉隨手墮落，遍體瘡疱」。他立即找法藏承認錯誤，願轉讀《華嚴經》一萬遍。剛讀了不到五十遍，便「形質復舊」。」㉗⓪華嚴宗人還立社設齋，勸人轉誦《華嚴經》。杭州龍興寺僧南操，就曾勸十萬僧俗，每人轉《華嚴經》一部；十萬人中千人，每人諷《華嚴經》一卷。每年四季中的最後一月，聚會僧俗，「攝之以社，齊之以齋。」㉗①白居易就是十萬人中的一個。

禪宗倡導不立文字，頓悟成佛，但在發展過程中，卻不得不借助於文字，來宣傳這個道理。禪宗創建以前，初祖菩提達摩奉四卷《楞伽經》爲印證，傳給二祖慧可，說：「仁者依行，自得度世。」㉗②到了五祖弘忍，始改以《金剛經》爲心要。《金剛經》是《金剛般若波羅蜜經》的簡稱，原是《大般若經》中的一卷，先後有姚秦鳩摩羅什、北魏菩提流支、陳眞諦、隋達磨笈多、唐玄奘和義淨第六個譯本，通行本是鳩摩羅什的譯本，一卷。慧能參謁弘忍之前，以賣柴爲生。一次賣柴時，他聽到一人讀《金剛經》，心裡開悟。他還得知弘忍勸僧俗說，只要持《金剛經》，即可見性，直了成佛，他便到新州黃梅縣馮墓山禮拜弘忍。弘忍爲他講解《金剛經》，他一聽，言下便悟。慧能創宗後，即提倡《金剛經》。他說：「善知識，若欲入甚深法界，入般若三昧者，直修般若波羅蜜行。但持《金剛般若波羅蜜經》一卷，即得見性，入般若三昧。當知此人功德無量。經中分明贊嘆，不能具說。……若大乘者，聞說《金剛經》，心開悟解，故知本性自有般若之智，自用智惠觀照，不假文字。」㉗③根據慧能的這一思想和禪宗的宗旨，我覺得，禪宗是以佛教智慧——般若，證悟道理，見性成佛，而不是以禪定修行來悟入佛智，因此，把禪宗叫做般若宗或佛智宗，要比叫禪宗確切得多。

慧能以後，神會又大力提倡《金剛經》。神會甚至歪曲事實，編造歷史，說菩提達摩以《金剛經》傳慧可，還叮嚀他說：「《金剛經》一卷，直了成佛，汝等後人，依般若觀門修學，不爲一法，便是涅槃，不動身心，成無上道。」㉗④此後，三祖僧璨、四祖道信、五祖弘忍、六祖慧能，都依《金剛經》爲印證。神會自己認爲，《金剛經》是「一切諸佛母經，亦是一切諸法祖師。恆沙三昧，八萬四千諸波羅蜜門，皆從般若波羅蜜生。必須誦持此經。」「般若波羅蜜是一切法之根本，……亦號一切諸佛秘藏，一號爲總持法，亦是大明咒，是大神咒，是天上咒，是無等等咒，能除一切苦，眞實不虛。」誦持此經，「爲能成就最上乘第一希有之法。」㉗⑤

《金剛經》僅一卷，五千二百八十七字；《法華經》七卷，六萬九千五百零五字，這是白居易統計的數字。《華嚴經》舊譯六十卷，新譯八十卷，比起前二者，堪稱宏篇巨制。《華嚴經》涉及理論問題繁多，艱深難懂，法藏講解時，甚至不得不設置道具，運用比喻（參見本書第六章第四節），被士大夫視爲畏途，當屬可知。再加上華嚴宗和禪宗同時創立，禪宗簡約，便於普及，華嚴宗相形見絀，受到衝擊，經典被掩而不彰，亦是常理中的事。儘管華嚴宗人作了駭人聽聞、蠱惑人心的宣傳，還專門設齋立社，勸人轉誦，《華嚴經》在士大夫中依然流傳不廣。

天台宗由隋入唐，在緇素間有相當影響；《法華經》字數不多，文字也辨麗清新，悅人耳目，因而爲士大夫，尤其是生活在隋唐之際其它宗派尚未建立時的士大夫所誦讀抄寫。蕭瑀家族「偏弘《法華》，同族尊卑，咸所成誦，故蕭氏《法華》，皂素稱富。」蕭瑀親自撰疏，「總集十有餘家，採掇菁華，揉以胸臆，勒成卷數，常自敷弘。」他的哥哥蕭璟，一生誦讀萬餘遍，雇人抄寫千部，甚至每次朝參和公事間短暫的休息時間，都用來轉讀。㉗⑥梁肅、柳宗元、白居易都讀過《法華經》。《法華經》中的典故，如蓮花、大白牛車、火宅等，不斷地出現在士大夫的詩歌中。孟浩然《題大禹寺義公禪房》詩說：「看取蓮花淨，應知不染心。」㉗⑦杜甫《上兜率寺》詩說：「白牛車遠近，且欲上慈航。」㉗⑧白居易《贈曇禪師（夢中作）》詩說：「欲知火宅焚燒苦，方寸如今化作灰。」㉗⑨類似的例句還不少。可見《法華經》在社會上的流布，產生了一定的影響。

《金剛般若波羅蜜經》，由佛的大弟子阿難所作，內容爲佛和另一大弟子須菩提在舍衛國祇樹給孤獨園的答問記錄，書名取意爲以金剛堅利之志和大智慧之心到彼岸。

《金剛經》的基本內容是，凡屬卵生、胎生、濕生、化生、有色、無色、有想、無想、非有想非無想等四生九類的一切衆生，佛都可讓他們達到無餘涅槃的境地。唯一的上乘辦法，就是用阿耨多羅三藐三菩提，即無上正等正覺之心，來破除世俗觀念，認識「世界非世界，是名世界，」「凡所有相，皆是虛妄」的眞諦。這樣，即可見「諸相非相」。到了無我相、人相、衆生相、壽者相的地步，也就「無法相，亦無非法相」，徹底解脫，成爲諸佛。除此以外，別無妙法。因此，可歸納爲四句偈：「一切有爲法，如夢幻泡影，如露亦如電，應作如是觀」。如果以住相布施，即具體施捨來求福德，即使把如恆河沙粒一樣多的財物，甚至滿三千大千世界那麼多的七寶（金、銀、琉璃、硨磲、瑪瑙、琥珀、珊瑚）都拿來布施，所得的福德，遠不及受持、宣傳以上述道理爲主題思想的《金剛經》爲多。「若以此《般若波羅蜜經》，及至四句偈等受持讀誦爲他人說，於前福德，百分不及一，百千萬億分，乃至算數譬喻所不能及。」「何況有人盡能受持讀誦，……當知是人成就最上第一希有之法。若是經典所在之處，即爲有佛。」「若復有人得聞是經，信心淸淨，即生實相，當知是人，成就第一希有功德。」然而「是實相者即是非相，是故……名實相。」「若有人能受持讀誦，廣爲人說，如來悉知是人，悉見是人，皆得成就不可量、不可稱、無有邊、不可思議功德。」「若爲人輕賤，是人先世罪業，應墮惡道，以今世人輕賤故，先世罪業，即爲消滅，當得阿耨多羅三藐三菩提」。

印度和漢地，文風有很大不同。東晉僧人道安翻譯佛經，深有體會，總結爲五點，其中之一爲「胡經委悉，至於嘆詠，叮寧反復，或三或四，不嫌其煩。」㉘《金剛經》正是這樣，字數很少，但是顛來倒去，說的就是這麼一點東西。

篇幅的短小，自身的勸誘，禪宗的提倡，使《金剛經》很快為緇素朝野所重視，一躍而居於衆經之上。重道仰佛的唐玄宗，在「昔歲述《孝經》」「近又贊《道德》」之後，又「順乎來請」，御注《金剛經》。[281]注成之後，宰相張九齡上表慶賀，並請廣為傳播。唐玄宗批文說：「朕位在國王，遠有傳法，竟依群請，以道元元，與夫《孝經》《道經》，三教無闕。」[282]又說：「僧徒固請，欲以宏教。心有所得，輒復疏之。今請頒行，慮無所益。」[283]唐玄宗這樣做，帶有複雜的政治因素，一方面要平衡各種勢力，保留佛教，一方面要抑制佛教。僧徒堅持請求唐玄宗御注廣為流傳，其目的在於佛教本身的發揚光大，這與唐玄宗的宗旨有矛盾，所以唐玄宗謙虛了一番，拒絕外傳。在社會上，《金剛經》影響很廣泛，世界上現存最早的完整的雕板印刷品，就是唐懿宗咸通九年（八六八年）王階為其雙親敬造普施的《金剛經》。這就必然引起士大夫的注意。

高適有一首《同馬太守聽九思法師講金剛經》的詩，說：「鳴鐘山虎伏，說法天龍會。了義同建瓴，梵法若吹籟。深知億劫苦，善喻恆沙大。捨施割肌膚，攀援去親愛。招提何清靜，良牧駐輕蓋。露冕衆香中，臨人覺苑內。心持佛印久，標割魔軍（一作鬼）退。願開（一作聞）初地因，永奉彌天對。」[284]從詩句看，並未完全領會《金剛經》的主題思想，但反映了這些軒冕之士與《金剛經》的關係有多麼緊密。

理解《金剛經》宗旨的士大夫，為數不少。他們為了反對政府大作佛事，常常引用《金剛經》反對住相布施的說法，作爲理論根據。張廷珪、狄仁傑、辛替否、李嶠、姚崇等人，就這樣作過（參看本書第三章第二節）。

一些士大夫爲了薦福作功德，也書寫、誦讀《金剛經》。揚州司戶曹司馬喬卿，爲了給亡母薦福，就在居喪期間，刺血寫出兩份《金剛經》。唐玄宗時，閬中縣丞呂文展「專心持誦《金剛經》，至三萬餘遍。」㉘⑤還有作爲日常課程的，楊希古在家中設置道場，供養僧人，自己每天黎明進入道場，「以身俯地，俾僧據其上，誦《金剛經》三遍。」㉘⑥

這樣虔誠地對待《金剛經》，士大夫是否確實得到什麼好處了呢？唐人段成式著《酉陽雜俎》續集卷七題爲《金剛經鳩異》，涉及到的士大夫事跡有以下幾則。

段成式的父親段文昌，是唐穆宗朝的宰相，受持《金剛經》十多萬遍，「征應事孔著」。早在唐憲宗時，他由故鄉荊州赴蜀，在節度使偉皐手下供職。韋皐晚年和劉闢不和，段文昌受到牽連，攝靈池縣尉。韋皐死後，劉闢知留後，段文昌聞訊，連夜離縣出走。劉闢當時已通知各縣官吏不得離縣，段文昌半路上得知後，只好返回。在這漆黑的夜裡，他看見夾道有兩個火炬，百步爲導，以爲是縣吏前來迎接，可是不見近前來，一直到城邊才滅。他進城問縣吏，才知道他們尙未接到劉闢的通知。段成式說：「時先君念《金剛經》已五六年，數無虛日，信乎至誠必感，有感必應。向之導火，乃經所著跡也。」後來劉闢謀反之跡逐漸暴露，段成式的再從叔和別人通謀，要制止劉闢謀反，事發後，全被劉闢處死。段文昌也被懷疑爲知情人。一天夜裡，段文昌念《金剛經》既久，就閉門睡覺，忽然「聞開戶而入，言「不畏」者再三，若物投案，曝然有聲。驚起之際，言猶在耳，顧視左右，吏僕皆睡，俾燭樺四索，初無所見，向之關扃，已開闢矣。」

劉逸淮是汴州軍將，其甥韓弘在其下當右廂虞候，另一個王姓老頭是左廂虞候。有人反映他二人取軍情，將不利於劉逸淮。劉逸淮非常生氣，召二人審訊。韓弘叩頭，高聲否認，劉逸淮消了氣，不予追究。王老頭年邁體弱，渾身打顫，不能自辯。劉逸淮令杖打三十。當時新造的赤棒，很大，韓弘估計王老頭一定要喪命。晚上，韓弘去王家探視，沒聽見哭聲，以爲恐懼不敢哭。一問門卒，原來王老頭沒事。韓弘進到臥室詢問，王老頭說：「我讀《金剛經》四十年矣，今方得力。」還說挨打時，見一巨手如簸箕，遮住自己的背。韓弘看了看他的背，果然沒有一點杖打的痕跡。韓弘從此每天寫《金剛經》十紙，數年間，累計數百軸。「後在中書，盛暑，有諫官[287]因事謁見，韓方洽汗寫經。」段成式還指出這一傳聞的來源，說：「予職在集仙，常侍柳公爲予說。」

此外，段成式還記載了很多僧人、軍人念《金剛經》得到好報的事情，諸如死而復生、溺而不死、病而痊愈、遇虎平安，等等，十分荒誕。這和《金剛經》的宗旨是大相徑庭的。

《金剛經》在後世也有一定的影響。南宋何薳《春渚紀聞》卷二有一則題爲《金剛經二驗》的筆記，記載兩件因念《金剛經》而幸免喪生的事，同樣荒誕不經。明初兩代皇帝，還爲《金剛經》作集注。這些事例，不能不說是唐代朝野重視《金剛經》風氣的孑遺。

作爲佛教基本讀物的《涅槃經》、《維摩經》、《楞伽經》等經藏文獻，也爲士大夫所選讀，本書第一章第一節說到白居易讀過的佛典時，已作介紹，但都不如讀《金剛經》普遍。

上述三宗以外，三論宗以印度義學僧人龍樹的《中論》、《十二門論》和提婆的《百論》爲理論依據；法相宗以《瑜伽師地論》、《成唯識論》爲主要的理論依據；律宗以《四分律》爲理論依據；淨土宗以《無量壽經》、《觀無量壽佛經》和《阿彌陀經》爲理論依據；密宗以《大毗盧遮那成佛神變加持經》（即《大日經》）爲理論依據。這些文獻中，律藏、論藏的地位比不上經藏。淨土宗主要向民間傳播，密宗太荒誕、神秘，它們所依據的經典，理論比較薄弱，雖有一定程度的傳播，但畢竟與士大夫崇佛的主要傾向不夠協調。因而這些典籍，在士大夫中的流傳，遠不及《金剛經》、《法華經》、《維摩經》、《涅槃經》廣泛。

通過本章各節的論述，可以看出，唐代士大夫在佛教充斥的環境中生活著，自然免不了呼吸其空氣，咀嚼其教條，無論是贊成也好，反對也好，都必須以佛教爲直接對象，唐代士大夫與佛教有著不解之緣。

【附　註】

①唐僧道宣《廣弘明集》卷一一，傅奕《上廢省佛僧表》。

②唐僧道宣《集古今佛道論衡》卷丙。

③《唐大詔令集》卷一一三《條流僧尼敕》。

④《冊府元龜》卷八二一《總錄部·崇釋教》。
⑤《舊唐書》卷七九《傅奕傳》。
⑥道宣《續高僧傳》卷二八《慧銓傳》。
⑦《全唐詩》（中華書局本）卷一二八。
⑧《舊唐書》卷一九〇《王維傳》。
⑨《冊府元龜》卷九二七《總錄部·佞佛》。
⑩五代孫光憲《北夢瑣言》卷六。
⑪《全唐詩》卷五一，宋之問《自衡陽至韶州謁能禪師》。
⑫《柳宗元集》卷六，《曹溪第六祖賜諡大鑒禪師碑》。
⑬《舊唐書》卷九九《嚴挺之傳》。
⑭《太平廣記》卷一〇三，司馬喬卿條引《法苑珠林》。
⑮《張燕公集》卷八。
⑯《太平廣記》卷一一二，牛勝條引《紀聞》。
⑰北宋錢易《南部新書》庚部。
⑱《柳宗元集》卷二五《送巽上人赴中丞叔父召序》。北宋蘇軾「柳子厚南遷，始究佛法」的說法是不符合史實的。蘇說見《蘇東坡集》後集卷一九《書柳子厚大鑒禪師碑後》。

⑲《全唐詩》卷三五一。

⑳《柳宗元集》卷二五，《送琛上人南遊序》。

㉑《劉禹錫集》卷二九，《送僧元暠南遊》詩序。《全唐詩》卷三五九作「東遊」。

㉒《全唐詩》卷四五八，白居易《病中詩十五首》序。

㉓《白居易集》卷七〇《醉吟先生傳》。

㉔《白居易集》卷四五。

㉕《白居易集》卷六八。

㉖《全唐詩》卷四四一。

㉗《全唐詩》卷四五九。

㉘《全唐詩》卷四六〇。

㉙《白居易集》卷六九。開示悟入的「示」，原作「士」，據《法華經》卷一方便品校改，參本書第六章第四節。

㉚南宋馬永卿《嬾眞子》卷二。

㉛南宋葛立方《韻語陽秋》卷一二。

㉜清錢大昕《潛研堂詩續集》卷六《題潘榕皐水雲圖榕皐嘗夢見董思翁舟中作書並舉彌陀經語二林夢樓題詩因有授以入佛之意作此解之》。

㉝《柳宗元集》卷二五。

㉞道宣《續高僧傳》卷四《玄奘傳》。
㉟唐僧慧立、彥悰《大慈恩寺三藏法師傳》卷九。
㊱唐代新羅旅華士大夫崔致遠《唐大薦福寺故寺主翻經大德法藏和尚傳》。
㊲《宋高僧傳》卷八《神會傳》。
㊳《全唐詩》卷四三八。
㊴㊵㊶《全唐詩》卷八二一。
㊷《全唐詩》卷四九七。
㊸《樊川文集》卷二〇。
㊹《續高僧傳》卷四《玄奘傳》。
㊺《宋高僧傳》卷八《神秀傳》。
㊻《宋高僧傳》卷六《湛然傳》。
㊼《宋高僧傳》卷一四《法慎傳》。
㊽《宋高僧傳》卷一五《道標傳》。
㊾唐趙璘《因話錄》卷四。
㊿《柳宗元集》卷二五，《送僧浩初序》，
51《全唐詩》卷四七七，李涉《題鶴林寺僧舍》。

㊾《北夢瑣言》卷一〇。
㊿元辛文房《唐才子傳》卷九《鄭谷傳》。
㊿《全唐詩》卷六七六，鄭谷《寄獻狄右丞》。
㊿北宋歐陽修《歸田錄》卷一。原作宋太祖，誤，吳越是宋太宗太平興國三年（九七八年）歸順北宋的，拜佛一事不會是宋太祖。
㊿北宋歐陽修《六一詩話》。
㊿《全唐詩》卷六七六。
㊿《白居易集》卷四一。
㊿《楊炯集》卷三。
㊿《柳宗元集》卷二五。
㊿《宋高僧傳》卷一五《靈澈傳》。
㊿《宋高僧傳》卷一五《道標傳》。
㊿《全唐詩》卷八〇三。
㊿《全唐詩》卷三四四。
㊿五代王定保《唐摭言》卷三。
㊿唐李肇《唐國史補》卷中。

⑥⑦《唐摭言》卷七。

⑥⑧《唐摭言》卷七。《全唐詩》卷四六六「二十」皆作「三十」，個別字不同。《唐語林》卷六作段文昌。

⑥⑨《全唐詩》卷一六六。

⑦⓪⑦①⑦②《全唐詩》卷一七一。

⑦③《全唐詩》卷一七四。

⑦④還有一首題爲李白所作的《草書歌行》說：「少年上人號懷素，草書天下稱獨步」，也反映了這一標準。但明人胡應麟、胡震亨都認爲這是僞作，前者見《詩藪》內編卷三，後者見《唐音癸籤》卷三二，說蘇軾指出，係宋人曾鞏的詩，誤入李白集中。

⑦⑤《韓昌黎集》外集卷三。

⑦⑥⑦⑦《全唐詩》卷三三七。

⑦⑧《全唐詩》卷三四二。

⑦⑨《全唐詩》卷三四五。

⑧⓪《韓昌黎集》卷二一。

⑧①《韓昌黎集》卷一一《原道》。

⑧②宋僧志磐《佛祖統紀》卷四一，唐張仲素奉唐憲宗敕撰《佛骨碑》。

⑧③《資治通鑒》卷二四〇唐憲宗元和十四年條。

(84)《韓昌黎集》外集卷二。
(85)《歐陽文忠公集》卷一四一《集古錄跋尾》八《唐韓文公與顛師書》。
(86)《東坡題跋》卷一《記歐陽論退之文》。
(87)南宋僧普濟《五燈會元》卷五《大顛寶通禪師》。
(88)《全唐詩》卷三四四，韓愈《左遷至藍關示侄孫湘》。
(89)《太平廣記》卷四八三南中僧條，前者引自《投荒雜錄》，後者引《自嶺表錄異》。
(90)《韓昌黎集》卷一八《與孟尚書書》。
(91)《皇甫持正文集》卷二，《送簡師序》。
(92)元李治《敬齋古今黈》逸文卷二。
(93)今人郭朋《隋唐佛教》第三五八—三五九頁。
(94)《全唐詩》卷一九八。
(95)《全唐詩》卷四五四。
(96)《宋高僧傳》卷一四《曇一傳》。
(97)《因話錄》卷四。
(98)《唐才子傳》卷四《皎然上人傳》。
(99)《宋高僧傳》卷二九《皎然傳》。

⑩《劉禹錫集》卷一九，《澈上人文集紀》。
⑩《唐才子傳》卷九《鄭谷傳》。
⑩《唐才子傳》卷九《齊己傳》。
⑩《唐才子傳》卷六《清塞傳》。
⑩《唐才子傳》卷五《賈島傳》。
⑩《唐國史補》卷中。
⑩《全唐詩》卷二三八，錢起《送外甥懷素上人歸鄉侍奉》。
⑩《全唐詩》卷二〇四。
⑩《全唐詩》卷二〇四。
⑩《全唐詩》卷七二〇。
⑩《全唐詩外編》下冊頁五三七。
⑪《全唐詩》卷二六一。
⑫《全唐詩》卷六六三。
⑬北宋錢易《南部新書》乙部。
⑭《唐摭言》卷一三。
⑮《宋高僧傳》卷一五《道標傳》。

⑯《宋高僧傳》卷二九《皎然傳》。
⑰《唐才子傳》卷四《李端傳》。
⑱《劉禹錫集》卷一九，《澈上人文集紀》。
⑲南宋紀有功《唐詩紀事》卷四八裴休條。
⑳唐僧玄奘《大唐西域記》卷二。
㉑《大慈恩寺三藏法師傳》卷八。
㉒《全唐詩》卷六八九，陸希聲《寄巭光上人》。
㉓《全唐詩》卷一五九。
㉔《全唐詩》卷一九八。
㉕《全唐詩》卷二三一。
㉖《全唐詩》卷二六三。
㉗《全唐詩》卷二九二。
㉘《全唐詩》卷三一六。
㉙《全唐詩》卷三八〇。
㉚《全唐詩》卷五三五。
㉛唐范攄《雲溪友議》卷中。

⑬²《全唐詩》卷四三三。
⑬³《全唐詩》卷四三四。
⑬⁴《全唐詩》卷四四一。
⑬⁵《白居易集》卷七一。
⑬⁶《全唐詩》卷四二九。
⑬⁷《全唐詩》卷四三九。
⑬⁸《全唐詩》卷四五四。
⑬⁹《全唐詩》卷四五八。
⑭⁰明胡應麟《詩藪》外編卷四。
⑭¹《集古今佛道論衡》卷丙。
⑭²《集古今佛道論衡》卷丁。
⑭³唐僧宗密《華嚴原人論·斥偏淺第二》自注。
⑭⁴《宋高僧傳》卷八《道亮傳》。
⑭⁵《宋高僧傳》卷一四《玄儼傳》。
⑭⁶《宋高僧傳》卷一四《曇一傳》。
⑭⁷《全唐詩》卷一八二，李白《對酒懷賀監二首》序。

⑭⁸《唐詩紀事》卷一七賀知章條。
⑭⁹《南部新書》戊部。
⑮⁰《詩藪》外編卷二。
⑮¹《廣弘明集》卷一一，傅奕《上廢省佛僧表》。
⑮²《李文公集》卷四，《去佛齋》。
⑮³《舊唐書》卷一五三《劉寬夫傳》。
⑮⁴《北夢瑣言》卷六。
⑮⁵《太平廣記》卷四九九，衲衣道人條引《國語》。
⑮⁶《楊炯集》卷一，《臥讀書架賦》。
⑮⁷《全唐詩》卷五六一，薛能《題平等院》。
⑮⁸《舊唐書》卷六三《蕭瑀傳》。
⑮⁹《全唐詩》卷三七。
⑯⁰《全唐詩》卷七四。
⑯¹《全唐詩》卷九七。
⑯²《全唐詩》卷一二五。
⑯³《全唐詩》卷一三〇。

⑯④《全唐詩》卷一三四。
⑯⑤《全唐詩》卷一六〇。
⑯⑥《全唐詩》卷一九〇。
⑯⑦《全唐詩》卷一九八。
⑯⑧《全唐詩》卷六九一。
⑯⑨《張燕公集》卷八。
⑰⓪《柳宗元集》卷二五。
⑰①《柳宗元集》卷二五。
⑰②《五燈會元》卷三龐蘊居士條。
⑰③《柳宗元集》卷二五。
⑰④《劉禹錫集》卷二九。「悚」原作「愯」，「徑術」原作「經術」，據《劉夢得集》卷七同文校改。
⑰⑤《全唐詩》卷四〇八。
⑰⑥《唐詩紀事》卷四八裴休條。
⑰⑦《孟子·盡心上》。
⑰⑧《白居易集》卷六五。
⑰⑨《全唐詩》卷二一六。

⑱《全唐詩》卷二二〇。
⑱《全唐詩》卷二一六，杜甫《奉贈韋左丞丈二十二韻》。
⑱《全唐詩》卷六五七。
⑱《全唐詩》卷六五七。
⑱《全唐詩》卷六五七。
⑱《全唐詩》卷二一二。
⑱《全唐詩》卷六九三。
⑱蕭梁僧慧皎《高僧傳》卷五《道安傳》。
⑱《續高僧傳》卷五《玄奘傳》。
⑱《楊炯集》卷一。
⑲《張燕公集》卷一四。
⑲《廣弘明集》卷一四，李師政《內德論》。
⑲《張燕公集》卷一四。
⑲《張燕公集》卷九《進佛像表》。
⑲《全唐詩》卷五二。
⑲《全唐詩》卷一〇三。

⑯《全唐詩》卷一〇四。
⑰《全唐詩》卷一〇五。
⑱《盧照鄰集》卷四。
⑲《全唐詩》卷五六六，李節《贈釋疏言還道林寺》詩序。
⑳近人陳垣先生《中國佛教史籍概論》卷二說：「會昌五年毀佛，教家大受挫折，惟禪宗明心見性，毀其外不能毀其內，故依舊流行。
㉑《全唐詩》卷六七一。
㉒《全唐詩》卷二九九。
㉓《全唐詩》卷四六八。
㉔《全唐詩》卷六八四。
㉕《因話錄》卷四。
㉖《全唐詩》卷二六六。
㉗《全唐詩》卷二六八。
㉘《全唐詩》卷三〇一。
㉙《全唐詩》卷三八四。
㉚《全唐詩》卷五一〇。

⑪《全唐詩》卷五二三。
⑫《全唐詩》卷五八六。
⑬《全唐詩》卷五八六。
⑭《全唐詩》卷七二一，李洞《題新安國寺》。
⑮《全唐詩》卷二六八，耿湋《廢慶寶寺》。
⑯唐皇甫枚《三水小牘》。
⑰《宋高僧傳》卷一六《允文傳》。
⑱《全唐詩》卷五八四。
⑲《全唐詩》卷六八六。
⑳《全唐詩》卷五〇三。
㉑《全唐詩》卷五九七。
㉒《全唐詩》卷六三二。
㉓唐孟棨《本事詩》。
㉔《古尊宿語錄》卷1《大鑒下一世》。
㉕《全唐詩》卷八三三。
㉖《全唐詩》卷八三五。

㉗《劉禹錫集》卷四，《唐故衡岳大師湘潭唐興寺儼公碑》。
㉘《唐才子傳》卷三《道人靈一傳》。
㉙《大珠禪師語錄》卷下。
㉚《宋高僧傳》卷一五《如淨傳》。
㉛《全唐詩》卷六〇四。
㉜《柳宗元集》卷七。
㉝《白居易集》卷四一，《唐故撫州景雲寺律大德上弘和尚石塔碑銘》。
㉞《劉禹錫集》卷四，《唐故衡岳大師湘潭唐興寺儼公碑》。
㉟《宋高僧傳》卷一四《法愼傳》。
㊱《宋高僧傳》卷一四《曇一傳》。
㊲《柳宗元集》卷七，《南岳大明寺律和尙碑》。
㊳《王右丞集箋注》卷二五，《能禪師碑》。
㊴《全唐詩》卷五〇六。
㊵《全唐詩》卷六三八，張喬《送僧鸞歸蜀寧親》。
㊶《南宗頓教最上大乘摩訶般若波羅蜜經六祖慧能於韶州大梵寺施法壇經》（日本森江書店鈴木眞太郎、公田連太郎校訂本）。此即最早的敦煌本《壇經》，以下簡稱爲敦煌本《壇經》。

㉔²《全唐詩》卷五二八。

㉔³《全唐詩》卷三〇四。

㉔⁴《全唐詩》卷五一〇。

㉔⁵《柳宗元集》卷六《曹溪大鑒禪師碑》。

㉔⁶元僧宗寶《六祖大師法寶壇經·疑問品第三》(近人丁福箋注本)。以下簡稱宗寶本《壇經》。《壇經》傳世者有四種本子，敦煌寫本最原始，其次爲唐僧惠昕本《六祖壇經》，復次爲北宋僧契嵩本《六祖大師法寶壇經曹溪古本》，最後爲元僧宗寶本。諸本文字有出入，晚出者字數多於早出者，但都有史學價值。拙著主要引用敦煌本。此處所引宗寶本文，雖不能完全據以研究慧能本人的思想，但它反映了禪宗和唐代的佛教思想則屬無疑。通觀拙著全部，並考察所引宗寶本資料，即可得到印證。因而對於宗寶本中敦煌本所無者，拙著也作爲唐代禪宗和唐代佛教思想的資料酌予引用。

㉔⁷《全唐詩》卷五四四。

㉔⁸《全唐詩》卷四九六。

㉔⁹《論語·衛靈公篇》。

㉕⁰宗寶本《壇經·疑問品第三》。

㉕¹參《宋高僧傳》卷一〇《懷海傳》、《景德傳燈錄》卷六載北宋楊億《禪門規式序》。

㉕²《古尊宿語錄》卷四，《鎮州臨濟慧照禪師語錄》。

253《五燈會元》卷五丹霞天然禪師條。
254《古尊宿語錄》卷四，《鎮州臨濟慧照禪師語錄》。
255《大珠禪師語錄》卷下。
256《柳宗元集》卷六，《岳州聖安寺無姓和尚碑》。
257《柳宗元集》卷七《南岳大明寺律和尚碑》。
258《唐文粹》卷九二，崔恭《唐右補闕梁肅文集序》。
259《全唐詩》卷二六四。
260《白居易集》卷七一，《畫西方幀記》。
261《全唐詩》卷四五九《答客說》。
262《韻語陽秋》卷一三。
263《宋高僧傳》卷一《不空傳》。
264《宋高僧傳》卷一《金剛智傳》。
265《舊唐書》卷一〇八《杜鴻漸傳》。
266《資治通鑑》卷二二四，唐代宗大歷二年條。
267《舊唐書》卷一一八《王縉傳》。
268《舊唐書》卷一〇八《杜鴻漸傳》。

⑳清僧續法《三祖賢首國師傳》。
⑳崔致遠《唐大薦福寺故寺主翻經大德法藏和尚傳》。
㉑《白居易集》卷六八，《華嚴經社石記》。
㉒《續高僧傳》卷一六《菩提達摩傳》。
㉓敦煌本《壇經》。
㉔《荷澤神會禪師語錄》(日本森江書店鈴木貞太郎、公田連太郎校訂敦煌本)。
㉕《神會和尚遺集》卷三(胡適校訂敦煌本)。
㉖《續高僧傳》卷二八《慧銓傳》。
㉗《全唐詩》卷一六〇。
㉘《全唐詩》卷二二七。
㉙《全唐詩》卷四四〇。
㉚東晉僧道安《摩訶鉢羅若波羅蜜經鈔序》。
㉛《房山雲居寺石經》。
㉜《全唐文》卷三七，唐玄宗《答張九齡賀御注金剛經批》。
㉝《全唐文》卷三七，唐玄宗《答張九齡請御注經內外傳授批》。
㉞《全唐詩》卷二一二。

㉘⑤《太平廣記》卷一〇四，呂文展條引《報應記》。
㉘⑥唐佚名《玉泉子》。「擄」當爲「踞」。
㉘⑦諫官，今人方南生點校本《酉陽雜俎》作諫宮，此據《太平廣記》卷一〇六劉逸淮條和《因話錄》卷六校改。

第二章　士大夫與佛教的關係（上）

士大夫與佛教的關係，總的來說，不過是崇奉或反對兩端，但在具體表現上，則是千姿百態、撲朔迷離的。在上一章進行了普遍的一般的綜述之後，就需要繼續作個別的特殊的分析。本章和下一章就士大夫與佛教的具體關係，分類加以論述。

第一節　士大夫關於佛教的文字活動

士大夫區別於其它社會成分的一個重要方面，是他們具有文化的優勢。這樣，士大夫和佛教的關係，首先就表現在文字活動上。爲了研究的方便，我把士大夫關於佛教的文字，劃分爲應制、遊覽、譯經、贈答、碑銘、記贊表書、佛理、注疏、反佛九類，另外一些不便單獨立類的，並在一起作其它類。

唐朝自建立以來，統治者就信奉和利用佛教。唐初兩代皇帝，雖然自認道教主老聃爲祖先，在三教論爭中偏袒道教，極力抬高道教的地位，但對於佛教，也都加以利用。此後，武則天、唐中宗、唐代宗、唐憲宗、唐宣宗、唐懿宗等，都是有名的佞佛皇帝。唐武宗那樣的毀佛者，僅是一個特殊的例外。

一、應制類

唐代有好幾個皇帝，曾經組織過譯經，指派士大夫到譯場潤色。如果說，這是由皇帝撮合而成的士大夫和佛教之間的宗教活動的話，那麼，唐中宗開始設置學士，學士隨從皇帝遊覽佛寺，應制賦詩，則是由皇帝撮合而成的士大夫和佛教之間的文學活動。

唐中宗景龍二年（七〇八年），依照四時、八節、十二月的規格，在修文館設置四名大學士、八名學士、十二名直學士。最初設置的大學士是李嶠、宗楚客、趙彥昭、韋嗣立；學士是李適、劉憲、崔湜、鄭愔、盧藏用、李乂、岑羲、劉知幾；直學士是薛稷、馬懷素、宋之問、武平一、杜審言、沈佺期、閻朝隱、韋安石、徐堅、韋元旦、徐彥伯、劉允濟等人。傳世的士大夫應制遊覽佛寺詩有五十多首，宋之問寫的最多，一共七首。辛替否在唐中宗時任左拾遺，在唐睿宗時任左補闕，對於唐中宗和唐睿宗時期大造佛寺道觀，造成國庫空虛、百姓勞弊的情況，曾兩次上疏極諫。他流傳下來的詩，只有一首《奉和九月九日登慈恩寺浮圖應制》。這年九月九日，唐中宗幸慈恩寺大雁塔，「上官氏（上官昭容）獻詩，群臣並賦。」①辛替否不是學士，不一定在場，也可能是事後奉和，我們可以把詩看作是間接的應制詩。詩云：「洪慈均動植，至德俯深玄。出豫從初地，登高適梵天。白雲飛御藻，慧日暖皇編。別有秋原藿，長傾雨露緣。」②我們如果把這首詩和辛替否反對佛教過分滋蔓的思想一并加以考察，就會發現，詩的基調還是立足於人間，結尾也暗取「若葵藿之傾葉太陽，雖不爲之回光，然終向之者，誠也」③之意。杜甫表示自己永遠忠於朝廷，則化此意，成爲「葵藿傾太陽，物性固難奪」④之句。但辛替否既然要逢場作戲，詩中也不得不用些「初地」、「梵天」之類的佛家語。

多數士大夫的應制詩，則是將皇帝和佛兩個權威，人世間和出世間兩種狀態，水乳交融地混合在一起，以邀寵，以媚俗。宋之問《奉和幸大薦福寺》詩說：「水入禪心定，雲從寶思飛。欲知皇劫遠，初拂六銖衣。」⑤畢乾泰《奉和九月九日登慈恩寺浮圖應制》詩說：「鷲林花塔啓，鳳輦順時遊。重九昭皇慶，大千揚帝休。耆闍妙法闡，王舍睿文流。至德覃無極，小臣歌詎酬？」⑥樊忱同題說：「十地橡雲（一作煙）合，三天瑞景開。秋風詞更遠，竊抃樂康哉！」⑦鄭愔同題說：「涌霄開寶塔，倒影駐仙輿。雁子乘堂處，龍王起藏初。秋風聖主曲，佳氣史官書。願獻重陽壽，承歡萬歲餘。」⑧此外，武則天如意元年（六九二年）舉行盂蘭盆會，楊炯寫了篇《盂蘭盆賦》（參看本書第一章第五節第一段落之（一）小段），也當如是看。

這些御用文人關於佛教的應制文學活動，都說明佛教是朝廷的工具，神權和政權是封建社會的泥沼中生長出來的並蒂蓮。

二、遊覽類

士大夫在遊宦遊學的過程中，爲了遊覽、避暑、訪僧，都要躡足於當地或沿途的佛寺。這些活動，差不多都有詩歌記錄。士大夫奕世累葉地題詩，使得佛寺的詩版不得不常常更新。京師慈恩寺是最熱鬧的地方，大雁塔周圍，名流的詩版非常多。章八元所題有「卻怪鳥飛平地上，自驚人語半天中」⑨的句子。後來，元稹、白居易來塔下遊覽，見其它詩版已經清除，只有章八元的詩版保存著，吟詠再三，不禁稱贊道：「名下無虛士也。」⑩

遊覽類的詩，有一些運用一些佛家語，有一些則未必涉及佛教，但都不免是由佛教環境逗引起作者的詩興而作成的。

遊覽的詩例如：宋之問《遊法花寺》，寫道：「高袖擬耆闍，眞乘引妙車。……果漸輪王族，緣超梵帝家。」又《遊雲門寺》，寫道：「入禪從鴿繞，說法有龍聽。劫累終期滅，塵躬且未寧。」⑪

避暑的詩例如：高適《同群公宿開元寺贈陳十六所居》，寫道：「駕車出人境，避暑投僧家。裴回龍象側，始（一作如）見香林花。」⑫李端《同苗發慈恩寺避暑》寫道：「追涼尋寶剎，畏日望璇題。卧草同鴛侶，臨池似虎溪。樹閑人跡外，山晚鳥行西。若問無心法，蓮花隔淤泥。」⑬

住宿的詩例如：臨時寄宿者，有孫逖《宿雲門寺閣》，寫道：「香閣東山下，煙花象外幽。懸燈千嶂夕，卷幔五湖秋。畫壁餘（一作飛）鴻雁，紗窗宿鬥牛。更疑天路近，夢與白雲遊。」⑭長期住宿者或隱居或讀書，岑參《攜琴酒尋閻防崇濟寺所居僧院》，寫道：「相訪但尋鐘，門寒古殿松。彈琴醒暮酒，卷幔引諸峰。事愜林中語，人幽物外蹤。吾廬幸接近，茲地興偏慵。」⑮李嘉祐《送王正字山寺讀書》，寫道：「欲究先儒教，還過支遁居。山（一作筱）階閑聽法，竹徑（一作寺）獨看書。向日荷新卷，迎秋柳半疏。風流有佳句，不（一作又）似帶經鋤。」⑯

訪僧的詩例如：顧況《尋僧二首》，寫道：「方丈玲瓏花竹閑，已將心印出人間。家家門外長安道，何處相逢是寶山。」「彌天釋子本高僧，往往山中獨自行。莫怪狂人遊楚國，蓮花只在淤泥生。」⑰武元衡《尋三藏上人》，寫道：「北風吹雪暮蕭蕭，問法尋僧上界遙。臨水手持筇竹杖，逢君不語指芭蕉。」⑱

三、譯經類

一些士大夫受朝廷的指派，參與佛教界的譯經活動。玄奘譯經時，唐高宗敕令朝宰于志寧、來濟、許敬宗、薛元超、杜正倫、李義府和學士范頵等人，監共譯經，隨時潤色（參看本書第一章第五節第一段落之（一）小段）。唐中宗、唐睿宗時，南天竺僧人菩提流志在長安譯經。譯場中有潤文官盧粲、學士徐堅、中書舍人蘇晉、給事中崔璩、同中書門下三品陸象先、尚書郭元振、中書令張說、侍中魏知古等參與譯事。儒釋雙方「皆一時英秀，當代象龍」⑲，所謂「儒釋二家，構成全美。」⑳中書侍郎崔湜因爲行香到了翻經院，見自己沒被網羅進來，竟然感嘆道：「清流盡在此矣，豈應見隔。」於是上疏請求參加潤色。㉑北天竺僧人寶思惟，唐中宗時進奉密宗經典七部。唐睿宗太極元年（七一二年）四月，太子洗馬張齊賢等繕寫進奉。六月，唐睿宗又敕令禮部尚書晉國公薛稷、右常侍高平侯徐彥伯等，「詳定入目施行。」㉒唐憲宗時，罽賓僧人般若來華譯經，歸登、孟簡、劉伯芻、蕭俛等人奉詔就禮泉寺譯出佛經八卷。士大夫在參與譯經潤色的活動中，發揮出自己語言文字方面的特長，也盡到了自己地位的方便，這就為佛教典籍的譯出和傳遠幫了大忙。

四、贈答類

柳宗元《送元暠師序》說：「中山劉禹錫，明信人也，不知人之實，未嘗言，言未嘗不讎。元暠師居武陵有年數矣，與劉遊久且昵，持其詩與引而來。余視之，申申其言，勤勤其思，其為知而言也，信矣！」接著，柳宗元說了元暠很多好話，總結道：「其來而從吾也，觀其為人，益見劉之明且信，故又與之言，重叙其事。」㉓僅柳宗元一人就為僧人方及、文暢、巽、浩初、元暠、琛、文郁、玄舉、浚等作過序。白居易《內道場永讙上人就郡見訪善說維摩經臨別請詩因以此贈》詩云：「五夏登壇內殿師，水為心地玉為儀。正傳金粟如來偈，何用錢唐太守詩！苦海出來應有路，靈山別後可無期。他生莫忘今朝會，虛白亭中法樂（一作發藥）時。」㉔從標題看，僧人交接士大夫和向士大夫索詩極為主動。崔顥《贈懷一上人》詩說：「法師東南秀，世實豪家子。削髮十二年，誦經峨眉裡。自此照群蒙，卓然為道雄。……一朝敕書至，召人承明宮。說法金殿裡，焚香清禁中。傳燈遍都邑，杖錫遊王公。天子揖妙道，群僚趨下風。」㉕李益《贈宣大師》詩說：「一國沙彌獨解詩，人人道勝惠林師。」㉖士大夫的這些詩文，無疑會抬高僧人的身價，所以僧人很注意與士大夫聯絡感情，討點廉價的吹捧，請詩文也就形成風氣。

士大夫和僧人酬唱的詩歌也很多。以劉禹錫爲例，有《宣上人遠寄和禮部王侍郎放榜後詩因而繼和》一詩。廣宣先和禮部侍郎王起唱和，又不憚遙遠，寄與在南方的劉禹錫，劉禹錫又奉和，鸞子繞得眞不小。劉禹錫詩云：「禮闈新榜動長安，九陌人人走馬看。一日聲名遍天下，滿城桃李屬春官。自吟白雪詮詞賦，指示青雲借羽翰。借問至公誰印可，支郎天（一作大）眼定中觀。」劉禹錫還有首《廣宣上寄在蜀與韋令公唱和詩卷因以令公手札答詩示之》的詩，說：「碧雲佳句久傳芳，曾向成都寄草堂。振錫常過長者宅，披衣（一作文）猶帶令公香。一時風景添詩思，八部人天入道場。若許相期同結社，吾家本自有柴桑。」㉗

這一類文字，也包括一些已經去世的僧人。楊炯《和昊上人傷果禪師》詩說：「法門摧棟宇，覺海破舟船。……聲華周百億，風烈被（一作破）三千。……德音殊未遠，拱木已生煙。」㉘嚴維《哭靈一上人》詩說：「經論傳緇侶，文章遍墨卿。禪林枝幹折，法宇棟梁傾。誰復修僧史，應知傳已成。」㉙

五、碑銘類

劉禹錫在《唐故衡岳大師湘潭唐興寺儼公碑》一文中指出：智儼律師去世後，他的傳律弟子中巽、道准，傳經弟子圓皎、貞璨，以及門徒圓靜、文外、惠榮、明素、存政等人，「欲其師之道光且遠，故咨予乞詞。」㉚因而爲之作碑銘。佛教界爲了擴大宣傳和影響，請士大夫中高位崇名者和大手筆爲已故的名僧撰寫碑銘，這在唐代，蔚然成風。早在唐初，住力去世，東宮庶子虞世南爲他撰寫碑文；德美、空藏去世，金紫光祿大夫、侍中于志寧撰文。㉛慧能死後，先後有王維、柳宗元、劉禹錫三人爲他撰寫碑銘，成爲最突出的事例。這種情況，我認爲是由活著的人利用和擺布死去的人而造成的。王維所作碑銘交代其緣由爲：「弟子曰神會，遇師於晚景，聞道於中年，廣量出於凡心，利智逾於宿學，雖末後供，樂最上乘。先師所明，有類獻珠之願（一作顧）；世人未識，猶多抱玉之悲。謂余知道，以頌見托。」㉜當慧能在南方創立禪宗、力倡頓悟說的時候，神秀的漸門在北方仍有相當大的影響，「兩京之間，皆宗神秀」。㉝這位尚不被人了解的神會，如果不攀龍附鳳，沾點慧能的光，不但無法提高自己的地位，也無法與神秀一系見個高低。這便是神會托王維爲慧能撰寫碑銘的目的。慧能去世一百零六年後，以儒家風度聞名於世的扶風人馬總，在廣州當嶺南節度使，因爲慧能尚無稱號，就奏請唐憲宗賜號，唐憲宗於是詔謚大鑒禪師。「馬公敬其事，且謹始以垂後，遂咨於文雄今柳州刺史河東柳君爲前碑。」㉞柳宗元這篇《曹溪第六祖賜謚大鑒禪師碑》，談到佛教和慧能的文字並不多，相當多的筆墨卻用於歌頌「天子休命，嘉公德美」，「公以仁理。」㉟這完全是借助於死人，爲活著的唐憲宗、馬總塗脂抹粉，樹碑立傳，作爲和尚碑銘，簡直不倫不類。三年以後，僧人道琳率領門徒，從韶州曹溪來找劉禹錫，再撰碑文，這便是僧人方面對於唐憲宗賜謚的反應。士大夫爲僧人撰寫的碑文，成爲編纂僧史的珍貴資料，北宋贊寧《宋高僧傳》一書，即多據碑文而寫成。近人陳垣先生介紹《宋高僧傳》時，即已指出，《宋高僧傳》一書所本，「多是碑文，故每傳末恆言某某爲立碑銘或塔銘，此即本傳所據，不啻注明出處。」㊱

士大夫撰寫碑文，稿酬極高。廬山東林寺僧道深、懷縱、如建、沖契等二十餘人，請白居易爲撫州景雲寺律師上弘撰碑銘，以價值十萬錢的絹帛共一百匹作爲報酬。白居易認爲「法施淨財，義不已有，」㊲於是「錢反寺府」，㊳用於修經藏西廊。這在當時是通行的價格。裴度平定淮西鎮，殺傷甚多，爲了避殃，就重修洛陽福先寺，還準備請白居易撰寫福先寺碑文。皇甫湜當時在場，吹噓自己文章遠勝白居易，爲什麼要捨近求遠。當皇甫湜寫成之後，裴度酬以「寶車名馬，繒彩器玩，約千餘緡。」以篇爲單位，也是這個價格。皇甫湜嫌少，大發脾氣，說：「其碑約三千字，一字三匹絹，更減五分錢不得。」竟是常價的九十倍。裴度只好依數付給。㊴

此外，士大夫還寫有關於佛教的其它銘文。劉禹錫在撰寫慧能第三碑銘後，「且思所以辯六祖置衣不傳之旨，作《佛衣銘》。」㊵

六、記贊表書類

士大夫所寫記贊表書，有的是應僧人之請而作，有的是主動作的。

元稹寫有《永福寺石壁法華經記》一文。在杭州永福寺內，由嚴休復、白居易、崔玄亮、韋文悟、元稹等九位刺史和路過杭州的士大夫，輸錢約七萬，鑿石壁《法華經》。刻成後，「僧之徒思得名聲人文其事以自廣」，「欲相與爲不朽計，且欲自大其本術」，於是日夜敦請元稹撰文。元稹在記中，恰當地維持了自己的身份，說：「至於佛書之妙奧，僧當爲予言，予不當爲僧言，況斯文止於紀石刻，故不及講貫其義云。」㊶

白居易寫的記很多，大凡修造佛寺碑幢，繪製佛經壁畫，抄寫文集藏於寺院，他都要敷衍成文。《白居易集》中收錄的有：《東林寺藏經西廊記》、《如信大師功德幢記》、《華嚴經社石記》、《東都十律大德長聖善寺鉢塔院主智如和尙茶毗幢記》、《東林寺白氏文集記》、《聖善寺白氏文集記》、《蘇州南禪院白氏文集記》、《畫西方幀記》、《畫彌勒上生幀記》、《香山寺新修經藏堂記》、《香山寺白氏洛中集記》等篇。

士大夫寫的文贊也相當多。文贊都是緣事而發。張說聽說僧人履徹用黃金爲亡母裝飾武擔山靜亂寺丈六盧舍那鐵像，就高興地撰寫了《盧舍那像贊》，表彰「孝哉彼沙門，愛母而錫類。」㊷張說還寫有《般若心經贊》、《藍田法池寺二法堂贊》等。竇紹爲其亡弟畫淨土壁畫，王維寫了《給事中竇紹爲亡弟故駙馬都尉於孝義寺浮圖畫西方阿彌陀變贊》一文。王維還爲幾個僧俗婦女畫淨土圖畫或繡像而寫過文贊。京兆一個姓杜的婦女爲亡母追冥福，繡成一軀阿彌陀佛像，白居易寫了《繡阿彌陀佛贊》，說：「報罔極恩，薦無量福。」㊸白行簡妻繡觀音一軀，白居易寫了《繡觀音菩薩像贊》。士大夫主動寫的贊，多是爲僧俗的美德所感而形諸文字的，這和士大夫把佛教當作理論來學習的傾向一致；而應邀寫的，則多見一些愚夫愚婦祈求冥助、貪圖好報的傾向。

士大夫還爲僧人撰寫上呈皇帝的章奏。王維《爲幹和尚進注仁王經表》、《爲舜闍黎謝御題大通大照和尚塔額表》、《爲僧等請上佛殿梁表》等，就是這樣的章奏。這種表要爲僧人陳訴衷情，往往說些對朝廷阿諛奉承的話，起到溝通政教的作用。安史亂中，僧惠幹向唐肅宗進奉集注《仁王般若經》，王維代爲擬表。他寫道：「沙門惠幹言：……伏惟乾元光天皇帝陛下，高登十地，降撫九天。宏濟群生，濡蓮花之足，示行世法，屈金粟之身。心淨超禪，頂法懸解。廣釋門之六度，包儒行之五常。……伏以集解《仁王般若經》十卷，謹隨表奉進，無任慚惶。然本注經，先發大願，釋第一義，開不二門，與四十九僧，離一百八句，六時禪誦，三載懇祈。俾廓妖氛，得瞻慧日，三千世界，悉奉仁王，五千善神，常衛樂土，令果蕩定，無量定寧。緇服蒼生，不勝慶躍。」㊹士大夫如果平素不積累佛教知識，就無法代筆。王維還有篇《請施莊爲寺表》，請求朝廷批准將他先母經常宴坐經行的藍田縣一所莊園施爲佛寺，爲他先母「永劫追福」，以便「上報聖恩，下酬慈愛」。㊺

士大夫和僧人還有一些書信來往。本書第一章第二節已引過韓愈致大顛的三封信。白居易和濟法師交遊，一次討論佛理，有些地方不明白，第二天就寫了《與濟法師書》，說：「欲面問答，恐彼此草草，語言不盡，故粗形於文字，願詳覽之。敬佇報章，以開未悟，所望所望。」㊻白居易的信約有一千五百字，在文言書信中，篇幅算是比較長的。士大夫給僧人的信，一般都極爲敬重對方。穆贄給僧彥範的信，署名「但云門人姓名，狀上和尚法座前，不言官位。」㊼士大夫有時以詩代信，寄與對方。白居易有首詩，題為《與果上人歿時題此訣別兼簡二林僧社》。

七、佛理類

士大夫的佛理類文字，有直接討論、表達佛理的，有體現禪意的。

唐高祖時，太史令傅奕反佛，上疏朝廷，請廢除佛教，法琳等僧著文反駁。東宮學士李師政是法琳的俗弟子，積極配合。撰寫了《內德論》和《正邪論》兩篇佛學論文。《正邪論》已佚，《內德論》保存在當時僧人道宣編纂的《廣弘明集》卷十四裏。這篇論文由《辨惑》、《通命》、《空有》三部分組成，洋洋灑灑萬餘言，通過正面分析和辨駁，涉及到一系列佛學理論問題。從其規模和深度來看，可以說是唐代三百年間士大夫佛理文字的壓卷之作。

在士大夫的佛理文字中，白居易的《八漸偈》、《六贊偈》都是突出的例子。白居易經常求心要於僧凝，凝指示以觀、覺、定、慧、明、通、濟、捨八字，白居易「入於耳，貫於心，達於性」，為了「發揮師之心教，且明居易不敢失墜」，就將每個字擴充為一首偈。現舉一首以見一斑。覺偈說：「惟眞常在，為妄所蒙，眞妄苟辯，覺生其中，不離妄有，而得眞空。」㊽他的《六贊偈》是他七十歲後，老病相乘，自分去世未遠，故而作成贊佛、贊法、贊僧、衆生、懺悔、發願六偈，「跪唱於佛法僧前，欲以起因發緣，為來世張本也。」㊾

士大夫還有一些詩歌涉及到佛理或禪意，諸如張說《江中誦經》，說：「實相歸懸解，虛心暗在通，澄江明月內，應是色成空。」㊿白居易《感芍藥花寄正一上人》，說：「今日階前紅芍藥，幾花欲老幾花新。開時不解比色相，落後始知如幻身。空門此去幾多地，欲把殘花問上人。」51王維《鳥鳴澗》，說：「人閑桂花落，夜靜春山空，月出驚山鳥，時鳴春澗中。」52

八、注疏類

士大夫為佛經作注疏，上呈朝廷，會因為當時皇帝的佛教信仰或宗教政策而落個不同的下場，有時是福，有時是禍。唐敬宗時，陳岵為《維摩經》作注，進奉唐敬宗，得濠州刺史。53而在會昌毀佛時，太子詹事韋宗卿撰《涅槃經疏》二十卷，進奉唐武宗，唐武宗十分惱怒，下令焚毀，還派人到韋宗卿的家裡，追出草稿一并燒掉，韋宗卿貶為成都府尹，「馳驛發遣。」54

九、反佛類

反佛類的文字貫穿於有唐一代的始終。這類文字的出現有其規律性。一般地說，士大夫階層崇佛極為普遍，形成社會風氣，即使有不同看法，也多採取求同存異、兩不相犯的態度。但具體到個人，或者有時候就佛教的某些方面提出批評；或者朝廷大作佛事時，士大夫的責任感和自我意識超出了不偏不倚的中庸態度之上，因而發表一些反對言論。這樣，士大夫的反佛文字就有了兩個突出的特點。

1.在朝廷崇佛的高潮中集中出現。

武則天時，年年鑄浮屠，立廟塔。宰相狄仁傑上《諫造大像疏》，成均祭酒李嶠上《諫建白馬坂大像疏》，監察御史張廷珪前後上了兩份《諫白馬坂營大像表》，宰相蘇瓌也上疏建議限制佛教。唐中宗時，韋嗣立、桓彥範、李乂、辛替否、宋務光、呂元泰等人也都上疏反對佛教過分發展。韓愈《諫迎佛骨表》，更是出現在唐憲宗迎佛骨的鬧劇之中。

2.作者往往包括崇佛的人。

白居易的反佛文字有《議釋教》和《新樂府·兩朱閣　刺佛寺寖多也》，杜牧有《杭州新造南亭子記》，但他們都崇奉佛教。

這一類文字將在本書第三章作專題論述，此處從略。

十、其它類

朝廷有一些關於佛教政策的制敕，都出於在中樞機構中當機要秘書的士大夫之手。杜牧在唐宣宗時起草了《敦煌郡僧正慧菀除臨壇大德制》，即是一例。皇帝在宮廷內組織的三教辯論，也見之於士大夫的文字。白居易寫有《三教論衡》一文，據近人陳寅恪先生研究，是白居易作爲儒方代表在辯論之前預擬的發言稿。㊺蘇頲在洛陽有善政，調離後，當地人吏父老募工匠依照蘇頲的樣子雕成一座等身觀世音菩薩石像，張說特地寫成一篇《龍門西龕蘇合宮等身觀世音菩薩像頌》，其中說：「蘇君春

秋鼎盛，德業日新，方欲驤首天地，整翮雲漢，致大君於堯舜，紹層構於韋平」。㊻

以上的分類，有的是就其內容，有的是就其形式，筆者企圖通過舉隅式的論述，來囊括士大夫關於佛教的文字活動的全部。

第二節 士大夫日常用語中的佛教滲透

佛教在唐代的充分發展，加深了它自身的世俗化程度。當人們把佛教當作日常生活中的一項內容來看待時，它的神聖性就受到了沖淡，人們對它首先產生的並不是敬畏感，而是親切感和娛樂感。從朝廷到民間，都可以見到這種情況。

唐肅宗上元二年（七六一年）九月初三，是天成地平節，即唐肅宗的生日，唐肅宗在京師大明宮麟德殿內設置道場，讓宮人打扮成佛、菩薩，北門武士打扮成金剛神王，披堅執銳，守衛在佛、菩薩寶座旁邊。然後，焚香贊唄，大臣近侍圍繞佛、菩薩頂禮膜拜，還設齋奏樂，極歡而罷，參與這個活動的人都得到多少不等的賞賜。㊼顯然，這是娛樂活動，借佛教來增加生日的歡樂氣氛，而不是莊嚴肅穆的宗教活動。各種娛樂活動，也常在佛寺舉行。「長安戲場多集於慈恩，小者在青龍，其次薦福、永壽。」㊽即使是爲著宗教的或政治的目的，人們首先感到的，也是一種日常生活中的樂趣、唐中宗復辟之年，當陳州也像其它地方一樣建置起一座龍興寺的時候，當地父老竟鄭重地穿戴著褒衣博帶，奔走相告，說：「久矣！吾黨之惑也，倥侗顓蒙，情實橫放，悉愛我業，聰明不開。日有忘其生生，月無覺其滅滅。一息之漏，可勝言哉！而今舉足至於道場，申臂及於淨土，晝則目禪誦之事，夜則耳鐘梵之音。何悟是生，晚臻斯樂。」⑲

在這種情況下，再加上佛教知識在士大夫中的廣泛普及，使得士大夫在日常生活中增加了很多佛教色彩，甚至開玩笑、發牢騷、詈罵、解嘲、占夢等等，都不免採用一些佛教術語。

唐中宗時，御史大夫裴談崇奉佛教。其妻悍妒，裴談非常怕她，向別人解釋說：「妻有可畏者三：少妙之時，視之如生菩薩；及男女滿前，視之如九子魔母，安有人不畏九子母耶？及五十六十，薄施妝粉或黑，視之如鳩槃茶，安有人不畏鳩槃茶？」⑳任瓌也說：「婦當怕者三：初娶之時，端居若菩薩，豈有人不怕菩薩耶？既長生兒女，如養兒大蟲，豈有人不怕大蟲耶？年老面皺，如鳩盤茶鬼，豈有人不怕鬼耶？」㉑鳩槃（盤）茶，又譯作甕形鬼、冬瓜鬼、厭眉鬼、究槃茶、恭畔茶，等等，是佛教所說的吃人精氣的鬼，在唐代常用它來比喻婦女老醜。

白居易在蘇州當刺史時，詩人張祜前來拜訪。白居易和張祜素昧平生，一見面突然說：「久欽籍，嘗記得君款頭詩。」張祜感到莫明其妙。白居易說：「『鴛鴦鈿帶拋何處，孔雀羅衫付阿誰』？非款頭何邪？」張祜笑了笑，說：「祜亦嘗記得舍人目連變。……『上窮碧落下黃泉，兩處茫茫皆不見。』非目連變何邪？」㉒這幾句玩笑，消除了初次見面的拘束感，頗具喜劇氣氛，雙方都很高興，於是歡宴終日。

唐中宗時，左右台御史每次相遇，彼此總要沒完沒了地冷嘲熱諷。左台把右台叫做高麗僧，是借高麗僧人隨中國僧人一起赴齋，「不咒願嘆唄，但飲食受瞡而已」，來譏諷右台掌外台，在京師尸位素餐，無所彈劾，還享受和左台同樣的俸祿。[63]

唐玄宗時，中書舍人苑咸和王維是好朋友。王維很佩服他的文章才華和梵文修養，贈詩指出：「蓮花法藏心懸悟，貝葉經書手自書。楚（原注：《文苑》作歲。注云：集作『楚』，非）辭共許勝揚（揚雄）、馬（司馬相如），梵字何人辨魯魚」。[64]苑咸酬答時，對王維當庫部員外久而未遷開了個玩笑，說：「應同（一作知）羅漢無名欲，故作馮唐老歲年。」[65]羅漢的含義很廣泛，從苑咸詩的口氣來看，是說王維精通禪理，會像斷滅了各種煩惱，脫離了三界的羅漢一樣，沒有任何欲望，當然也就可以對於久而未遷不作任何計較了。

唐武宗會昌毀佛時，派遣御史到全國各地檢查廢寺，收錄金銀佛像。有位姓蘇的監察在巡檢京師兩街佛寺時，看見不滿一尺便於攜帶的小佛像，往往裝進袖袋，帶回自己家中，被人們譏諷地稱作「蘇扛佛」。有人問溫庭筠：「將何對好？」溫庭筠不假思索，脫口而答：「無以過密陀僧也。」[66]密陀僧並不是佛教術語，而是一種礦物的名稱，又叫做沒多僧，其化學名稱叫氧化鉛。這種礦物中國本地也有，但當時人們還未認識，最初由波斯作為藥物傳入中國。陀的諧音有馱、拖等字，把蘇扛佛說成是密陀僧，可能是利用諧音，借用僧字，諷刺他將佛像悄悄拿回家去。

唐懿宗咸通二年（八六一年），以兵部侍郎曹確判度支。曹確進士出身，以儒術進用，很有位登台輔的希望。一次，他夢見自己「剃度爲僧」，心裡非常反感，聽說有人占夢很靈驗，就召來爲自己占夢。那人乖巧地利用「剃度」與「替杜」的諧音，對他說：「前賀侍郎，旦夕必登庸，出家者號『剃度』也。」後來，曹確果然在宰相杜審權外任爲潤州刺史、浙江西道節度使的情況下拜爲宰相。㊉67
侍郎蔣凝長得標致，每次到士大夫家，都被人認爲是吉祥的徵兆，被人喚作「水月觀音。」⑱徐商曾在中條山萬固寺中讀書，其家廟碑說他「隨僧洗鉢。」⑲張倬舉進士落第後，捧起《登科記》，帶在頭上，感漢自己不能名列其上，說：「此即千佛名經也。」⑳

語言是思想的現實，而思想是社會存在在人們頭腦中的反映。透過這些情況，我們可以看到唐代社會風俗畫的一個局部，它勾勒出了佛教對社會風情影響滲透程度的大致輪廓。

第三節 士大夫家容僧尼

儒釋交遊是唐代社會生活的一個重要方面，士大夫家容僧尼就成了必然具備的一種方式。

唐代一般臣民，凡經濟力量許可，都有養僧念經的習慣。京師安邑坊居民張頻曾供奉一僧，「僧以念《法華經》爲業，積十餘年。」㉑首都是這樣，邊遠地區也是這樣。桂州一個姓薛的人，在家中供養一位法名叫道林的僧人，道林「道德甚高，」薛氏對他「瞻敬尤切，如是供給，十有餘年。」㉒士大夫家也不例外。住在京師靖泰坊的楊希古，崇奉佛法，經常置僧於第，陳列佛像，雜以幡蓋，布置成爲道場。楊希古每天凌晨進入道場，以身俯地，讓僧人蹲在自己身上誦《金剛經》三遍。⑬這是平常狀況下的祈福活動。士大夫家如果有喜慶災難，作佛事是習見的形式。宰相李林甫每至生日，就請僧人「就宅設齋」。⑭一位朝士，妻子死後，請青龍寺禪僧儀光「至家修福」，儀光「住其家數日，居於廡前，大中供養。」⑮本書第一章第一節指出，這種由於喜慶災難而舉行的設齋念經活動，一方面是爲了祈求冥福，一方面是因爲日常生活中這種不成文規定已成爲社會默認的程序。

士大夫接納僧人，有著多方面的內容。

唐玄宗時，僕射鐘紹京貶官虔州，鑒眞東渡日本時，曾意外地經過這裡。鐘紹京將鑒眞請到宅中，「立壇受戒」，成爲在家居士。⑯

鄭谷接待詩僧齊己，兩人談得很投機。鄭谷爲齊己的詩改動一字，使詩句意思更加切合題意。齊己對鄭谷佩服之極，拜鄭谷爲「一字師」。⑰

最頻繁的活動是飯僧。王維就「日飯十數名僧。」⑱他在《飯覆釜山僧》詩中說：「將候遠山僧，先期掃弊廬。果從雲峰裏，顧我蓬蒿居。籍草飯松屑，焚香看道書。然燈晝欲盡，鳴磬夜方初。一悟寂爲樂，此日（一作生）閑有餘。」⑲他看到別人飯僧，還寫了首《過盧四員外宅看飯僧共題七韻》詩，說：「三賢異七賢（一作聖），青眼慕青蓮。乞飯從香積，裁衣學水田。上人飛錫杖，檀越施金錢。趺坐檐前日，焚香竹下煙。寒空法雲地，秋色淨居天。身逐因緣法，心過次第禪。不須愁日暮，自有一燈然。」⑳王建《飯僧》詩說得很具體：「別屋炊香飯，熏辛不入家。溫泉調葛面，淨手摘藤花。蒲鮓除青葉，芹齏帶紫芽。顧師常伴食，消氣有薑茶。」⑧李群玉也有一首《飯僧》詩，主客兩方寫得很全面：「好讀天竺書，爲尋無生理（無生之理指佛教學說）。焚香面金偈，一室唯巾水。交信方外言（一作所交信方外），二三空門子。峻範照秋霜，高標掩僧史。淸晨潔蔬茗，延請良有以。一落喧嘩競（一作競塗），棲心願依止。奔曦入半百，冉冉頹濛汜。雲汎名利心，風輕（一作經）是非齒。向（一作尙）爲情愛縛，未盡金仙旨。以靜制猿心，將虞瞥然起。綸巾與藜杖，此意眞已矣。他日雲壑間，來尋幽（一作龐）居士。」⑧從這些資料可以看出，士大夫飯僧活動是將宗教內容和生活內容二者攪和在一起的，因而既莊重又熱情，既樸素又豐盛。士大夫每每提前打掃房屋，按佛教規矩準備飯菜茶茗，候迎僧人的來臨。僧人來後，跏趺而坐，主人焚香念偈，熱情款待，還施捨錢物，往往忙碌一整天。主人對僧人還說些奉承的話，表示自己崇奉佛教的態度，並一再叮囑僧人以後多多光臨。

上述各種士大夫家容僧尼的活動，都應該算作正常的社會生活，士大夫因而毫無顧忌，理直氣壯地邀請僧人來家。白居易有首《招山僧》詩，說：「能入城中乞食否？莫辭塵土污袈裟。欲知住處東城下，繞竹泉聲是白家。」⑧但是，一旦朝廷認爲破了格，對李姓政權構成威脅，就會加以限制或取締。

依照當時的一般認識能力，僧人被認爲是懂得數術的。唐玄宗時，所謂開元三大士的密宗領袖梵僧善無畏、金剛智、不空，都曾受敕設壇祈雨。一次，「暑天亢旱，」唐玄宗派宦官高力士火速延請善無畏來祈雨，唐玄宗稽首相迎，「再三致謝。」⑭又一次，從正月到五月，滴雨不下，「岳瀆靈祠，禱之無應。」唐玄宗只好請金剛智結壇祈請。金剛智設道場，到第七天時，「西北風生，飛瓦拔樹，崩雲洩雨」，致使唐玄宗在「留心玄牝，未重空門，所司希旨，奏外國蕃僧遣令歸國，行有日矣」的情況下，對於金剛智靈活處理，「下手詔留住。」⑮唐玄宗天寶五載（七四六年），又是「終夏愆陽」，唐玄宗又令不空祈雨。不空奏請設孔雀王壇，不到三天，「雨已浹洽」。唐玄宗高興之極。「自持寶箱，賜紫袈裟一副，親為披擐，仍賜絹二百匹。」⑯金剛智祈雨時，京城士庶還盛傳他在壇場獲得一龍，穿屋飛去，於是每天都有成千上萬的人前往觀看。可見影響相當大。金剛智據說還有起死回生的本事。唐玄宗的一個女兒——第二十五公主久染沉痾，纏綿病榻，後來病情惡化，多日閉目不語。唐玄宗估計她快死了，就敕令金剛智對她授以戒法。金剛智到了公主跟前，選取宮中兩個七歲幼女，用緋繒纏住臉，臥於地上，使宦官牛仙童寫敕一紙，在別處燒掉。金剛智用密語咒之，兩個幼女即能一字不遺地背誦出來。金剛智調整呼吸，止息雜慮，專心一境，又以不可思議力使兩個幼女帶著敕到琰摩王（地獄閻羅王）那裡。不一會兒，琰摩王派已故的公主保母劉氏護送公主的魂隨兩個幼女還陽。於是公主睜開眼，坐了起來，言語正常。唐玄宗聽說後，來不及等待儀杖護衛，急忙騎馬來看女兒。公主對他說：「冥數難移，今王遣回，略覲聖顏而已。」半天工夫就死了。這本來是病人彌留之際，由精神恍忽的狀態中回光反照，卻被金剛智的一套騙術弄得神乎其神，居然使崇道抑佛的唐玄宗「自爾……方加歸仰焉」，並在金剛智死後，「敕謚國師之號。」⑰

不難設想，這類術數如果作爲朝廷的專利品，是會被看作有利於自己的統治的；如果不能爲朝廷獨自占據，那就會危害自己的統治。這無疑是最高統治者容忍不了的事。士大夫家對這一利害關係，心裡完全有數。一位僧人出入於韋安石家，告訴韋安石說，他在鳳棲原見到一塊二十畝大小的地，有龍起伏的形勢，如果死後葬在這裡，必定會世世代代位居台鼎。韋安石準備前往視看，他夫人說，令公是天子重臣，國師通陰陽數術，怎麼能悄悄去城外經營葬地呢？這樣做不恰當。韋安石被提醒後，立即取消了這個舉動。⑧⑧

唐玄宗時，處分了一些同佛教搞左道活動的人，戶部侍郎、御史中丞楊愼矜曾經談論過纖書，又和還俗僧史敬忠來往，被告發爲「蓄異書，與凶人來往，而說國家休咎。」唐玄宗怒不可遏，立即下令逮捕審訊。結果，楊愼矜兄弟並賜自盡，史敬忠重杖一百，他們的莊宅全部沒收，男女配流嶺南各郡。⑧⑨唐玄宗的皇后王氏無子，其兄王守一擔心她會被廢掉，就「導以符厭之事」。王守一和左道僧明悟勾結，明悟爲他們祭南北斗，把天地字和唐玄宗諱刻在霹靂木上，讓王皇后佩帶在身上，還祝道：「佩此有子，當與則天皇后爲比。」事情暴露後，唐玄宗親自追究，經核實確係事實，王皇后廢爲庶人，王守一賜死。」⑨⓪

唐玄宗還下了很多道詔書限制佛教的活動和儒釋交遊、僧俗往還。《禁僧徒斂財詔》指出，僧人近來「因緣講說，眩惑州閭，溪壑無厭，唯財是斂，津梁自壞，其敎安施？無益於人，有蠹於俗。或出入州縣，假托威權；或巡歷鄉村，恣行敎化。因其聚會，便有宿宵，左道不常，異端斯起」。規定以後佛教界的話動要嚴守律儀和政府法規，違反者要「先斷還俗，仍依法科罪。所在州縣不能捉搦，並官吏輒與往還，各量事科貶。」⑪《禁僧俗往還詔》指出，僧人「或寓跡幽間，潛行閭里，陷於非辟，有足傷嗟。如聞遠就山林，別爲蘭若，兼亦聚衆，公然往來，或妄托生緣，輒有俗家居止，即宜一切禁斷。」⑫《嚴禁左道詔》指出：「蠹政之深，左道爲甚。……自今已後，輒有托稱佛法，因肆妖言，妄談休咎，專行誑惑，諸如此類，法實難容，宜令所在長官嚴加捉搦。」⑬而以《禁百官與僧道往還制》最爲集中。明清之際的顧炎武，全文引用這道詔令，特地寫了一則題爲《士大夫家容僧尼》的筆記：

《册府元龜》唐元宗開元二年七月戊申制曰：「如聞百官家多以僧尼道士爲門徒，往還妻子，無所避忌。或詭托禪觀，妄陳禍福，事涉左道，深斁大猷。自今以後，百官不得輒容僧尼道士等至家。緣吉凶要須設齋，皆於州縣陳牒寺觀，然後依數聽去。仍令御史金吾明加捉搦」。唐制：百官齋日雖在寺中，不得過僧。張籍《寺宿齋》詩云：「晚到金光門外寺，寺中新竹隔簾多。齋官禁與僧相見，院院開門不得過。」⑭

公元七一四年發布這道禁令時，張籍還沒出生，他大約在公元八三〇年前後去世。⑮從張籍的詩看來，禁令至少一百年來一直起作用。可見最高統治者對佛教懷有一定的警惕，在利用的同時，又加以限制，以期達到因勢利導、避凶趨吉的目的。但從總過程來看，這僅僅是政教結合中一支不愉快的小插曲。

第四節 僧社

僧社，又叫法社、蓮社、淨社、香火社等等，是崇奉佛教的官僚貴族和在家居士同僧人結成的社會團體。最早的蓮社是由淨土宗的先驅者、東晉高僧慧遠創辦的。慧遠「博綜六經，尤善莊老，性度弘偉，風鑒朗拔」。他對祖國文化的深厚修養，以及風度魅力，對士大夫很有吸引力，使得「宿儒英達，莫不服其遠致。」彭城劉遺民、豫章雷次宗、雁門周續之、新蔡畢穎之、南陽宗炳、張萊民、張季碩等一百二十三人，都「棄世遺榮，依（慧）遠遊止。」⑯慧遠於是和他們集於廬山北面般若雲台精舍阿彌陀佛像前，建齋立誓，共期往生西方淨土。這樣，中國的第一個蓮社便產生了。蓮社的創立，開闢了僧俗交遊的新蹊徑。當時入選的條件比較苛刻，連著名詩人謝靈運，都一度被拒之門外。謝靈運通佛學，主張頓悟說，曾把《大般涅槃經》整理成南本。他的十世孫、中唐詩僧皎然對他十分推崇，曾說「康樂公（謝靈運）早歲能文，性穎神澈，及通內典，心地更精，故所作詩，發皆造極，得非空王之道助邪！」⑰唐末詩僧齊己否定「心地更精」的說法，認爲「謝靈運欲入社，遠大師以其心亂，不納，」「謝公心亂入無方。」⑱很可能由於頓悟說尚未被當時的佛教界普遍接受，謝靈運主張頓悟說，佛教界的正統派人物認爲他「心亂」，爲了加以壓制，以便不惹出麻煩，乾脆連佛教的外圍組織也不讓他加入。

到了唐代，僧社普遍發展起來。入社的士大夫成分也頗複雜。由於歷史的原因，廬山東林寺和西林寺仍然是僧社中最活躍的處所。此外，洛陽和其它一些有佛教寺院的地方，也都有一些僧社。士大夫懷念僧社和社友，爲被邀入社而高興、欣慰，反之則悵惘、失望，在下列詩句中有所反映。

權德輿《酬靈澈上人以詩代書見寄（時在薦福寺坐夏）》詩說：「碧雲飛處詩偏麗，白月圓時信本眞。更喜開緘銷熱惱，西方社裡舊相親。」⑨⑨

白居易《與果上人歿時題此訣別兼簡二林僧社》詩說：「本結菩提香火社，爲嫌煩惱電泡身。不須惆悵從師去，先請西方作主人。」⑩⑩又《春憶二林寺舊遊因寄朗滿晦三上人》詩說：「一別東林三度春，每春常似憶情親。頭陀會裡爲逋客，供奉班中作老人。……最慚僧社題名處，十八人中空一人。」⑩①

李涉《遊西林寺》詩說：「十地初心在此身，水能生月即離塵。如今再結林中社，可羨當年會裡人。」⑩②

周賀《秋晚歸廬山留別道友》詩說：「已許衲僧修靜社，便將樵叟對閑扉。」⑩③

張祜《題蘇州思益寺》詩說：「會當來結社，長日爲僧吟。」⑩④

韋蟾《岳麓道林寺》詩說：「何時得與劉遺民，同入東林遠公社。」⑩⑤

戴叔倫《與友人過山寺》詩說：「談詩訪靈徹，入社愧陶公（陶淵明）。」⑩⑥

劉禹錫《廣宣上人寄在蜀與韋令公唱和詩卷因以令公手札答詩示之》詩說：「若許相期同結社，吾家本自有柴桑。」⑩⑦

鄭谷《次韻和秀上人長安寺居言懷寄渚宮禪者》詩說：「舊齋松老別多年，香（一作蓮，又作鄉）社人稀喪（一作離）亂間。」⑩⑧

陸龜蒙《奉和襲美夏景無事因懷章來二上人次韻》詩說：「還聞擬結東林社，爭奈淵明醉不來。」⑩⑨

溫庭筠《長安寺》詩描繪了自己遊長安寺所見到的美景後，發出感嘆：說「所嗟蓮社客，輕蕩不相從。」⑪⓪《重遊圭（一作東）峰宗密禪師精廬（一作哭盧處士）》詩說：「百尺青崖三尺墳，微（一作玄）言已絕杳難聞。戴顒今日稱居士，支遁他年識將軍。暫對杉松（一作山松，松杉）如結社，偶同（一作因）麋鹿自成群。故山弟子空回首，葱嶺唯（一作還）應見宋（一作彩）雲。」⑪①《贈越僧岳雲（一作雪）二首》之一說：「應共白蓮客，相期松桂前。」⑪②

僧人方面也有相應的反應。貫休《題嶧桐（一作擇詞）律師院》詩說：「如結林中社，伊余亦願陪。」⑪③

詩歌創作是唐人文化生活的一大宗內容，這也就規定了僧社活動的主要內容。《全唐詩》中儒釋間互相奉和酬答的詩爲數頗多，就是儒釋聯句的詩，也有將近六十首。當我們讀到這些詩歌時，往往會覺得僧人就是士大夫的影子和回聲。僧社活動的具體情況，囿於資料的貧乏，今日已不可詳知，下面一些零星資料，披露了一些消息。牟融《遊報恩寺》詩說：「山房寂寂篳門開，此日相期社友來。雅興共尋方外樂，新詩爭羨郢中才。茶煙裊裊籠禪榻，竹影蕭蕭掃徑苔。醉後不知明月上，狂歌直到夜深回。」⑪溫庭筠《寄清源（一作涼）寺僧》詩說：「石路無塵竹徑開，昔年曾伴戴顒來。窗間半偈聞鐘後，松下殘棋送客回。簾（一作檐）向玉峰藏（一作籠）夜雪，砌因藍（一作流）水長秋苔。白蓮社（一作會）裡如相問，爲說（一作爲道、說與）遊人是姓雷。」⑮另外，白居易在洛陽，「與香山僧如滿等結淨社，疏沼種樹，構石樓，鑿八節灘，爲遊賞之樂，茶鐺酒勺不相離。嘗科頭箕踞，談禪詠古，晏如也。」⑯僧社的宗旨是期望往生西方淨土，關於實際修行，戒律修禪，雙管齊下。除了宗教活動以外，還有一些其它活動。把上引零星資料一幷加以考察，可知僧社的活動要預先定好時間、地點，主要內容是作詩，兼或品茶、飲酒、唱歌、下棋、淸談、遊賞，僧社成員平時靠書札進行聯繫，如果相離太遠，還寫詩表達類似若干周年社慶之類的賀意。可見，僧社實際上也可以說是僧人和士大夫雙方自願舉辦的詩歌佛理講習班和俱樂部。和士大夫家容僧尼相對而言，僧社也可以說是佛寺容士大夫。

這樣的社會生活，在今天看來是奇特的，而在當時卻是正常自然的，這是由唐代詩歌創作的普及化所衍生的。另外，儒釋兩方主張的調和也是重要的條件。士大夫思想上受佛教影響，採取居家出家的修行法，是能夠爲社會承認的。僧徒標榜出世修行，不染塵俗，自然也該不參與世俗活動。詩歌所反映的內容，除了純粹的佛教詩以外，其它全是塵世的事。就連寫詩一類，也是世俗活動。這一點已人十韻》詩說：「以詩爲佛事。」⑱尙顏《讀齊己上人集》詩說：「詩爲儒者禪。」⑲李涉甚至贊美四川的道器法師是「冰作形（一作儀）容雪作眉，早知談論兩川知。如今不用空求佛，但把令狐宰相詩。」⑳這樣，士大夫和僧人各自向對方靠攏一步，彼此和悅地同處在一塊空間，以相近的心情陶醉在珠聯璧合、相得益彰的方外之樂中。在這種場合裡，他們幾乎是以平等的詩友身份結合的，於是乎無僧無俗，無長無少，無貴無賤，只有才思的敏捷遲鈍之分，表達技巧的高低之分，以及寫作速度的快慢之分。「貴候知重曾忘勢，閑客頻來也悟空，」㉑就是這種狀況的反映。

爲司空圖一語道破：「解吟僧亦俗。」⑰於是乎對僧人的詩歌活動有了新的解釋。白居易《題道宗上

士大夫平素在衙署裡是官吏，在家庭中是家長或後輩，受著種種社會關係的制約，不得不峨冠博帶，正襟危坐，道貌岸然，循規蹈距，維持著榜樣的形象。只有當他們在僧社時，才感到暫時擺脫了種種約束，放肆地「科頭箕踞」，像孩子一般地狂歌亂叫，感到全身心的舒展，全身心的解放。只有在這種場合，他們的自然屬性和本來面目才一洩無遺地坦露出來，才顯示了自己是眞正的人。這在某種意義上可以說，他們眞正地歸眞返璞了。可見，僧社是區別於一般社會的特殊社會，是區別於污穢齷齪塵世的「淨土」。因此，僧社中的儒釋友誼便顯得十分純眞和諧，沒有虛僞欺騙，沒有矯揉造作，沒有勾心鬥角，沒有爾虞我詐。當士大夫知道僧社中僧人去世的消息時，一方從宗教的角度出發，說他已到「西方作主人」，自己不必惆悵；一方面又從世俗的角度出發，「故山弟子空回首」，寄托無限的哀思。而這後一種說法才是士大夫占主導地位的感受，前一種說法不過是強作解人，聊以自慰罷

了。士大夫悼念亡僧的詩在《全唐詩》中俯拾皆是，足以作爲佐證。如果說僧社使士大夫恢復了自然屬性和本來面目的話，那麼，同樣可以說，僧社將僧人由出世間的方外人士恢復爲世間的一種類型的人。

第五節　士大夫的應舉、出仕與佛教

應科舉試和出仕做官是士大夫尋求前途的必由之路，是士大夫積極入世的思想賴以維繫的社會支柱。這和主張出世的佛教本是風馬牛不相及的，只不過利用了佛教可以提供的一些方便條件罷了。

一、雁塔題名

唐代士大夫參加科舉中的進士考試，被錄取的新進士在慈恩寺塔（大雁塔）下題名，是十分榮耀的事。《唐摭言》卷三對於雁塔題名的由來和發展過程，作了這樣的介紹：

進士題名，自神龍之後，過關宴後，率皆期集於慈恩塔下題名，故貞元中，劉太眞侍郎試《慈恩寺望杏花發詩》。會昌三年，贊皇公爲上相，……十二月……二十二日，中書覆奏：「奉宣旨，不欲令及第進士呼有司爲座主，趨附其門，兼題名、局席等條疏進來者。伏以國家設文學之科，求貞正之士，所宜行敦風俗，義本君親，然後申於朝廷，必爲國器，豈可懷賞拔之私惠，忘教化之根源，自謂門生，遂成膠固。所以時風浸薄，臣節何施？樹黨背公，靡不由此。臣等商量，今日以後，進士及第一度參見有司，向後不得聚集參謁，及于有司宅置宴。其曲江大會朝官及題名、局席，並望勒停。緣初獲美名，實皆少俊，既遇春節，難阻良遊，三五人自爲宴樂，並無所禁，唯不得聚集同年進士，廣爲宴會。仍委御史台察訪聞奏。謹具如前。」奉敕宜依。於是向之題名，各盡削去。蓋賛皇公不由科第，故設法以排之，洎公失意，悉復舊態。

這段文字對雁塔題名倒底始於何時，交代得很含混，只說唐中宗神龍之後，後到什麼時候？不是神龍時（七〇五年—七〇七年）發生的事，爲什麼要交代這個年號？清人徐松《登科記考》卷十二據《唐語林》考訂，禮部侍郎劉太眞知貢舉，是在唐德宗貞元四年（七八八年）的事；又從《文苑英華》中輯出這年登第的新進士李君何、周弘亮、曹著、陳翥等四人的《曲江亭望慈恩寺杏花發詩》。徐松還特意聲明：「《摭言》『貞元中，劉太眞侍郎試《慈恩寺望杏花發詩》。』按太眞連放兩榜，此未知何年，姑載於第一榜，俟考。」貞元總共十年，第二榜也只是此後五、六年之內的事。這離神龍已八十多年，爲什麼拉了這麼長的時間才有所反映。到唐武宗會昌三年十二月二十二日（八四四年初），又過了半個多世紀，以前的題名應有多少？如何就能各盡削去？

唐太宗貞觀二十二年（六四八年），太子李治爲追念先妣長孫皇后，而在京師長安修建了慈恩寺。唐高宗永徽三年（六五二年），玄奘向朝廷請求修建寺塔，以便存放從天竺取回的佛經，才建造了雁塔。在唐高宗、武則天長達半個世紀的統治時期，他們長駐洛陽，洛陽成爲政治中心，長安實際被冷落起來。武則天死後，唐中宗才又將朝廷遷回長安，長安再度處於支配性的地位，這大概就是《唐摭言》要交代一下唐中宗神龍年號的理由之所在。此後一直到唐玄宗統治前期，皇帝多次在長安、洛陽兩京間遊弋，直到唐玄宗開元二十四年（七三六年），才「不復幸東都。」⑫慈恩寺塔壁有唐玄宗時人杜甫、高適、岑參等的題名遺存。杜甫、高適都未考中進士。唐玄宗天寶八載（七四九年），高適考中有道科。天寶十載（七五一年），杜甫上賦拜官。岑參天寶三載（七四四年）考中進士，雖然他的題名使世人昭然在目，但卻未見有關他是進士題名最早人的記載。因此，塔壁上他們的題名，應是天寶十一載（七五二年）他們同登慈恩寺塔時「到此一遊」之類的題名留念。

關於慈恩寺塔進士題名始於何人，我見到兩種說法。《太平廣記》卷二五六柳宗元條引唐人韋絢《劉賓客嘉話錄》說：「慈恩題名，起自張莒，本於寺中閑遊，而題其同年，人以爲故事。」而北宋錢易《南部新書》乙部說：「韋肇初及第，偶於慈恩寺塔下題名，後進慕效之，遂成故事。」

據徐松考訂，張莒登進士第在唐代宗大歷九年（七七四年）。⑬韋肇及第年代，徐松未考出。《登科記考》卷十一唐德宗建中四年（七八三年）進士及第者有韋純；另外，同書卷十四唐德宗貞元十四年（七九八年）明經科及第者有韋溫。《舊唐書》卷一五八《韋貫之傳》說：「貫之，本名純，……父肇，官至吏部侍郎，貫之即其第二子，少舉進士。」同書卷一六八《韋溫傳》說，韋溫十一歲時「應兩經舉登第」，「祖肇，吏部侍郎，父綬，德宗朝翰林學士，……綬弟貫之，憲宗朝宰相。」⑭韋肇在新、舊《唐書》中都沒有傳。《新唐書》卷一六九《韋貫之傳》說:「父肇,大歷中爲中書舍人,累上疏言得失,爲元載所惡,左遷京兆少尹。久之,改秘書少監。……載誅,除吏部侍郎。代宗欲相之,會卒,謚曰貞。」元載是唐代宗朝的宰相,大歷十二年(七七七年)三月被誅殺;嗣後,唐代宗欲拜韋肇爲相,韋肇卻恰好死去。也就是說,韋肇在大歷的前十一年中,官職四次變動,又是「累」上疏,又是「久之」,可見他任中書舍人應在大歷前幾年。唐玄宗天寶十四載(七五五年),安史之亂爆發,全國陷入一片混亂之中。唐玄宗播越四川,他的一套班子已經瓦解。唐肅宗於倉皇之中在靈武即位,六年後就去世,他的班子必然由公元七六二年新上台的唐代宗進行改組重建。唐肅宗時,科舉考試時有舉行,但還未完全恢復正常,唐代宗時才恢復正常。唐代宗一朝,寶應兩年,廣德兩年,永泰三年,大歷十四年,除改元當年重疊,共計十八年之久。寶應元年因唐肅宗駕崩停貢舉,其餘年份都開科取士。中書舍人是中書省的機要秘書,負責起草詔令,參與多種國家重大活動,正五品上,是中等級別的淸要官。韋肇在非常時期,進士科登第後,憑著進士身份和寫作能力,有可能很快當上中書舍人。因而他進士及第應在唐代宗登極前後,最晚大歷初期,即公元七五八年至七六八年這十年中。這樣,他的登科年代即應比他的七八三年進士及第的次子早二十年左右,比七七四年進士及第的張莒早十年左右。安史之亂前夕的天寶十一載(七五二年),既然有杜甫、高適、岑參等人的慈恩寺塔遊覽題名(這很可能是最早的題名,因而能題在塔壁上,此後則多題在版上,大概是受到了寺院干涉、限制的緣故),十來年後,韋肇也就會興沖沖地以新及第進士的身份,在慈恩寺塔下題名,成爲進士題名的始作俑者。這樣，進士雁塔題名的開始，《唐摭言》所説的神龍之後，就要後六十來年。後進效之，遂成風氣，一時使人耳目一新。在還沒使人乏味生厭或熟視無睹的情況下，才會有二十多年後的貞元四年試《曲江亭望慈恩寺杏花發詩》。《唐摭言》誤作《慈恩寺望杏花發詩》，可見對此了解得不夠清楚，同交代神龍年號一樣，是一種粗枝大葉的作法。八十年來，雁塔題名以及新進士聚集參謁主考官、曲江大會朝官等等作法，使門生座主和同年之間容易結成朋黨關係，於是爲在政治鬥爭中老於世故的李德裕設去取締。無論是題在牆上，還是題在版上，八十年的陳跡比一百四十年當然要少一半，也才不至於多得不可收拾，才有可能「各盡削去」。由於杜甫、高適、岑參等人的遊覽題名，和進士題名的朋黨性質無關，因而未在取締之列，才有可能保存下來。又因爲岑參這次是和其他人一同遊覽時題名，而非以新及第進士的姿態在登科的當年獨立題名，所以唐人韋絢著《劉賓客嘉話錄》，北宋錢易著《南部新書》，在聽到關於雁塔題名傳聞的同時，很可能親眼見過岑參的題名，卻都沒有把岑參作爲進士題名的開端倪者。

二、寺院讀書

士大夫應舉、出仕和佛教的這種莫名其妙的掛鉤，並不只是雁塔題名一件。士大夫要應試，要當官，自然要讀書，要作詩文，要準備行卷，這就需要擺脱庶務纏身和喧囂紛亂的環境，尋找清幽靜謐的處所。寺院，尤其是僻遠地區的寺院，就成了最理想的地方。

寺院並不是無償地向士大夫提供書齋，具體價格已無從稽考，但從唐末人李洞充滿牢騷的詩裡，可以想見那價格是頗使士大夫傷腦筋的。他在《廢寺閑居寄懷一二罷舉知已》詩中寫道：「病居廢廟冷吟煙，無力爭飛類病蟬。槐省老郎蒙主棄，月陂（一作波）孤客望誰憐？稅房兼得調猿石，租地仍分浴鶴泉。處世堪驚又堪愧，一坡山色不論錢！」⑫⑤

在落拓潦倒的情況下，花錢租下寺院的房舍，士大夫往往不出寺門，用功讀書作詩，有的一年，有的長達三年之久。朱慶餘《韓協律相送精舍讀書四韻奉寄呈陸補闕》詩說：「遙知尋寺路，應見宿江煙。到處無閑日，回期已隔年」⑫⑥劉得仁《雲門寺》詩也說：「吟苦曉燈暗，露零（一作染）秋草疏。……寄寺欲經歲，慚無親故書。」⑫⑦李隙《題惠山寺詩》序說自己「肄業於惠山寺，居三年，其所諷念：左氏春秋，詩、易、及司馬遷、班固史、屈原離騷、莊周、韓非，書記及著歌詩數百篇。」⑫⑧

士大夫僻居佛寺，除了沒日沒夜地讀書寫詩以外，生活方面怎樣？心情怎樣？感覺寂寞孤獨嗎？思念家鄉和親人嗎？不妨再看看下列詩句。

韋應物《題從侄成緒西林精舍書齋》詩說：「紵衣豈寒御？蔬食非飢療。雖甘巷北單（一作簞），豈塞青紫耀？」⑫⑨

薛令之《靈巖寺》詩說：「草堂棲在靈山谷，勤苦詩書向燈燭。柴門半掩寂無人，惟有白雲相伴宿。」⑬⑩

王建《秋夜對雨寄瓦甕寺二秀才》詩說：「對坐讀書終（一作經）卷後，自披（一作鋪）衣被（一作服）掃僧房。」⑬¹

于鵠《題宇文褎（一作裻）山寺讀書院》詩說：「讀書林下寺，不出動經年。草（一件書）閣連（一作通）僧院，山廚共石泉。雲（一作雪）庭（一作亭）無履跡，龕壁有燈煙。年少今頭白，刪詩到幾篇？」⑬²

喩凫《書懷》詩說：「只是守琴書，僧中獨寓居。心唯務（一作慕）鶴靜，分合與名疏！」《懷鄉》詩說：「抱疾僧窗夜，歸心過月斜」。《夏日龍翔寺居即事寄崔侍御》詩說：「古刹一幡斜，吹門水過沙。數聲鐘裡飯（一作鈸），雙影樹間茶。落日窮荒雨，微風古塹花。何當戴豸客，復此問生涯」。《龍翔寺居喜胡權見訪因宿》詩說：「林棲無異歡，煮茗就花欄。雀啅北罔（一作窗）曉，僧開西閣寒。沖橋二水急，扣月一鐘殘。明發還分手，徒悲行路難。」⑬³

趙嘏《越中寺居寄上主人》詩說：「自曬詩書經雨後，別留門戶爲僧開。苦心若是酬恩事，不敢吟春憶酒杯。」⑬⁴

薛能《夏日寺中有懷》詩說：「亭午四鄰睡，院中唯鳥鳴。……歸家豈不願？辛苦未知名。」⑬⁵

由於多了一種精神負擔，士大夫們的這種生活，恐怕比苦行僧還要淒苦。然而他們甘願去過這種淒苦的生活，甚至苦讀成呆頭呆腦的樣子，自然是心目中有遠大的追求，臨淵羨魚，退而結網。經過一番「苦其心志，勞其筋骨，餓其體膚，空乏其身，行拂亂其所爲」⑬⁶的功夫，一旦應試及第，或被官府徵辟錄用，就很有可能青雲得志，鵬程萬里，把一切苦楚都彌補了。因此，在上引韋應物詩中，韋應物接著替他的從侄憧憬了一番：「郡有優賢榻，朝編貢士詔。欲求朱輪載，勿憚移文誚。」顯然，寺院的書齋不過是士大夫到達榮華富貴境地的征途中，一個簡陋的臨時客棧而已。

三、士大夫落第與佛教

有了以上這樣的遭遇，士大夫也就容易把科舉和佛教聯繫起來，本書第二章第二節所述張倬落第後，把《登科記》捧著戴於頭頂，說：「此即千佛名經也」，正是由這種社會生活所產生的直感引申而成的比喻。唐信宗光啓三年（八八七年）登第的鄭谷，在《贈下第舉公》詩中說：「見君失意我惆悵，記得當年落第情：出去無憀歸又悶，花（一作苑）南慢打講鐘聲。」⑬⑦還是離不了佛教氣氛。有的落第士大夫還將滿腹牢騷形諸篇什，題在佛寺牆上，于鄴有《下第不勝其忿題路左佛廟》一詩。⑬⑧有的士大夫從佛教的出世主張中尋求慰藉，許渾《下第寓居崇聖寺感事》詩說：「懷土（一作玉）泣京華，舊山歸路賒。靜依禪客院，幽學野人家。林晚鳥（一作鴉）爭樹，園春蝶護花。東門有閑地，誰種邵平瓜？」⑬⑨有的士大夫希望從僧人方面得到安慰。賈島《落第東歸逢僧伯陽》詩說：「見僧心暫靜，從俗事多迍。宇宙詩名小，山河客路新。……宴乖紅杏寺，愁在綠楊津。老病難爲樂，開眉賴故人。」⑭⓪韋莊《下第題青龍寺僧房》詩說：「千蹄萬轂一枝芳，要路無媒果自傷。……酒薄恨濃消不得，卻將惆悵問支郎。」⑭①僧人方面對於落第士大夫也往往表示出善意的揶揄和安慰。方干的學生及第而方干本人依然未登科，詩僧清越就寫詩給方干，說：「弟子已得桂，先生猶灌園。」⑭僧可朋在《贈方干》詩中安慰說：「月裡豈無攀桂分，湖中剛愛釣魚休。」⑭劉得仁有詩名，然而出入考場三十年，卒無所成，終於抱志以歿。僧棲白爲此極爲遺憾，《哭劉得仁》詩說：「爲愛詩名吟至死（一作此），風魂雪魄去難招。直須桂子落墳上，生得一枝冤始消。」⑭羅隱得到僧人的安慰後，十分感動，恨相見之晚，《和禪月大師見贈》詩寫下了這樣的情緒：「高僧惠我七言詩，頓豁塵心展白眉。……應觀法界蓮千朵，肯折人間桂一枝！漂蕩秦吳十餘載，因循猶恨識師遲。」⑭

四、僧人干預科舉

至於干預科舉，幫助士大夫登第，那是出入於禁中和權要之家的僧人才能偶或辦到的事。唐武宗會昌四年（八四四年），左僕射兼太常卿王起再知貢舉，放第二榜，內道場詩僧廣宣寫詩給他，說：「從辭鳳閣掌絲綸，便向青雲領貢賓。再闢文場無枉路，兩開金榜絕冤人。眼看龍化門前水，手放鶯飛谷口春。明日定歸台席去，鶺鴒原上共陶鈞。」王起答詩說：「延英面奉入青闈，亦選功夫亦選奇。在治只求金不耗，用心空學秤無私。龍門變化人皆望，鶯谷飛鳴自有時。獨喜向公誰是證：彌天上士與新詩。」⑭

廣宣還只是原則性地干預科舉，更有赤膊上陣的。唐懿宗咸通元年（八六〇年），中書舍人裴坦知貢舉。他的兩個兒子在家反復議論，預擬錄取名單，被出入於其家的老僧所知。老僧見到來自老家蘇州的士子翁彥樞，就告訴他未被列入錄取名單，還問：「公成名須第幾人？」翁彥樞以爲開玩笑，就隨隨便便地答了句：「第八人足矣。」老僧立即返身來到裴坦家，瞪著眼睛教訓裴坦的兩個兒子：「侍郎知舉耶？郎君知舉耶？夫科第，國家重事，朝廷委之侍郎，意者欲侍郎鏟革前弊，孤平得路。今之與奪，率由郎君，侍郎寧偶人耶？且郎君所欲者，不過權豪子弟，未嘗以一平人。藝士議之，郎君可乎？」裴坦的兩個兒子十分驚恐，竟想以金帛賄賂老僧，以平息事端。老僧拒不接受，徑直要他擬定錄取翁彥樞爲第八名，並以簽字擔保。「彥樞其年及第，竟如其言，一無差忒。」⑭⑦

這類事畢竟是極爲罕見的。本書第一章第四節說過，士大夫一旦削髮爲僧，世俗利益就會完全喪失，還會遭到冷遇。賈島「連敗文場，囊篋空甚，遂爲浮屠，」⑭⑧返俗後也不得意，就是這類在應舉和出家的拉鋸似經歷中的失敗者。像劉軻那樣「少爲僧」，返俗後「進士登第」⑭⑨的幸運者是不多的。在應舉和出家二者中，絕大多數士大夫毫不猶豫地、甚至本能地選擇了前者。只有極個別的士大夫，如禪僧天然，鑒於科舉的成功率很小，懷著僥幸心理，走了「選官何如選佛」⑮⓪的道路，而且鐵著心一走到底。但從天然出家後的處境來看，也未見選佛比選官有多少優越和實惠的地方。

第六節 士大夫的隱居與佛教

士大夫隱居，在唐代形成風氣。這有兩種情況。

1.假隱，即以隱居標榜清高，獵取名聲，待價而沽，以便曲線入仕，飛黃騰達。這樣的「隱」，往往求的是「顯」的一面。李白《將進酒》一詩，似乎非常曠達，然而在談到「名」時，卻不自覺地洩漏了其中的奧秘：「古來聖賢皆寂寞，惟有飲者留其名。」⑮¹盧藏用舉進士不中，就隱居終南山學避穀、練氣之術，但「有意當世」，被時人稱爲「隨駕隱士」。一次，他被司馬承禎召至闕下，臨還山時，他指著終南山對司馬承禎說：「此中大有嘉處。」司馬承禎直率地揭出其目的，說：「以僕視之，仕宦之捷徑耳。」⑮²從此，以隱而仕便被稱爲終南捷徑。羅隱以諷刺之深文而不第，劉贊勸他隱居邀名，贈詩說：「人皆言子屈，我獨以爲非。明主旣難謁，青山何不歸？年虛侵白鬢，塵在汚麻衣。自古逃名者，至今名豈微？」羅隱於是有了歸歟的念頭。羅隱隱居後所作的《五湖詩中》就有「終南山色空崔嵬」，「聖代也知無棄物，侯門未必用非才」的句子。⑮³可見，這種假隱是入仕的跳板，所以皮日休徑直指出：「古之隱也，志在其中；今之隱也，爵在其中。」⑮⁴

2.眞隱。在仕途多舛、厭倦政治、逃避禍亂、躲避矛盾和走投無路的情況下，一些士大夫也採取隱居方式而生活。成功的隱居者，其人其事自然不會爲人所知。凡是能從文獻的零星記載中尋出一些關於隱居生活的蛛絲馬跡的，都是由其本人隱居前後因詩名、仕宦或血統而享有一定的社會地位所致。上節談到的方干，淸人孫濤《全唐詩話續編》卷上方干條說：「《鑒誡錄》云：方干處士號缺唇先生，有司以唇缺不可與科名，遂隱居鑒湖，作《閑居詩》曰：『寒山壓鏡心，此處是家林。梁燕欺春醉，閑猿學夜吟。雲連平地起，月向白波沉。由是聞鐘角，棲身可在深』。」他的學生已經登第，而他仍然因爲缺唇這一生理缺陷，過不了身言書判的第一關，毫無登第的希望。由於他的詩名，他隱居後仍然爲人所知。

這些隱居的士大夫，和佛教打交道，既有都主張出世而引爲同調，便於接近、融洽的一面；又有天地狹窄，無權少利，交遊範圍和內容受到限制的一面。隱居者和佛教的關係，有的比較多地表現在世俗生活方面，有的比較多地表現在宗教活動方面。下面就一些事例作具體的介紹。

岑參十五歲至二十歲時，「隱於嵩陽」。二十歲至三十歲時，又「出入二郡」（二郡指長安洛陽）。⑮今人陳鐵民、侯忠義二先生《岑參集校注》附錄《岑參年譜》認爲，岑參出仕後，可能又在終南山隱居了幾年。年老之後岑參又多次表示有「獨往」（隱居）的打算。岑參所作詩中，有一些篇章反映了他自己和友人的隱居生活同佛教的關係，以及向佛教界表示自己隱居的志願。《晚過盤石寺禮鄭和尚》詩說：「暫詣高僧話，來尋野寺孤。……談禪未得去，輟棹且踟躕。」⑯《冬夜宿仙遊寺南涼堂呈謙道人》詩說：「愛茲林巒好，結宇向溪東。相識唯山僧，鄰家一釣翁。……物幽興易愜，事勝趣彌濃。願謝區中緣，永依金人宫。寄報乘輦客，簪裾爾何容！」在《上嘉州青衣山中峰題惠淨上人幽居寄兵部楊郎中》詩序中，他披露「友人夏官弘農楊侯，清談之士也，素工爲文，獨立於世，與余有方外之約，每多獨往之意。」詩中表示：「君子滿天朝，老夫憶滄浪。況值廬山遠，抽簪歸法王」。⑰他的友人閻防隱居於佛寺，他寫有《攜琴酒尋閻防崇濟寺所居僧院》一詩，說：「相訪但尋鐘，門寒古殿松。彈琴醒暮酒，卷幔引諸峰。事愜林中語，人幽物外蹤。吾廬幸接近，茲地興偏慵。」⑱

唐末司空圖隱居後，每天和名僧高士遊詠不輟。因爲他曾在中央和地方當官，所以交遊的多是名僧。他在《贈日東鑒禪師》詩中寫道：「故國無心度海潮，老禪方丈倚中條。」⑮可知他隱居中條山王官谷時，還結交外國僧人。詩僧虛中對他很嚮往，《唐才子傳》卷八《虛中傳》說：「時司空圖懸車告老，卻掃閉門，天下懷仰。虛中欲造見論交，未果，因歸華山，寄以詩曰：『門徑放莎垂，往來投刺稀。有時開御札，特地掛朝衣。岳信僧傳去，天香鶴帶歸。佗時周召化，毋復更衰微。』圖得詩大喜，言懷云：『十年華岳山前往，只得虛中一首詩』。其見重如此。」

岑參、司空圖都是把仕宦和歸隱作爲對立的現象，非此即彼，而依旁佛教過隱居生活的。也有因爲其它緣故而隱居的。潞州從事李師誨覺察到其頂頭上司劉從諫圖謀不軌，就隱居於黎城山。潞州平定後，李師誨受到朝廷嘉獎，當上縣宰。他和僧人來往親密。僧人送給他一塊殞石，說是天上的樂器毀而墜於人間。」⑯

以上這些士大夫的隱居生活同佛教的關係，比較多地表現在世俗生活方面。他們或者主要著眼於山林佛寺的清幽，同喧囂的塵世、社會的束縛恰恰成爲對比，而表示欽羨、依旁；或者和僧人交往、吟詩，以消磨時光。

比較多地表現在宗教活動方面的例子，可以舉出下面一些。

武則天時期，當過長水令的王友貞好學不倦，「讀九經皆百遍」，「尤好釋典，屛絕膻味」，後來罷歸田里，懷著佛教信仰，過自己的隱居生活，朝廷多次徵召，都辭而不就。唐中宗下詔表彰他「抗志塵外，棲情物表，深歸解脫之門，誓守薰脩之誡。……堅持淨義，不登於車服；味茲禪悅，靡求於珍饌。」[161]唐懿宗時，陳珹爲人耿介，在幕府時與人鬧意氣，就隱於茅山，與家眷隔山而居，一年半載才見一面。他本人「短褐素絛，焚香習禪而已。」[162]

盛唐時期的孟浩然，是士大夫中困頓終身的布衣，幾乎一生都隱居在家鄉鹿門山。這樣的經歷使他不可能接近很多名僧。他在《尋香山湛上人》詩中說：「法侶欣相逢，清談曉不寐。平生慕眞隱，累日探（一作求）奇（一作靈）異。……願言投此山，身世兩相棄。」關於如何「累日探奇異」，他在《還山貽湛法師》詩中作了詳細的介紹：「幼（一作幻）聞無生理（無生之理指佛教學說），常欲觀此身。心跡罕兼遂，崎嶇多在塵。晚途歸舊壑，偶與支公鄰。異以微妙法，結爲清淨因。（原注：近本無上二句，下有『喜得林下契，共推席上珍。念茲泛苦海，方便示迷津』四句。）煩惱業頓捨，山林情轉殷。朝來問疑義，夕話得清眞。墨妙稱古絕，詞華驚世人。禪房閉虛靜，花藥連冬春。平石藉琴硯，落泉灑衣巾。欲知冥滅意（一作意冥滅），朝夕海鷗馴。」[163]除了自己得清眞，甚至「戲魚聞法聚，閑鳥誦經來，」[164]簡直是生活在佛國裡了。

唐代最著名的隱士是盧鴻。盧鴻「少有學業，頗善籀篆楷隸，隱於嵩山」，「窮太一之道，踐中庸之德」，[165]是個亦儒亦道的人。唐玄宗多次徵拜他做官，他都加以拒絕。禪宗北宗的普寂禪師大會群僧，遠近千餘僧人如期而至。「大會主事先請鴻爲導文序贊邑社，」盧鴻寫成數千言，「字僻文古」，[166]由僧一行宣讀，盧鴻受到禮遇。皮日休將平生最推崇的七位唐代人士寫進《七愛詩》，其中之一是盧鴻。《七愛詩》序說：「傲大君者，必有眞隱，以盧徵君爲眞隱焉。」詩云：「天下皆餔糟，徵君獨潔己。天下皆樂聞，徵君獨洗耳。天下皆懷羞，徵君獨多耻。……萬世唐書中，逸名不可比。粤吾慕眞隱，強以骨肉累。如教不爲名，敢有徵君志。」⑯無疑，盧鴻的隱居吸收了佛教恬淡無爭的精神。

至此似可以說，岑參、司空圖把仕宦和歸隱作爲對立的現象來看待，那還僅僅是一般的對立，因而二者容易緩和，可以時官時隱、亦官亦隱。盧鴻這樣傲大君的眞隱，則是將仕宦和歸隱作爲特殊的對立而倚重於隱居，二者毫無緩和可言。這種出世往往是由於傲世，是對於社會種種弊端和黑暗現象的抗議。

士大夫隱居後，脫離了社會的羈絆，固然可以「自顧無物役」，⑱優哉游哉，然而同時，也爲和政治、社會的關係自造出一道藩籬。因而他們同佛教的關係，内涵顯得非常單調。他們把自己同僧人的交往稱作方外之交，是非常恰當的。

第七節　士大夫的避難與佛教

佛教既以出世、超脫爲宗旨，佛教勢力也就被認爲是世俗生活的異化。凡是由於各種原因遁入空門的，也就被認爲找到了避風港。因而避難避禍者把佛教勢力看作是自己最合適的歸宿。

唐代重門閥，士族譜牒相當流行。唐太宗時編纂《氏族志》，曾引起中樞政權内部一場軒然大波。

儘管這場軒然大波對人們有所影響，但社會上重門閥的傳統觀念一直很濃厚。後來，民間流傳一種署名相州僧曇剛撰集的《山東士大夫類例》，嚴格辨別眞僞，非士族和冒牌士族概不收錄。唐中宗時，譜學專家柳沖來相州當刺史，詢訪當地父老，都說自隋以來，沒聽說相州有叫曇剛的僧人。「蓋懼見嫉於時，隱其名氏云。」⑯《山東士大夫類例》的編者，不敢擔當風險，便托名僧曇剛，正反映了佛教對於世俗的避難作用。這種避難作用爲士大夫所深知。唐玄宗先天元年（七一二年），一個相面的人對宰相竇懷貞說：「公有刑厄」。竇懷貞很恐懼，「請解官爲安國寺奴。」⑰但這還只是托名僧人或捨身爲奴，還未直接削髮爲僧。

武則天時，駱賓王參加了徐敬業的反武武裝鬥爭，事敗被殺。唐人張鷟《朝野僉載》卷一說駱賓王「投江而死」。而唐人孟棨《本事詩》卻說，宋之問遊杭州靈隱寺時，作了兩句詩，無法繼續作下去。一位老僧說：「何不云『樓觀滄海日，門聽浙江潮？』」宋之問這爲兩句詩的遒勁秀麗而驚訝不已，一時豁然開悟，終於作完了這首詩。第二天才知道這位老僧是駱賓王，但已不知去向。駱賓王因爲起兵反武，匡復帝室，事敗當僧人而避難，「人多護脫之」，元人辛文房《唐才子傳》也沿襲了這個說法。

這個說法其實是不符合歷史事實的，不過是由於駱賓王的行爲符合封建正統觀念，駱賓王又不幸凶死，才爲好事者杜撰出來的。駱賓王傳世的詩中，有《在江南贈宋五之問》、《在兗州餞宋五之問》、《送宋五之問得涼字》三首，記錄了他們之間的親密交情，完全不是上說所謂素昧平生。「別後相思曲，淒斷入琴風」，[171]就是最好的證明。況且武則天時法網森嚴，告密者蜂起，無辜遇害者尚多有所見，像駱賓王那樣的罪犯哪能逃脫？誰又敢「護脫」他呢？到了明代，博學多識的胡應麟也作不出果決的判斷，說：「駱果爲僧，未可知也。」[172]但是《本事詩》的這一說法，至少反映了唐人認爲遁入空門可以幸免殺身之禍這樣的願望和觀念。這種觀念帶有普遍性，不僅僅認爲士大夫可以這樣，關於龐勛、黃巢起義失敗後祝髮爲僧的傳說，即可略見一時風尚。

然而事實並非如此簡單。唐文宗時，李訓、鄭注謀誅宦官。大和九年（八三五年）十一月，由他們策劃，假稱左金吾聽事後石榴樹夜有甘露，企圖在宦官頭子仇士良、魚弘志率領宦官前往察看時，將宦官一舉翦除。事情敗露，宦官大肆誅殺朝官。李訓在刀光劍影下，獨自騎馬逃往終南山草堂寺，投奔僧人宗密。宗密和李訓一向很親密，準備剃掉李訓的頭髮，掩護下來，但爲其從者制止。李訓於是逃往鳳翔，打算依恃鄭注。他剛出山，就被擒獲，械送京師，爲兵士所殺。仇士良派人捆縛宗密，押在神策軍內，還要殺掉他。宗密怡然說道：「本師教法，遇苦即救，不愛身命，死固甘心」。魚弘志於是「奏釋其罪」。[173]

僧人宗密差一點喪生，佛教對於士大夫的避難，到底有多少作用，也就可想而知了。唐代受到法律制裁的僧徒不乏其人，可見，只要從根本上觸犯了掌實權的人們的利益，遁入空門並不能逃之夭夭。只有遇到一些不甚關鍵的利害關係，或者事態還未發展到嚴重的地步，才能以出家的方式避難。

在隋唐兩朝嬗替之際，上官儀還是一個小孩。他的父親上官弘被將軍陳稜所害，他「藏匿獲免」，就私度爲沙門。爾後，「遊情釋典，尤精《三論》，兼涉獵經史。」⑭在政府中任職的士大夫，必須經朝廷批准方可出家。武則天時，監察御史王守愼目睹到武則天放手讓酷吏羅織罪名，陷害無辜的現實，自己不願染指其間，「乃避法官，乞出家爲僧」，批准出家後，法名法成。⑮唐玄宗時，權相李林甫所派羅希奭殺李適之後，故意繞道裴寬貶所，想嚇死他。裴寬「叩頭祈請，希奭不宿而過。寬又懼死，上表請爲僧，詔不許。」⑯元稹《盧頭陀》詩的序文說，盧士衍「少力學，善記（一作能）憶，擬解職仕，不三十餘，歷八諸侯府，皆掌劇事。性強邁，不錄幽瑣，爲吏所構，謫官建州。」後來，就在衡山出家爲僧了。⑰

以上事實說明，佛教的所謂出世、超脫，僅僅是一種宗教宣傳。佛教畢竟是社會生活中的勢力，它不能不接受統治階級的管束，它的活動也不能軼出封建秩序之外。同時，佛教作爲官方意識形態之一，就必須履行爲統治階級服務的職責。因此，佛教也就不能從事實上成爲統治階級的異己力量。

第八節　士大夫和蕃僧的關係

唐代外國佛教徒旅居和遊學中國的爲數不少。他們來自天竺、日本、新羅、高麗和西域國家。其中開元三大士梵僧金剛智、善元畏、不空和下面即將提到的一位天竺僧，還當上了帝王的御用僧人。因爲新羅和日本僧徒人數較多，而且有的長期僑居中國，唐朝政府曾經制定過「新羅、日本僧人入朝學問，九年不還者，編諸籍」⑰的政策。在唐代，佛教已成爲世界性的文化，中國是這個世界性文化的中心，其發達程度遠遠超過了佛教的發源地印度。然而由於歷史的原因，來華的蕃僧中，一般地說，天竺和西域的僧人，仍然是佛教的輸出者，而新羅、日本等國的僧人，則是佛教的輸入者。

士大夫和蕃僧的關係，其內容仍然分爲宗教活動和世俗生活兩類。

宗教活動的內容，主要體現在天竺或西域僧人來中土譯經時，士大夫奉敕在譯場作潤色、繕寫、審訂工作方面。北天竺僧寶思惟、南天竺僧菩提流志、罽賓僧般若譯經時，就有張齊賢、薛稷、徐彥伯、盧粲、徐堅、蘇晉、崔璩、陸象先、郭元振、張說、魏知古、歸登、孟簡、劉伯芻、蕭俛等人作上述工作。⑲此外，天竺僧不空打算回國，唐玄宗開元二十九年（七四一年）到達南海郡，「採訪使劉巨鄰懇請灌頂，乃於法性寺相次度人百千萬衆。」⑱士大夫中能參與這種宗教活動的，只有顯貴大僚和大手筆。

世俗生活的內容，主要體現在士大夫和蕃僧的交遊方面。他們平時往來，叙談友誼。在蕃僧歸國時，士大夫總是懷著依依惜別的心情，祝願他們一路平安，前程遠大。

《法華經》卷六《隋喜功德品》說：「爾時佛告常精進菩薩摩訶薩：若善男子、善女人受持是《法華經》，若誦若讀若解說若書寫，是人當得八百眼功德，……父母所生肉眼，見於三千大千世界內外所有山林河海。」按照佛教的說法，同一日月所照的空間分爲四天下，南面爲閻浮提，東面爲弗婆提，西面爲瞿耶尼，北面爲郁單越。四天下以須彌山（妙高山）爲中心，以鐵圍山爲外部。須彌山高八萬四千由旬（一由旬三十里，爲古聖王一日運行的路程），日月運行，僅在須彌山的中腰。山頂爲帝釋天。山上分爲四方，每方有八所，中間又有一所，總共三十三所，叫做三十三天，梵語稱作忉利天。這是一個小世界的範圍。一千個小世界組成一個小千世界。一千個小千世界組成一個中千世界。一千個中千世界組成一個大千世界。由於一個大千世界包含著小千、中千、大千三個「千」，所以就叫做三千大千世界。三千大千世界，僅僅是一個佛土的範圍。佛教的宏觀世界觀有著驚人的氣魄和想象力。既然偌大空間的「山林河海」都處於佛的支配之下，三千大千世界中極其微小的一部分——中國和外國，難道還有什麼不同？姚合《寄紫閣無名頭陀（自新羅來）》詩指出：「山海禪皆遍，華夷佛豈殊？」⑱可見士大夫和蕃僧的交遊，是國內儒釋交遊的繼續和發展，佛教崇奉是他們思想的共鳴點。

在中國鍍過金的新羅、日本上層僧人，在中國和回國後，都會受到尊敬，得到優惠。孫逖《送新羅法師還國》詩說：「持鉢何年至，傳燈是日歸。上卿揮別藻（一作操），中禁下禪衣。」⑱僧貫休《送僧歸日本》詩指出：「想到夷王禮，還爲上寺迎。」自注說：「有僧遊日本，云：彼祗有三寺，上寺名兜率，國王供養；中寺名浮上，極品官人供養；下寺名祗上寺，風俗供養。有德行即漸遷上也。」⑱又《送新羅僧歸本國》詩說：「忘本求至教，求得卻東歸。……想得還鄉後，多應著紫衣。」⑱那炙手可熱的架勢，並不稍遜於達官貴人。這正說明了士大夫與蕃僧交往的基礎是什麼。

《全唐詩》收錄的士大夫和蕃僧交遊的詩，作者有沈佺期、孫逖、錢起、耿湋、劉禹錫、張籍、劉言史、姚合、顧非熊、姚鵠、項斯、皮日休、陸龜蒙、司空圖、張喬、方干、吳融、韋莊、李洞諸人，從初唐到唐末，組成了一個系列。劉禹錫《贈日本僧智藏》詩，對智藏在華的生活有零星的介紹：「浮杯萬里過滄溟，遍禮名山適性靈。深夜降龍潭水黑，新秋放鶴野田青。身無彼我那懷土？心會眞如不讀經。爲問中華學道者，幾人雄猛得寧馨？」[185]皮日休《庚寅歲十一月新羅弘願上人與本國同書請日休爲靈鷲周禪師碑將還以詩送之》詩，表明士大夫與蕃僧之間還有文字交往。陸龜蒙《聞圓載上人挾儒書泊釋典歸日本國更作一絕相送》詩寫道：「九流三藏一時傾，萬軸光凌渤澥聲。從此遺編東去後，卻應荒外有諸生。」[186]可見一些蕃僧歸國時，不憚辛苦，挾帶大量儒書和漢文佛典，對增進兩國之間的了解，提高自己民族的文明程度，作出了積極的貢獻。

會昌毀佛給了佛教以極大的打擊。但是，這樣的行政手段既不能消除人們的佛教信仰，也不能杜絕儒釋交往。當時，佛教徒的處境極爲困難，蕃僧也不例外。篤信佛教的士大夫對僧人有一種很自然的好感和同情心理，就自願地承當起保護蕃僧的責任。日本僧人圓仁在毀佛高潮中由長安回國，「大理卿中散大夫賜紫金魚袋楊敬之，曾任御史中丞，令專使來問何日出城，取何路去，兼賜團茶一串。」又「差人送書來云：『弟子書狀五通，兼手書付送前路州縣舊識官人處，但將此書通入，的有所益者。』」依靠這些書狀、書信，圓仁一路上受到照顧和保護。職方郎中賜緋魚袋楊魯士，也送圓仁供化妝成俗人用的「絹褐衫褌」，蒙頭的絹，還送「茶二斤，團茶一串，錢兩貫文，付前路書狀兩封。」東都崔太傅和鄭州長史、殿中監察侍御史賜紫金魚袋辛久昱，都殷勤接待，賜以絹帛。辛久昱甚至對圓仁說：「此國佛法即無也！佛法東流，自古所言，願和上努力，早建本國，弘傳佛法。弟子多幸，頂謁多時，今日已別，今生中應難得相見。和上成佛之時，願不捨弟子！」⑱⁷

蕃僧中也有個別不法分子。唐末，一位通曉五天竺語文、精通大小乘的天竺三藏僧，取道四川、雲南回天竺時，「為蜀察事者識之，繫於成都府，具得所記朝廷次第文字，蓋曾入內道場也。是知外國來廷者，安知非奸細乎？」⑱⁸雖然沒有專門記載士大夫的所作所為，但是，不難設想，在負責審查鑒定處理這一間諜僧人的案件中，士大夫是作了具體工作的。不過，這種維持封建秩序的活動，有時竟鬧到神經過敏的地步。唐玄宗時，日本僧人榮睿、普照、玄朗、玄法邀請揚州大明寺律僧鑒眞到日本弘揚佛教，在辦好乾糧準備前往天台山國清寺的時候，因內部矛盾被誣告為「造舟入海，與海賊連。」那時，台州、溫州、明州一帶，所謂「海賊大動繁多」，淮南道採訪使班景倩立即派人收捉，榮睿四人被捕達四月之久，經審查屬於誣告才放出。⑱⁹

第九節　士大夫關於佛教的經濟利害關係

佛教僧侶地主階級有自己的經濟實力。這種經濟實力的形成，除了同世俗地主階級一樣採取赤裸裸的剝削方式以外，還廣泛接受世俗各階層人士的施捨。施捨單從形式上來看，似乎是各階層人士的自願饋贈，然而撥開塗於其上的神秘朦朧的宗教油彩，就會清楚地看到，這實際上也是一種剝削。廣大勞動人民的施捨，是佛教對他們的直接剝削。剝削階級的施捨，來源是他們剝削來的民脂民膏，因而是佛教經過剝削階級對勞動人民的間接剝削。僧侶地主階級和世俗地主階級二者，在經濟利益的分割方面，難免存在矛盾。從實質上看，這不過是把剝削來的財富，從這一口袋轉移到那一口袋的問題。因此，就士大夫的多數來說，在圍繞著佛教的問題上，存在著經濟上的利害關係。

唐代宗時的宰相王縉，晚年奉佛尤甚。他和杜鴻漸都「捨財造寺無限極。」他的妻子死後，就捨道政里第宅造寺，度僧三十人住持。在地方官員入朝時，王縉請他們到寺中，「諷令施財，助己修繕」，「又令弟妹女尼等廣納財賄，貪猥之跡如市賈焉。」⑲這是唐代士大夫中奉佛最爲貪鄙的典型。不難看出，以捨財爲出發點，以斂財爲終極目的，這是一個完整的過程。這個過程的總精神是欲取故棄。在這裡，佛教僅僅是打出來的一塊堂而皇之的招牌。因而，與其說這是崇奉佛教，無寧說是褻瀆和玩弄佛教。那種「里陌動有經坊，闤闠亦立精舍」⑲的情況，不能說就不是出於這種目的才形成的。

另外有一種人，敲佛教的竹槓，從中獲利。會昌毀佛時，朝廷責成監察御史在全國各地檢查廢寺情況，並收集金銀佛像。一個姓蘇的監察在巡檢長安兩街各寺的時候，見到不足一尺便於攜帶的銀佛像，就順手牽羊，裝進袖袋，拿回自己家中。當時被人們嘲諷地叫做「蘇槓佛」、「密陀僧」。⑲洛陽一個僧人有幾粒所謂舍利，貯放在破璃瓶中，供人參觀。於是每天都有很多人前來瞻仰、施錢，僧人因而獲得大利。一個士子，飢寒交迫，就打佛教的主意，請求僧人允許他把舍利拿到手中仔細看看。

僧人同意後，這個窮措大急忙將舍利呑咽入肚。僧人「惶駭如狂」，還擔心把情況張揚出去，士子趁機講條件，說：「與吾幾錢，當服藥出之。」僧人給了他二百緡錢，他只花了極少數量的錢買了瀉藥巴豆，其餘的錢都落入自己的腰包。舍利瀉出後，僧人用水洗淨，又虔誠地貯放起來。⑲雙方的醜態，都是基於經濟利益而表現出來的。

士大夫有時也把自己的一部分財富（其中相當成分是剝削來的）奉獻給佛教，其目的是通過作功德而得到佛教的保祐。楊愼矜兄弟既富且貴，心裡很不踏實，每天清晨「禮佛像，默祈冥衛，」⑲就反映了這種心理。唐玄宗時宰相李林甫，每到自己生日時，就要請僧人就宅設齋。一次，一僧贊佛後，李林甫施給他一具鞍，僧人賣了七萬錢。另一個僧人贊佛時，爲了獲得大利，就極口稱頌李林甫的功德。李林甫給了他一節長數寸的朽釘一樣的東西。這個僧人極爲失望。後來他拿到西市，胡商鑒定爲寶骨，竟以一千萬錢買走。⑲士大夫這樣作，主要的不是爲了炫耀自己的富有，而是用一定數量的錢財，買下一種神秘的力量，作爲自己財富的監護者。本章第三節說到楊愼矜被告發爲私藏讖書，妄說國家休咎，和還俗僧來往，因而被唐玄宗下令逮捕審訊，結果兄弟並賜自盡，莊宅沒收歸官，男女流配嶺南。可見，祈求冥衛、監護，完全是徒勞無益的。然而當時的人們對此缺乏覺悟，這類活動照樣層出不窮，一些高級知識分子也不能例外。

王維的母親奉弗甚深，「樂住山林，志求寂靜」，王維就在京師南面的藍田縣特地爲她營造山居一所。王維的母親去世後，王維「當即發願心，願爲伽藍，永劫追福」。這成了王維多年的一樁心事。

他後來專門上表朝廷，說：「伏乞施此莊爲一小寺，兼望抽諸寺名行僧七人，精勤禪誦，齋戒住持，上報聖恩，下酬慈愛。」[196]王維比起其弟王縉，要清白多了。

最清白的，要算是白居易。白居易在江州司馬任上時，廬山東林寺僧道深等人，拿著十萬錢作爲酬金，請他爲已故律僧上弘作碑銘。白居易完稿後，不要報酬，「錢反寺府」。[197]白居易的摯友元稹去世前，曾以墓志文相托，並以「價當六七十萬」的財物作爲酬金。白居易《修香山寺記》一文說：「予念平生分，文不當辭，贄不當納。自秦抵洛，往返再三，訖不得已，乃回施茲寺。」這筆錢作爲佛教建設的社會資助，使香山寺增加了房舍亭橋。白居易把這看作是元稹所作的功德。[198]白居易還捨俸錢三萬，命工人杜宗敬按照《阿彌陀》《無量壽》二經故事，畫出高九尺、廣一丈三尺的西方世界圖一幅。畫成後，他「焚香稽首，跪於佛前，起慈悲心，發弘誓願：願此功德，回施一切衆生。」[199]雖然非常庸俗，但還想到一切衆生，那用心無疑是善良的。不過，白居易有時候破費錢財反倒招致不愉快的後果。安史叛亂時，洛陽聖善寺的銀佛像被叛將截走一隻耳朵。後來，白居易用自己的白銀三鋌進行添補，但佛像太大，新補的銀耳比原樣少數十兩。會昌毀佛時，宦官奉命毀像，將金銀送交內庫。宦官看到聖善寺銀佛的耳朵不是原件，打聽到是白居易添鑄的，以爲是他搗鬼，從中漁利，就找他追索餘銀[200]。

士大夫有時也被迫破費些錢財。宦官高力士在京師來庭坊造寶壽佛寺，鐘成，高力士設齋慶賀，滿朝的袞袞諸公都去了。凡擊鐘者，擊一下施錢十萬。「有規其意者，擊至二十杵，少尚十杵。」[201]士大夫破費錢財，雖然是迫於高力士的權勢或礙於情面，而高力士所打的佛教招牌，也是不容忽視的因素。

從宦官找白居易追索餘銀一事，可以看出，一旦朝廷懷疑士大夫關於佛教的經濟利害關係影響到國家的利益，就要加以干涉。這種種樣式的財產分割，有一個浮動的度作爲界限，超過了這個度，士大夫——無論是奉佛的，還是反佛的——都會向朝廷上疏，陳述自己的憂慮，朝廷也會下一些限制佛教聚斂財產的詔令，甚至採取自上而下的打擊行爲，來重新調整這個度。但在中央和地方財政困難時，佛教也會被用來作爲手段，大肆斂財。這時，佛教的工具性質就顯露無遺了。

【附　註】

①《唐詩紀事》卷九李適條。
②《全唐詩》卷一〇五。
③《曹植集校注》卷三，《求通親親表》。
④《全唐詩》卷二一六，杜甫《自京赴奉先縣詠懷五百字》。
⑤《全唐詩》卷五三。
⑥《全唐詩》卷一〇五。
⑦《全唐詩》卷一〇五。

⑧《全唐詩》卷一〇六。
⑨《全唐詩》卷二八六章八元《題慈恩寺塔》。
⑩《唐才子傳》卷四《章八元傳》。
⑪《全唐詩》卷五三。
⑫《全唐詩》卷二一二。
⑬《全唐詩》卷二八五。
⑭《全唐詩》卷一一八。
⑮《全唐詩》卷二〇〇。
⑯《全唐詩》卷二〇六。
⑰《全唐詩》卷二六七。
⑱《全唐詩》卷三一七。
⑲《宋高僧傳》卷四《慧沼傳》。
⑳《宋高僧傳》卷三《菩提流志傳》。
㉑《宋高僧傳》卷四《慧沼傳》。
㉒《宋高僧傳》卷三《寶思惟傳》。
㉓《柳宗元集》卷二五。

㉔《全唐詩》卷四四三。
㉕《全唐詩》卷一三〇。
㉖《全唐詩》卷二八三。
㉗《全唐詩》卷三五九。
㉘《全唐詩》卷五〇。
㉙《全唐詩》卷二六三。
㉚《劉禹錫集》卷四。
㉛《續高僧傳》卷二八空藏、住力、德美諸傳。
㉜《王右丞集箋注》卷二五，《能禪師碑》。
㉝《宋高僧傳》卷八《神會傳》。
㉞《劉禹錫集》卷四，《大唐曹溪第六祖大鑒禪師第二碑》。
㉟《柳宗元集》卷六。
㊱近人陳垣《中國佛教史籍概論》卷二。
㊲《白居易集》卷四三，《東林寺經藏西廊記》。
㊳《白居易集》卷四一，《唐故撫州景雲寺律大德上弘和尚石塔碑銘》。
㊴《太平廣記》卷二四四，皇甫湜條引《唐闕史》。

㊵《劉禹錫集》卷四，《佛衣銘》序。
㊶《元稹集》卷五一。
㊷《張燕公集》卷八。
㊸《白居易集》卷三九。
㊹㊺《王右丞集箋注》卷一七。
㊻《白居易集》卷四五。
㊼《因話錄》卷四。
㊽《白居易集》卷三九。
㊾《白居易集》卷七一。
㊿《全唐詩》卷八九。
51《全唐詩》卷四三四。
52《全唐詩》卷一二八。
53《舊唐書》卷一五三《劉寬夫傳》。
54日本僧人圓仁《入唐求法巡禮行記》卷四。
55近人陳寅恪《元白詩箋證稿》頁三一一。
56《張燕公集》卷七。

㊼參《南部新書》壬部、《資治通鑑》卷二二二唐肅宗上元二年條。
㊽《南部新書》丁部。
㊾《張燕公集》卷一四，《唐陳州龍興寺碑》。
㊿《本事詩》。
(61)《太平廣記》卷二四八，任瑰條引《御史台記》。
(62)《本事詩》。款頭是審訊犯人時不斷追問的訊詞。
(63)《太平廣記》卷二五四，左右台御史條引《御史台記》。
(64)《全唐詩》卷一二八，王維《苑舍人能書梵字兼達梵音皆曲盡其妙戲爲之贈》。
(65)《全唐詩》卷一二九，苑咸《酬王維》。
(66)《太平廣記》卷一七四，溫庭筠條引《尚書故實》。
(67)《北夢瑣言》卷七，並參《舊唐書》卷一九上《懿宗紀》。
(68)《北夢瑣言》卷五。
(69)《唐摭言》卷七。
(70)《唐摭言》卷一〇。
(71)唐段成式《酉陽雜俎》續集卷五。
(72)《太平廣記》卷九五，道林條引《桂林風土記》。

⑬《玉泉子》。
⑭《酉陽雜俎》續集卷五。
⑮《太平廣記》卷三三〇，僧儀光條引《紀聞》。
⑯日本眞人元開（淡海三船）《唐大和上東征傳》。
⑰《唐才子傳》卷九《鄭谷傳》。
⑱《舊唐書》卷一九〇《王維傳》。
⑲《全唐詩》卷一二五。
⑳《全唐詩》卷一二七。
㉑《全唐詩》卷二九九。同書卷四六二引《咸淳臨安志》作白居易詩，字句略異，題爲《招韜光禪師》。
㉒《全唐詩》卷五六八。
㉓《全唐詩》卷四五九。
㉔《宋高僧傳》卷二《善無畏傳》。
㉕《宋高僧傳》卷一《金剛智傳》。
㉖《宋高僧傳》卷一《不空傳》。
㉗《宋高僧傳》卷一《金剛智傳》。
㉘《宋高僧傳》卷二九《泓師傳》。

⑧⑨《舊唐書》卷一〇五《楊愼矜傳》。
⑨⓪《舊唐書》卷五一《后妃傳》上。
⑨①《全唐文》卷三〇。
⑨②《全唐文》卷三〇。
⑨③《全唐文》卷三一。
⑨④清顧炎武《日知錄》卷一三。「事涉」、「齋官」原作「爭涉」、「齋宮」，分別據《全唐文》卷二一、《全唐詩》卷三八六校改。
⑨⑤張籍卒年參中國社會科學院文學研究所編《唐詩選》下冊頁八五。
⑨⑥蕭梁僧慧皎《高僧傳》卷六《慧遠傳》。
⑨⑦唐僧皎然《詩式》卷一。
⑨⑧《全唐詩》卷八四四，齊己《題東林十八賢眞堂》。
⑨⑨《全唐詩》卷三二一。
⑩⓪《全唐詩》卷四四〇。
⑩①《全唐詩》卷四四二。
⑩②《全唐詩》卷四七七。
⑩③《全唐詩》卷五〇三。

⑭《全唐詩》卷五一〇。
⑮《全唐詩》卷五六六。
⑯《全唐詩》卷二七三。
⑰《全唐詩》卷三五九。
⑱《全唐詩》卷六七六。
⑲《全唐詩》卷六二五。
⑩《全唐詩》卷五七七。
⑪《全唐詩》卷五七八。
⑫《全唐詩》卷五八一。
⑬《全唐詩》卷八三〇。
⑭《全唐詩》卷四六七。
⑮《全唐詩》卷五七八。
⑯《唐才子傳》卷六《白居易傳》。
⑰《全唐詩》卷六三二，司空圖《僧舍貽友》。
⑱《全唐詩》卷四四四。
⑲《全唐詩》卷八四八。

⑳《全唐詩》卷四七七，李涉《贈道器法師》。
㉑《全唐詩》卷四六七，牟融《送報本寺分韻得通字》。
㉒《資治通鑑》卷二一四唐玄宗開元二十五年條。
㉓清徐松《登科記考》卷一〇。
㉔公元七九八年韋溫以十一歲登明經科，可知他生於唐德宗貞元四年（七八八年）。《舊唐書》卷八八《韋嗣立傳》說：「中宗遺制睿宗輔政，宗楚客、韋溫等改削藁草，嗣立時在政事府，不能正之。」這是另一個韋溫。
㉕《全唐詩》卷七二三。
㉖《全唐詩》卷五一四。
㉗《全唐詩》卷五四五。
㉘《全唐詩外編》載近人童養年輯錄《全唐詩續補遺》卷一三。
㉙《全唐詩》卷一九二。
㉚《全唐詩》卷二一五。
㉛《全唐詩》卷三〇一。
㉜《全唐詩》卷三一〇。
㉝《全唐詩》卷五四三。
㉞《全唐詩》卷五四九。

⑬⑤《全唐詩》卷五六〇。
⑬⑥《孟子·告子下》。
⑬⑦《全唐詩》卷六七五。
⑬⑧《全唐詩》卷七二五。
⑬⑨《全唐詩》卷五三〇。
⑭⓪《全唐詩》卷五七三。
⑭①《全唐詩》卷六九五。
⑭②《唐摭言》卷四。《全唐詩》卷八二九作僧貫休詩。
⑭③《全唐詩》卷八四九。
⑭④《全唐詩》卷八二三。
⑭⑤《全唐詩》卷六五七。
⑭⑥《唐摭言》卷三。《全唐詩》卷三四六作王涯詩，「向公」作「至公」，「彌天上士」作「彌天上人」。王涯前此已在唐文宗大和九年（八三五年）甘露之變中喪生，故作王起是。「人」平聲，不合平仄，故作「士」是。
⑭⑦《玉泉子》。
⑭⑧《唐才子傳》卷五《賈島傳》。
⑭⑨《唐摭言》卷一一。

150《五燈會元》卷五丹霞天然禪師條。

151《全唐詩》卷一六二。

152《新唐書》卷一二三《盧藏用傳》。

153清孫濤《全唐詩話續編》卷上，羅隱條引《鑒誡錄》。

154《皮子文藪》卷九，《鹿門隱書六十篇》。

155《岑參集校注》卷五，《感舊賦（幷序）》。

156《全唐詩》卷二〇〇。

157《全唐詩》卷一九八。

158《全唐詩》卷二〇〇。

159《全唐詩》卷六三三。

160《太平廣記》卷二〇三，李師誨條引《尚書故實》。

161《舊唐書》卷一九二《王友貞傳》。

162《太平廣記》卷二〇二，陳琡條引《玉堂閑話》。

163《全唐詩》卷一五九。

164《全唐詩》卷一六〇，孟浩然《來（一作本）闍黎新亭作》。

165《舊唐書》卷一九二《盧鴻一傳》。按：《宋高僧傳》卷五《一行傳》、唐劉肅《大唐新語》卷一〇、唐段成式《酉陽雜俎》前集卷五等多種典籍均作「盧鴻」。

⑯《宋高僧傳》卷五《一行傳》。

⑯《全唐詩》卷六〇八。

⑯《全唐詩》卷一九〇，韋應物《李博士弟以余罷官居同德精舍共有伊陸名山之期久而未去枉詩見問中云宋生昔登覽末云那能顧蓬篳直寄鄙懷聊以爲答》。

⑯《唐語林》卷二。

⑰《資治通鑑》卷二一〇唐玄宗先天元年條。

⑰《全唐詩》卷七八，駱賓王《在兗州餞宋五之問》。

⑰《詩藪》內編卷四。

⑰《舊唐書》卷一六九《李訓傳》。按：《宋高僧傳》卷六《宗密傳》說：「時王涯、賈餗、舒元輿方在中書會食，聞難作，奔入終南投密。唯李訓欲求剪髮匿之。從者止之。」這個說法是錯誤的。據《舊唐書》卷一六九王涯、賈餗、舒元輿各傳，他們事先並不知道李訓謀誅宦官。甘露之變發生，他們正在中書會食。聽說宦官誅殺朝官後，王涯蒼惶步出，到永昌里茶肆時被禁兵擒獲；賈餗潛身民間，第二天自投神策軍；舒元輿化妝後隻身騎馬出安化門，被追騎擒獲。神策軍押著他們，「先赴郊廟，徇兩市，乃腰斬於子城西南隅獨柳樹下。」他們根本未出京城，更談不上奔入終南山投靠宗密了。

⑰《舊唐書》卷八〇《上官儀傳》。

⑰⑤《宋高僧傳》卷二六《法成傳》。
⑰⑥《舊唐書》卷卷一〇〇《裴寬傳》。
⑰⑦《全唐詩》卷四一三。
⑰⑧《唐會要》卷四九僧籍條。
⑰⑨《宋高僧傳》卷三寶思惟、菩提流志、般若等傳。
⑱⓪《宋高僧傳》卷一《不空傳》。
⑱①《全唐詩》卷四九七。
⑱②《全唐詩》卷一一八。
⑱③《全唐詩》卷八三一。
⑱④《全唐詩》卷八三二。
⑱⑤《全唐詩》卷三五九。
⑱⑥《全唐詩》卷六二九。
⑱⑦日僧圓仁《入唐求法巡禮行記》卷四。
⑱⑧《北夢瑣言》逸文卷二，載《太平廣記》卷三四九。
⑱⑨《唐大和尙東征傳》。
⑲⓪《舊唐書》卷一一八《王縉傳》。

⑲《舊唐書》卷八九《狄仁傑傳》。
⑲《太平廣記》卷一七四，溫庭筠條引《尚書故實》。
⑲《太平廣記》卷二六三，士子呑舍利條引《尚書故實》。
⑲《酉陽雜俎》前集卷四。
⑲《酉陽雜俎》續集卷五。
⑲《王右丞集箋注》卷一七，《請施莊爲寺表》。
⑲《白居易集》卷四一，《唐故撫州景雲寺律大德上弘和尚石塔碑銘（并序）》。
⑲《白居易集》卷六八。
⑲《白居易集》卷七一，《畫西方幀記》。
⑳《唐語林》卷七。
⑳《舊唐書》卷一八四《高力士傳》。

第三章　士大夫與佛教的關係(下)

第一節　士大夫的反佛活動

在一種事物的發展過程中，總會伴隨著人們對它的兩種不同的理解，有肯定，有否定，有贊成，有反對。這兩方面既對應，又統一，既排斥，又依賴。在唐代士大夫普遍崇佛的情況下，反對者也是代不乏人。不過為一時社會風氣所熏習，以及社會認識能力所限制，立場堅定，界限分明者寥若晨星，對佛教持不固定的反對態度或對統治者大作佛事表示異議的人，則是其中的多數。因而在佛教氣氛的籠罩下，士大夫就像掉進了五味瓶中一樣，酸甜苦辣鹹，一應俱全。下面分為態度、言論、行動三方面，加以論述。

一、士大夫對佛教的懷疑嘲笑態度

張謂在《長沙失火後戲題蓮花寺》詩中寫道：「金園寶剎半長沙，燒劫旁延一萬家。樓殿縱隨煙焰去（一作盡），火中何處有（一作出）蓮花？」①佛教密宗的修行方式有所謂護摩法。護摩是燒的意思。用佛教的智慧之火，燒掉自身的一切煩惱，就可以從中生出菩提芽，達到覺悟的境地。這叫做內護摩。密宗還宣傳把雜花投入火中燒，可隨花色得到衣服，燒五穀可得穀米，燒柏木可得奴僕，加鹽燒可得天女，等等。密宗人爲了得到一所莊園，就一次燒掉十萬莖青蓮花。②然而長沙大火迫使人們面對現實仔細思量，作爲佛教象徵的蓮花在哪裡呢？作者是以輕鬆的「戲題」口氣表達出對佛教力量的懷疑的，那背後作爲代價的卻是長沙萬戶人家的失火損失。羅隱《甘露寺火後》詩說：「六朝勝事已塵埃，猶有閑人悵望來。只道鬼神能護物，不知龍象自成灰！」③已經由懷疑進而否定了。既然龍象鬼神尚且是泥菩薩過河——自身難保，哪還有力量去護祐其它呢？什麼龍象鬼神，什麼神通廣大，不過是彌天大謊而已。

皇甫冉和佛教的關係比較深，有時也難免有點小不敬。在《問正上人疾》詩中，他寫道：「醫王猶有疾，妙理竟難窮」。④趙嘏《題僧壁》詩說：「溪頭盡日看紅葉，卻笑高僧衣有塵」。⑤毫不掩飾自己的嘲笑態度。汪遵的《梁寺》詩則以總結歷史經驗的方式否定佛教，嬉笑怒駡，更爲犀利：「立國從來爲戰功，一朝何事卻談空！台城兵匝無人敵，閑卧高僧滿梵宮」。⑥僧徒有取號爲文章大德的，趙璘譏諷地問道：「夫文章之稱，豈爲緇徒設耶？」⑦

其實用不著誰來向佛教表示懷疑嘲諷的態度，佛教本身就含有這些成分。戰爭和政府的毀佛行動，給予佛教以沉重的打擊，幾乎使它一蹶不振。佛像銷毀，僧尼還俗，財產充官，寺院拆除，自身尚不能保，又怎麼能向世人顯示力量呢？王建《廢寺》詩說：「廢寺亂來爲縣驛，」⑧就從一個特寫鏡頭，向世人昭示了這樣的內容。當驛站的驢馬將其糞便狼籍地陳列在這曾經是不可褻瀆、不容凌辱的神聖寺院時，它本身難道還不具備諷刺的意味嗎？

二、士大夫對佛教和政府大作佛事的批評言論

唐初的傅奕是首先從理論方面批判佛教的人。當時的僧人道宣在《集古今佛道論衡》一書中，把傅奕列爲道教的代表，因爲他「先是黃巾」。但從身份來說，傅奕已經由道士還俗，成爲太史令這樣的封建官僚。在唐高祖武德七年（六二四年）的上疏中，他說，佛教的傳播「使不忠不孝，削髮而揖君親；遊手遊食，易服以逃租賦。……遂使愚迷，妄求功德，不憚科禁，輕犯憲章」。佛教「竊人主之權，擅造化之力，其爲害政，良可悲矣！」他建議令僧尼還俗婚配，生兒育女，即可「益國」、「足兵」。在朝廷上討論佛教的處理問題時，他又說：「禮本於事親，終於奉上，此則忠孝之理著，臣子之行成。而佛逾城出家，逃背其父，以匹夫而抗天子，以繼體而悖所親」。唐太宗貞觀十三年（六三九年），他以八十五歲的高齡逝世。臨死前，他告誡其子說：「老莊玄一之篇，周、孔《六經》之說，是爲名教，汝宜習之。妖胡亂華，舉時皆惑，……汝等勿學也」。他一生「雖究陰陽數術之書，而並不之信」。⑨可見，從反佛主張來說，傅奕主要站在儒家的立場上，爲國家著想。在唐代士大夫的反

佛文字中，韓愈的《諫迎佛骨表》相當出名。但此表的論點、論據和腔調，古人已覺察到和傅奕的上疏一脈相承。北宋人邵博說：「愈之言，蓋廣傅奕之言也」。⑩南宋人陳善說：「韓文公《論佛骨表》，其說始於傅奕。……愈特敷衍其辭耳」。⑪清人梁章鉅也說，傅奕的上疏「即韓公《論佛骨表》之藍本」。⑫因此，我這裡把傅奕作爲唐代士大夫反佛的先驅者來看待。除了傅奕、韓愈，唐代各個時期，尚有狄仁傑、李嶠、張廷珪、蘇瓌、桓彥範、魏傳弓、呂元泰、韋嗣立、寧原悌、薛謙光、慕容珣、辛替否、裴漼、姚崇、楊炎、張鎬、高郢、常衮、李叔明、彭偃、裴伯言、李翺、李岩、舒元褒、崔蠡、李德裕、白居易、蕭仿、李蔚、孫樵、杜牧、劉允章等人，或對佛教本身加以反對，或對統治者大作佛事提出批評。他們的言論可以概括爲以下幾點：

㈠經濟方面

佛教廣占田畝水磑，大量編戶爲逃避租賦徭役而度爲僧人，使國家失去了對很多生產資料和勞動人手的控制。僧人過著「不耕而食、不織而衣」的寄生生活，一個僧人一年的衣食費用「約三萬有餘」，「五丁所出，不能致此」。天下僧尼幾十萬人，「舉一僧以計天下，其費可知」。⑬佛寺在逐漸增多。一些貴人死後，「第宅亭台不將去，化爲佛寺在人間。……寺門敕榜金字書，尼院佛庭寬有餘。青苔明月多閑地，比屋疲（一作齊）人無處居。憶昨平陽宅初置，吞並平人幾家地。仙去雙雙作梵宮，漸恐人間（一作家）盡爲寺」。⑭造寺「大則費耗百十萬，小則尚用三五萬餘，略計都用資財，動至千萬以上」。⑮佛寺幾乎和宮闕相當，壯麗和用度甚至超過皇宮。造寺不止，度人不休，「是使國家所出加數倍，所入減數倍」，「是十分天下之財而佛有七八」。「出財依勢者盡度爲沙門，避役奸訛者盡度爲沙門，其所未度，唯貧窮與善人」。這樣，「免租庸者數十萬」，以至於「奪百姓之食以養殘凶」。⑯同時，僧徒「化誘所急，切於官徵」。⑰甚至有窮人置自己嗷嗷待哺的幼子於不顧，「得百錢，必召一僧飯之，冀佛之助，一日獲福」。農民生活每況愈下，對於佛教，敬畏之餘，也蓄有強烈的不滿。會昌毀佛時，派出四位御史到全國各地進行督促，御史乘坐驛車尚未出關，「天下寺至於屋基耕而刓之」。⑱共拆寺四千六百多所，招提、蘭若四萬多所，收上等美田數千萬頃，僧尼還俗二十六萬五百人，解放寺院奴婢十五萬人，都收充兩稅戶。其數量是驚人的。

對於統治者揮霍錢財，大作佛事士大夫也曾提出批評。武則天時立佛寺，造佛像，役無虛歲，有時因費用太大，甚至令全國僧尼每天每人資助一錢。狄仁傑指出：「工不使鬼，必在役人，物不天來，終須地出，不損百姓，將何以求？生之有時，用之無度，編戶所奉，常若不充，痛切肌膚，不辭箠楚。……比年以來，風塵屢擾，水旱不節，徵役銷繁。家業先空，瘡痍未復，此時興役，力所未堪。……設令雇作，皆以利趨，既失田時，自然棄本。今不樹稼，來歲必飢，役在其中，何以取給？」⑲蘇恪以爲「糜損浩廣，雖不出國用，要自民產日殫。百姓不足，君孰與足？」⑳張廷珪援引《金剛經》的原理，勸告武則天說：「佛者以覺知爲義，因心而成，不可以諸相見也」。廣造寺塔佛像，「蓋有住於相而行布施，非最上第一希有之法」。佛教宗旨是慈悲爲懷，可是大興土木難免會「輾壓蟲蟻，動盈巨億」，貧若百姓，「朝驅暮役，勞筋苦骨，簞食瓢飲，晨炊星飯，飢渴所致。疾疹交集。豈佛標徒行之義，憫畜獸而不忍殘其力哉？」㉑李嶠建議說：「造像錢見有一十七萬餘貫，若將散施，廣濟貧窮，人與一千，濟得一十七萬餘戶。拯飢寒之弊，省勞役之勤，順諸佛慈悲之心，沾聖君亭育之意，人神胥悅，功德無窮」。㉒可見，即便一些奉佛的士大夫，也認爲在天下虛竭、海內勞弊、邊境未寧、鎮戍不息的情況下，大作佛事對國家不利，轉而採取反對態度。唐中宗、唐睿宗時期，基於相同的理由，呂元泰、韋嗣立、寧原悌、辛替否等人，也提出了類似的批評。唐宣宗上台後，否定會昌毀佛，全面恢復佛教。孫樵上疏指出：「群僧安坐華屋，美衣精饌，」「百姓男耕女織，不自溫飽」，「十戶不能養一僧」。唐武宗毀佛，十七萬僧人還俗，「是天下一百七十萬戶始得蘇息也」。他還批評唐宣宗即位幾年間，「修復廢寺，天下斧斤之聲至今不絕，度僧幾復其舊矣。……願早降明詔，僧未復者勿復，寺未修者勿修，庶幾百姓猶得以息肩也」。㉓唐末劉允章痛斥「國有九破，而無一成」的時弊時，把「廣造佛寺」㉔作爲一破，情況相當嚴重了。

㈡政治方面

佛教主張作佛事祈福，對以往的罪過可以懺悔，對未來的福份可以祈求，甚至可以作到放下屠刀，立地成佛。這就使壞人得到鼓勵。他們不怕法律，爲非作歹，成了階下囚時，才在「獄中禮佛」，「規免其罪」。㉕本來「刑德威福，關之人主」，㉖由於佛教干預社會生活，便「權歸於佛」㉗了。這無疑危害了社會治安，削弱了朝廷的權威。在侫佛熱形成後，「搢紳門裡，翻受禿丁邪戒；儒士學中，倒說妖胡浪語」，「朝廷貴臣，曾不一悟」，㉘造成了「高士著幽禪，……朝署時遺賢」㉙的現狀，動搖了封建統治的內部力量，產生了離心作用。「法事所須，嚴於制敕」，㉚佛教竟凌駕於政權之上。「此而不救，奚其爲政？」㉛佛教的滋蔓，已經到了「入家破家，入國破國」㉜的嚴重程度，難免會從內部蛀空封建統治的支柱。

士大夫還對一些具體的事情發表了看法。唐中宗時，京師普遍議論胡僧慧範假托佛教，出入禁闈，撓亂時政，桓彥範上表說：「孔子曰：『執左道以亂政者殺，假鬼神以危人者殺』。今慧範之罪，不殊於此也，若不急誅，必生變亂。除惡務本，去邪無疑，實願天聰，早加裁貶」。㉝安史之亂爆發，唐肅宗於蒼皇之中即位，每天清晨和夜晚有數十名供奉僧在內道場念佛，聲聞禁外。張鎬上奏說：「臣聞天子修福，要在安養含生，靖一風化，未聞區區僧教，以致太平。伏願陛下以無爲爲心，不以小乘而撓聖慮」。㉞唐文宗時，禮部侍郎崔蠡忠於職守，「上疏論國忌日設僧齋，百官行香，事無經據」。㉟唐懿宗「常於禁中飯僧，親爲贊唄」，「逢八飯萬僧」，李蔚上疏切諫。㊱

㈢文化方面

佛教宣傳地獄廣大無邊，積火焚燒，每天有千萬生死，億萬世不竭。到處畫些這樣的陰森恐怖的圖畫，令人「毛立神駭」，㊲嚴重地摧殘著百姓的身心健康。政府舉行迎佛骨的盛大活動，百姓「焚頂燒指，百十爲群，解衣散錢，自朝至暮，轉相仿效，惟恐後時，老少奔波，棄其業次」，甚至「斷臂臠身，以爲供養者」，是件「傷風敗俗，傳笑四方」㊳的事，毒化了社會風俗。佛教主張舍俗出家，不戀世情，勢必會使人類斷種，世上只會留下「畜獸禽鳥魚鱉蛇龍之類」，使朝廷的統治隨著其臣民的消失而化爲子虛烏有。佛教在中國的肆虐，既然能達到舉足輕重的地步，那麼，嚴夷夏之防就變成了一句空話，反倒成爲「以夷狄之風而變乎諸夏」，㊴「以夷狄不經法反制中夏禮義之俗」，㊵完全摧毀了中華民族的文化和心理。

㈣歷史經驗

佛教傳入中國以前，歷代長治久安，民風淳樸。此後，情況發生逆轉。東漢明帝在位僅十八年，其後亂亡相繼，國運不長。十六國時，龜茲僧鳩摩羅什來長安翻譯佛經，後秦國君姚興親自執本對翻。「姚興造浮屠於永貴里，傾竭府庫，廣事莊嚴，而興命不得延，國亦隨滅」。北朝時，「齊跨山東，周據關右。周則多除佛法而修繕兵威，齊則廣置僧徒而依憑佛力，及至交戰，齊氏滅亡，國既不存，寺復何有？修福之報，何其蔑如！」㊶當時南北政權的多數君主，奉佛都很虔誠，但統治年代更爲短暫。只有梁武帝在位四十八年，三次捨身施佛爲寺奴，「其後竟爲侯景所逼，餓死台城，國亦尋滅」。㊷到了唐代，唐中宗，太平公主、武三思、悖逆庶人、張夫人等，都崇奉佛教，競相造寺度人，然而「咸不免受戮破家，爲天下所笑」。㊸可見事佛求福，反而得禍。一旦國家遇到戰爭和饑荒，「沙門不可執干戈，寺塔不足攘饑饉」，㊹國將不國的危險前景是不堪設想的。

㈤處理方略

鑒於以上的理由，他們提出了一些亡羊補牢的處理意見。韓愈綱領性地提出要「人其人，火其書，廬其居」。㊺傅奕提議將佛教徹底取締，「退還天竺」。㊻至於僧尼，責成他們還俗婚配，可結成十多萬戶家庭，生兒育女，即可富國，又能強兵。這樣的話，「四海免蠶食之殃，百姓知威福所在，則妖惑之風自革，淳樸之化還興」。㊼彭偃建議，僧尼也承擔賦役，僧年五十以下者，每年輸絹四匹，尼年五十以下者，每年二匹，雜色役與百姓相同。只要就役輸課，當僧尼就沒什麼關係了。有才智願意當官的，可以當官，願意還俗的，可以還俗。這樣，國家收入就可增加三分之一，「陛下之國富矣，蒼生之害除矣」。㊽裴伯言根據「女子十四有為人母之道，四十九絕生育之理；男子十六有為人父之道，六十四絕陽化之理」的儒家教條，建議六十四歲以上的僧和四十九歲以上的尼，「許終身在道，餘悉還為編人，官為計口授地」，收廢寺為廬舍。㊾李叔明建議將他所負責的劍南東川的佛寺定為三等，上等寺僧人定員為二十一名，二等寺十四名，下等寺七名，其餘全部還俗，蘭若道場無名者一律廢毀。㊿對於所謂佛骨，韓愈建議「付之有司，投諸水火，永絕根本，斷天下之疑，絕後代之惑」。(51)姚崇教誨兒孫要世世代代提高警惕，抵制和反對佛教，辦喪事若必須順從俗情的話，設齋布施都不能鋪張（詳下節）。杜牧則為會昌毀佛大加禮贊，希望後代記住這個功勛，作為借鑒(52)。

三、士大夫對佛教的打擊行為

一些僧徒作惡多端，蔑視法律，甚至賣弄權勢，多所干涉，士大夫在力所能及的範圍內給予了打擊。士大夫在理論上批判佛教，單單憑藉自己的一張嘴、一枝筆，就可以作到，要對佛教徒進行打擊，就非憑藉國家的行政、刑法能力不可。士大夫打擊惡劣僧徒，現象大致相同，而性質則有殊。這裡，我先將各類現象擺出來。

武則天當政時期，培植了一些私人勢力，京兆鄠縣人馮小寶，亦在其列。武則天「欲隱其跡，便於出入禁中，乃度爲僧」並改名爲薛懷義。薛懷義有恃無恐，他的下屬犯了法，也無人敢說。右台御史馮思勖履行職責，多次以法爲據，進行彈劾。薛懷義懷恨在心，在路上遇見馮思勖，竟然命隨從上去狠打一通，幾乎要了他的命。薛懷義後來不願入宮，常住在白馬寺中，刺血畫佛像，選了千名強壯丁男度爲僧人。這引起侍御史周矩的疑惑。就以奸謀罪奏請處理。周矩「窮其狀以聞，諸僧悉配遠州」，但終究爲薛懷義構陷，下獄免官。㊸左相蘇良嗣曾在朝堂遇見薛懷義，薛懷義偃蹇不爲禮，蘇良嗣怒不可遏，「命左右捽曳，批其頰數十」。㊹

唐中宗時，胡僧慧範遊權貴之門，參預宮廷鬥爭，以功加銀青光祿大夫，賜爵上庸縣公。唐中宗還多次輕騎微行幸其室。桓彥範上表論慧範執左道撓亂時政，請予正法，唐中宗不予理睬。後來，慧範勢傾內外，侍御史魏傳弓發其姦贓四十餘萬，請處以極法。唐中宗不得已，僅削黜慧範，放還于家。㊺到唐睿宗時，慧範又仗著太平公主的勢力侵奪民田，御史大夫薛謙光、殿中侍御史慕容珣又上疏彈劾，進行鬥爭。㊻

李紳對於僧徒一向十分蔑視，很少往來，「或允相見，必問難鋒起，祇應不供者，多咄叱而出」。㊼他看到元稹所寫勸說僧人不要釣魚的詩，很不以爲然，就笑著說：「僧有漁罟之事，必投入鏡湖」。「後有犯者，堅而不恕焉」。有個老僧謁見他，向他宣傳因果報應。他問：「阿師從何處來？」老僧回答說：「貧道從來處來」。李紳將他痛打二十，說：「任從去處去」。[58]

李膺奉佛，但對於故投羅網的僧人，也毫不寬容。他曾處理僧人結黨屠牛捕魚事：「違西天之禁戒，犯中國之條章。不思流水之心，輒舉庖丁之刃。既集徒侶，須務極刑。各決三十，用示伽藍」。李翺處理僧人打架事：「夫說法則不曾敷坐而坐，相打則偏袒右肩左肩。領來向佛前而作偈語，各笞去衣十五，以勵三千大千」。又斷僧通狀說：「七歲童子，二十受戒，君王不朝，父母不拜，口稱貧道，有錢放債。量決十下，牒出東界」。陸長源處理僧常滿、智眞數人同在娼妓處飲酒並烹宰雞鵝等事：「口說如來之教，在處貪財；身著無價之衣，終朝食肉。苦行未同迦葉，自謂頭陀；神通何有淨名，入諸婬舍。犯爾嚴禁，黷我明刑，仍集遠近僧，痛杖三十處死」。韓滉處理僧雲晏五人聚集賭錢喧爭事：「正法何曾持具，空門不積餘財。白日既能賭博，通宵必醉樽罍。強說天堂難到，又言地獄長開。並付江神收管，波中便是泉台」。[59]這些都是以國家的專政手段來打擊違法亂紀、倨慢不遜的僧徒。韓滉當檢校禮部尙書兼御史大夫、潤州刺史、鎭海軍節度使時，爆發了涇原兵亂，唐德宗出幸，一時形勢吃緊。韓滉「毀撤上元縣佛寺、道觀四十餘所，修塢壁，建業抵京峴，樓雉相屬，以佛殿材於石頭城繕置館第數十」。並「以佛寺銅鐘鑄弩牙兵器」。「時滉以國家多難，恐有永嘉渡江之事，以爲備預，以迎鑾駕，亦申儆自守也」。[60]這便是打擊佛教，維護國家利益了。

對於妖僧危害人民的迷信活動，浙西觀察使李德裕奏請打擊。唐敬宗寶歷二年（八二六年），亳州盛傳出了一種能治好百病的「聖水」，於是連月以來，遠近來求水者絡繹不絕，甚至有幾十家雇一人前來取水的。妖僧以每斗水三貫錢的價格牟取暴利。取水的人又往水中加些另外的水轉賣給別人。病人斷食葷血十多天，期待著飮「聖水」，病情愈益加重。李德裕上疏說：「昨點兩浙、福建百姓渡江者，日三五十人。臣於蒜山渡已加捉搦。若不絕其根本，終無益黎氓。……乞下本道觀察使令狐楚，速令塡塞，以絕妖源」。(61)無益黎氓，歸根結底，還是有害國家，所以朝廷很快就批準了。

由於士大夫對僧人的不法行爲進行監督和鬥爭，一些庸僧對士大夫極爲仇恨。《因話錄》卷四說：「庸僧以名繫功德，便不懼台省府縣，以士流好窺其所爲，視衣冠過於仇讎」。僧文溆公然聚衆宣傳淫穢鄙褻的內容，爲害很大，多次被杖背流放到邊地。

第二節　評論

一、論士大夫反佛

士大夫對佛教的懷疑否定態度，還只是基於對佛教的主張和能力有所覺悟而產生的；理論上的批判和行動上的打擊，則是基於佛教對國家的經濟、政治、文化各方面的危害而產生的。由於後者涉及到地主階級的根本利益，所以在危害發展到不能容忍的地步時，士大夫對佛教的批判和打擊，便以突兀迅猛的勢頭，集中地出現在歷史舞台上。這些活動，在多數情況下，能得到皇帝的贊同和法律的保障，而且能把一些奉佛的士大夫挾裹進這一潮流，形成爲集團行動。但是，佛教對地主階級根本利益構成的危害一旦緩和或解除，全社會就又重新沉溺在對佛教的崇奉之中。佛教被士大夫首先注目的，是它那協助儒家治理天下的功能。依違於佛、儒二者之間的士大夫，又會站在佛教的旗幡下。這就是士大夫反佛而不能與之划清界限的社會原因，也是士大夫反佛活動具有一張一弛節奏感的基本原因。

士大夫對不法僧徒的打擊行爲，具有多重性質。薛懷義是武則天培植起來的私人勢力，而不是如傳統說法所稱是武則天的面首。關於這一點，拙文《唐高宗武則天長駐洛陽原因辨析》有所論述。[62]所謂私人勢力，也就是區別於國家機構正式成員的一種力量，也可以算作內朝。《舊唐書》卷一八三把薛懷義的傳附於《外戚傳》中，如果僅僅根據武則天「以懷義非士族，乃改姓薛，令與太平公主婿薛紹合族，令紹以季父事之」，那麼，這種假冒的暫時關係是顯而易見的。武則天令太平公主誅殺薛懷義後，這種假冒關係自然應該解除，列爲外戚，實在不倫不類。大概《舊唐書》的編纂者覺察到了薛懷義作爲內朝的一面，以類相從，才這樣處理的。當薛懷義被外朝宰相蘇良嗣命下屬痛打了一陣耳光之後，他找武則天告狀，武則天說：「阿師當於北門出入，南牙宰相所往來，勿犯也」。[63]可見蘇良嗣打擊薛懷義，屬於外朝與內朝的鬥爭，南衙與北司的鬥爭，因而是政治派別間的鬥爭。而左台御史馮思勖和御史周矩對薛懷義的彈劾，則屬於紀律檢查這一工作範圍內的鬥爭，也就是說，如果僧人規規矩矩，不幹壞事，他們也不會來找麻煩。可見，這些都不同於一般的士大夫反佛性質。唐中宗時，桓彥範、魏傳弓、慕容珣對慧範的鬥爭，大致和這相仿佛。李紳、李翺、李德裕打擊僧徒的鬥爭，基本上可以算是反對佛教本身。而李膺，「於奉釋之心，日無倦矣，嘗撰清遠寺碑，甚得大理。若僧有故投網羅者，其不恕乎！」⑭他處理僧人結黨屠牛捕魚事，也只是覺得他們「違西天之禁戒」，把他們各打三十，目的在於「用示伽藍」。這不能算是反對佛教，只能算作反對佛教徒中的敗類，其出發點在於恨鐵不成鋼，目的在於整頓佛教、淨化佛教、純潔佛教。士大夫的這一些打擊僧人的活動，對於維護社會治安是有利的。基於此，我們對於士大夫尊重明律護法的高僧，重視律宗，才會有比較深入的理解。

士大夫從理論上批判佛教，是負有行政使命的封建官員，由其職業和責任所決定的。也就是說，士大夫的反佛，出現在「公」的場合。在「私」的場合，其中像白居易、杜牧等人，和佛教關係還是非常深的。他們的反佛，盡管有時會得到朝廷的重視和支持，有時還鬧得轟轟烈烈——像傅奕那樣，將表狀當作傳單遠近流布，「京室閭里，咸傳禿丁之誚；劇談席上，昌言胡鬼之謠。佛日翳而不明，僧威阻而無力」⑮——但反佛事業卻不能穩操勝券。這種局面的出現，我認爲有兩個原因。

第一，佛教在當時爲社會所需要，也就是說，皮存毛附，佛教賴以依存的社會條件還存在。只有當這個社會條件受到歷史進程的否定時，佛教本身才能被否定；當這個社會條件消亡時，佛教本身才能隨著消亡。唐代是我國封建社會中的一個階段。在這個階段中，由於生產力和科學技術的發展非常有限，人依然受著自然的束縛和社會的束縛，承受著種種苦難，無力支配自己的命運，不能得到自由、解放。也就是說，人不成其爲人，處於微弱、可憐的境地。於是，人就把擺脫這種境地，謀求現世和來世的幸福，寄希望於一種超自然的力量，幻想並且認定這種力量是公道、善良、強而有力的主宰。這便是佛教和其它宗教能夠存在和發展的社會條件。只有生產力和科學技術的發展，達到物質文明和精神文明的高度發達程度，人才能成其爲人，才能擺脫自然和社會的束縛，才能成爲支配自己命運的強者，才不需要乞求超自然力量的祐護。這時，佛教才能同其它宗教一樣，逐漸消亡。但唐代距離這個時期還非常遙遠，其遙遠程度現在尚無法估計。不僅如此，相反，唐代是佛教的鼎盛期，唐代中國是世界佛教的中心，佛教處在方興未艾的階段，生命力相當強盛。在這種情況下，士大夫的反佛活動，絕對不可能超越歷史條件，取得成功，而只能納入封建政權限制佛教的軌道。

第二，由於歷史的局限，士大夫不具備先進的世界觀和方法論，而只是以已經走進死胡同，不改弦更張就難以發展下去的儒家學說，作爲批判的武器，去和博大精深的佛教唯心主義對壘。而且，士大夫不從佛教的理論基礎入手，進行理論分析，只對佛教的社會後果、表面現象加以批判，各個時期的批判，又都是老調重彈，毫無新意，當然不能取得勝利。

佛教界的理論權威，都有深邃細密的思想。此外，在釋儒道三教鬥爭中，一些僧人往往表現出驚人的邏輯力量，唇槍舌劍，異常犀利。從法琳、慧乘、慧淨、慧立、靈辯、窺基、道宣、法藏、湛然、宗密和其他僧人的著述和言論來看，孟子的恢宏磅礴，莊子的汪洋恣肆，韓非子的冷峻尖刻，咄咄逼人，縱橫家的誘人入彀，雄辯誇張，甚至晏子的妙語解頤，東方朔的機智詼諧，不是偶見一端，就是熔冶於一爐。本書第一章第四節中，已引用僧人慧乘和道教徒辯論時的發言，並指出他徐徐而入，誘人入彀，步步爲營，咬住不放，問得道士「周慞神府，抽解無地，忸赧無答」。當時在場的唐高祖，本來宣布了「老教、孔教，此土元基，釋教後興，宜崇客禮。今可老先，次孔，末後釋宗」，但當慧乘率先發言，擊敗道士時，唐高祖竟然「驚美其辯，舒顏解頤而笑」。㊱

唐太宗貞十二年（六三八年），皇太子李承乾組織大臣和三教學士在弘文殿舉行佛道辯論。國子祭酒孔穎達「心存道黨」，就責問僧人慧淨說：「承聞佛家無諍，法師何以構斯？」慧淨解釋說：「如來存日，已有斯事。佛破外道，外道不通，反謂佛曰：『汝常自言平等，今旣以難破我，卽是不平，何謂平乎？』佛爲通曰：『以我不平，破汝不平，汝若得平，卽我平也』。而今亦爾，以淨之諍，破彼之諍，彼得無諍，卽淨無諍也」。當時皇太子就對孔穎達說：「君旣剿說，眞爲道黨」。慧淨抓住一個「黨」字，立卽大作文章，說：「嘗聞『君子不黨』，其知祭酒亦黨乎？」皇太子「怡然大笑，合坐歡躍」。㊲

最突出的例子是唐初僧人法琳。法琳在唐祚初建，抬高道教，壓抑佛教的嚴重歷史關頭，奮起和種種反佛言論進行殊死的鬥爭，成爲佛教史上最負盛名的護法和尙。他爲了駁斥傅奕和道士李仲卿、劉進喜等人，一再撰寫長篇辯論性的佛學論文，《對傅奕廢佛僧事》長達萬言，《辯正論》長達一萬七千言。當《對傅奕廢佛僧事》一文由皇太子李建成轉呈唐高祖時，那嚴密的邏輯、巨大的說服力和浩蕩的氣勢，完全征服了唐高祖，使他重道抑佛的政略發生了動搖。這兩篇論文涉及到的問題很多，這裡只能舉出一小部分，以見一斑。

傅奕說：「佛法來漢，無益世者」。

法琳不從正面去羅列佛教傳入中國後的益處，卻用反詰的方式去嘲諷佛教傳入中國前的孔聖人。他說：「準上以談，此土先聖亦未可弘矣。至如孔子，周靈王時生，敬王時卒，計其在世，七十餘年。既是聖人，必能匡弼時主，何以十四年中，行七十國，宋伐樹，衛削跡，陳絕糧，避桓魋之殺，慚喪狗之呼，雖應聘諸國，莫之能用？當春秋之世，文武道墜，君暗臣奸，禮崩樂壞，爾時無佛，何因逆亂滋甚，簒弒由生？孔子乃俯俛順時，逡巡避患，難保妻子，終壽百歲，亦無取矣。或發匏瓜之言，興逝川之嘆，然復遜詞於季氏；傷鳳鳥不至，河不出圖，及西狩獲麟，遂返袂拭面，稱吾道窮。雖門徒三千，刪《詩》定《禮》，亦疾沒世而名不稱，吾何以見於後世矣。遭盜跖之辱，被丈人之譏，校此而論，足可知也。若以無利於世，孔、老二聖，其亦病諸，何爲訥其木舌而不陳彈也」。

傅奕說：「寺饒僧衆，妖孽必作。如後趙沙門張光，後燕沙門法長，南涼道密，魏孝文時法秀，太和時惠仰等，並皆反亂者」。

法琳針鋒相對地批駁說：「檢崔鴻《十六國春秋》，並無此色人，出何史籍，苟生誣枉，誑惑君王；請勘國史，知其妄奏。案前、後《漢書》，即有昆陽、長山、青泥、綠林、黑山、白馬、黃巾、赤眉等數十群賊，並是俗人，不關釋子，如何不論？」接著，法琳引《後漢書》「道士張魯……與張角等相應，合集部衆，並戴黃巾，披道士之服，數十萬人，賊害天下」一事，反問道：「爾時無一沙門，獨饒道士，何默不論？然漢魏名僧，德行者衆，益國甚多，何以不說？但能揚惡，專論人短，豈是君子乎！」法琳援引黃巾起義，孫恩起義等等涉及道教的事例後，說：「吳魏已下，晉宋以來，道俗爲妖，數亦不少，何以獨引衆僧，不論儒、道二教？至如大業末年，王世充、李密、〔竇〕建德、〔劉〕武周、梁師都、盧明月、李軌、朱粲、唐弼、薛舉等，並是俗人，曾無釋氏，何爲不道？事偏理局，黨惡嫉賢，爲臣不忠明矣！」㊳

佛教學者玄奘、法藏，他們思想的精密程度，是唐代任何士大夫所無法比肩的。玄奘在印度曾四次參與佛教內部和外部的思想鬥爭，都立於不敗之地。第四次，在幾十萬人參加的無遮大會上，玄奘的佛學著作「懸會場門外示一切人，若其間有一字無理，能難破者，請斬首相謝」，「竟十八日無人發論」。玄奘贏得了印度佛教各派的尊敬。大乘僧人稱他爲「摩訶耶那提婆」，即「大乘天」。小乘僧人稱他爲「木叉提婆」，即「解脫天」。㊴法藏闡述了十玄無礙和六相圓融的原理，涉及到很多人所未道的哲學問題，不僅在唐代，就是在整個中國古代，也難以找到第二個達到如此高度的理論家。

佛教界的理論家和上層僧侶，通過艱苦的鬥爭和不懈的努力，終於在李唐王朝以儒學經天緯地，以道教爲血緣宗教的情況下，爲自己爭得存在的權力，開闢出一塊天地。

士大夫方面則不然。唐代士大夫所生活的時代，是中國封建社會長期滯遲緩慢發展的漸變積累，也是中國傳統文化長期滯遲緩慢發展的漸變積累。在這個積累過程中，雖然歷史曾不斷地演出一幕又一幕的悲劇和喜劇，但都是舊有現象在新條件下改頭換面重複，是螺旋式發展的高一級的環節，再也沒有出現戰國那樣急劇突變的階段，以及百家爭鳴的活躍氣象。儒家學說定於一尊以後，適應了這種漸變狀況。歷史沒有提供總結和建立新的理論體系的社會條件，也就沒有將總結和建立新的理論體系的任務提到日程上來。作爲這種狀況的產物，是唐代社會在科舉中重進士而輕明經的風氣。唐人杜佑《通典》卷十五《選舉典》之三引唐代一位禮部員外郎沈旣濟的話說，武則天當政時期，「公卿百辟，無不以文章達，因循日久，寖以成風」。到唐玄宗時，「太平君子唯門調戶選，征文射策，以取祿位，此行己立身之美者也。父教其子，兄教其弟，無所易業。大者登台閣，小者任郡縣，資身奉家，各得其足。五尺童子，恥不言文墨焉。是以進士爲士林華選，四方觀聽，希其風采，每歲得第之人，不浹辰而周聞天下」。去唐未遠的五代人王定保，在《唐摭言》卷一散序進士條中說，在唐代，「縉紳雖位極人臣，不由進士者，終不爲美，以至歲貢常不減八九百人。其推重謂之『白衣公卿』，又曰『一品白衫』。其艱難謂之『三十老明經，五十少進士』。其負倜儻之才，變通之術，蘇〔秦〕、張〔儀〕之辨說，荆〔軻〕、聶〔政〕之膽氣，仲由（子路）之武勇，子房（張良）之籌畫，〔桑〕弘羊之書計，〔東〕方朔之詼諧，咸以是而晦之，修身慎行，雖處子之不若。其有老死於文場者，亦無所恨」。可見，社會重進士的風氣，使一些人不得不將自已辨說，籌畫等等方面的才幹埋沒起來，那麼，也必然扼殺了不少人的理論才能。因而，作爲上述歷史狀況產物的重進士輕明經風氣，又反過來成爲這種歷史狀況的促成力量。這就培養了士大夫缺乏理論興趣的時代性的品格。本書第一章第四節第三段落和同章第五節第三段落已經指出，士大夫中崇奉佛教的那一部分人，就其主要傾向來說，和一般群衆把佛教當作荒誕迷信的東西來崇拜有所區別，這由於他們是知識分子，是有教養的人。他們主要是把佛教當作理論和哲學來學習的，即重視的是佛教中的義理部分。他們帶著時代的品格，以粗知一些佛理爲滿足，不再深究，不再發揮。因而他們中間沒有產生有重大影響的理論家。在宋代士大夫大量吸收和批判佛教、道教，對儒學進行脫胎換骨的改造，建立起理學之前，爲唐代士大夫所接受的儒學，從開山祖孔子開始，一直是沿著一條入世即重人事的道路發展的。這種現實主義的風格，限制了人們的眼界，禁錮了人們的思想，使這一學說成爲不過問什麼宇宙本原、思辨原理之類大問題的政治理論說教。儒學發展到唐代，再也翻不出新花樣，成爲走進了死胡同的僵化的教條。佛教是包括了自然觀和社會觀的唯心主義集大成者。它含有豐富的辯證法因素。士大夫操起儒學這一過時的陳舊武器，同處於方興未艾階段的佛教這一強敵展開鬥爭，便不能不在漫長的戰線上留下許多空白。這空白最顯著的是哲學和神學問題。唐代士大夫的反佛言論，是前人先進思想的繼承，但基本上是一個腔調的不斷重複。他們在哲學和神學問題上欠缺修養，使他們所有的反佛言論加在一起，也比不上南朝蕭梁時期范縝的一篇《神滅論》。他們從切身的現實利益出發，固然也能發出一些清醒的聲音，取得振聾發聵的效果，對於冬烘者起到了一定的催醒作用，但是，一遇到哲學和神學問題，他們便不得不偃旗息鼓，失去和佛教相抗衡的同等的資格和足夠的力量。這是一個歷史的悲劇。

而士大夫反佛時不斷重複的一個腔調，就是佛教對國計民生的危害。這是由傅奕首唱，爲各個時期的士大夫所發揚光大了的理論。這種說法，避開了佛學理論本身，僅從社會後果方面來看待佛教的危害。士大夫在這時，只能用一些常識來批判佛教。常識是通俗的，易於爲人們接受。但常識的功能十分有限，一超過範圍，便無法負荷更重的責任。對於精致的宗教唯心主義，常識難於交鋒幾個回合。這種治標不治本的作法，當然無法根除社會痼疾。因此，這個腔調在佛教徒予以回擊之後，便顯得十分蒼白無力。這一點，留待下面論及韓愈時再作闡述。

在這一歷史悲劇中，士大夫銳意反佛，不料卻陷入了進退維谷的境地，爲了達到目的，居然不得不滑稽地向自己所反對的對象伸出乞救的雙手，我們看看下面的事例，即可理解這個時代儒、佛兩家所遇到的歷史機遇。

張廷珪上疏諫阻武則天營造大像，說：「夫佛者，以覺知爲義，因心而成，不可以諸相見也。經云：『若以色見我，以音聲求我，是人行邪道，不得見如來。』此眞如之果不外求也。陛下信心歸依，發宏誓願，狀其塔廟，廣其尊容，已遍於天下久矣。蓋有住於相而行布施，非最上第一希有之法。何以言之？經云：『若人滿三千大千世界七寶用以布施，及恆河沙等身命布施，其福甚多。若人於此經中受持及四句偈等爲人演說，其福勝彼。』如佛所言，則陛下傾四海之財，殫萬人之力，窮山之木以爲塔，極冶之金以爲像，雖勞則甚矣，費則多矣，而所獲福，不愈於一禪房之匹夫。」他還說，營建木工，定會輾壓億萬蟲蟻，「豈佛標坐夏之義，愍蠢動而不忍害其生哉！」定會役使很多窮人，「豈佛標徒行之義，愍畜獸而不忍殘其力哉！」定會使得很多窮人破產，「豈佛標隨喜之義，愍愚蒙而不忍奪其產哉！」「臣以釋教論之，則宜救苦厄，滅諸相，崇無爲。伏願陛下察臣之愚，行佛之意，務以理爲上，不以人廢言。」⑩辛替否上疏諫阻唐中宗營建佛寺，說：「臣聞於經曰：『菩薩心住於法而行布施，如人入暗，即無所見。」又曰：『一切有爲法，如夢幻泡影，如露亦如電。』臣以減雕琢之費以賑貧下，是有如來之德；息穿掘之苦以全昆蟲，是有如來之仁。」⑪同樣的精神還出現在狄仁傑、李嶠、姚崇等人的反佛言論中。這或許可以說是爲了以子之矛攻子之盾，說服崇佛的皇帝，但同時就給佛教的發展留下了餘地。這也證明了佛教的生命力。它不但沒有受到歷史的否定和淘汰，相反，卻受到了肯定和選擇。和儒學的衰微相比，佛教是葆有生機的力量。它不但本身依然可以存在，到了宋代，還同時以寄生於理學機體的方式而存在。

二、論韓愈兼及姚崇、李德裕反佛

以上不但對士大夫的反佛活動作了大致全面的考察，同時還對士大夫的崇佛活動作了大致全面的考察。在綜合二者的基礎上，對韓愈，並附帶對姚崇、李德裕這幾位反佛的重要人物發表點看法，或許能體現出他們在歷史長河中的公正地位，並在分析上避免一些片面性和過頭話。

在反佛活動中，不少士大夫是依違於儒、佛二者之間的，像姚崇、韓愈、李德裕這樣的人，既從理論上反佛，又從實踐上反佛，無疑是士大夫中鳳毛麟角般的人物。其中韓愈的名氣最大，不少古人對他推許而心儀。南宋人馬永卿總結道，唐代士大夫中，韓愈「最號爲毀佛」。⑫清人趙翼總結道，韓愈「以道自任，因孟子距楊（朱）、墨（翟），故終身亦闢佛、老」，「《諫佛骨》一表，尤見生平定力。」⑬清人梁章鉅竟說：「李文貞曰：唐時佛教盛行，不得韓公大聲疾呼，再過幾年，竟將等於正教矣。韓公膽氣最大，當時老子是朝廷祖宗，和尚是國師，韓公一無顧忌，唾罵無所不至，其氣竟壓得他下。」還說，將韓愈的《諫迎佛骨表》、《原道》、《與孟簡書》等文同歷史上其他幾個人的反佛名文「匯作一處讀之，佛教無所逃匿矣。」⑭但是，我們如果不是孤立地看待韓愈，而是把他放到唐代士大夫與佛教關係的總體中去衡量，就不難發現，這些說法是溢美之詞。

爲了完全把握韓愈和佛教的關係，除本書第一章第二節第五段落和本節論述到一些問題外，尚有兩個問題需要弄清。

一個問題是韓愈是否讀過佛書，是否懂得佛理。北宋司馬光看到韓愈《與孟尚書書》說到僧大顛「能以理自勝，不爲事物侵亂，」就得出結論說，韓愈「於書無所不觀，蓋嘗遍觀佛書，取其精粹而排其糟粕耳。不然，何以知『不爲事物侵亂』爲學佛者所先耶？」⑮本書第一章第一節引《嬾眞子》說，南宋人王抃認爲，韓愈深明佛理，「深得歷代祖師向上休歇一路。其所見處，大勝裴休。」

韓愈究竟讀過佛書沒有？他總結自己的讀書生涯是，「非三代兩漢之書不敢觀；」⑯「口不絕吟於六藝之文，手不停披於百家之編」；「上規姚姒，渾渾無涯；周誥、殷盤，佶屈聱牙；《春秋》謹嚴，《左傳》浮誇；《易》奇而法，《詩》正而葩；下逮《莊》《騷》，《太史》所錄，子云（揚雄）相如（司馬相如），同工異曲。」⑰可見，他反複閱讀的書是先秦兩漢的儒家典籍、諸子百家、史學著作和辭賦。兩漢以後的書大概也沒少讀，從他倡導古文，又能寫出漂亮的駢文，可以推知。而佛教典籍，無疑是出於士大夫強烈的本位意識，被他本能地加以拒絕的。在他的詩裡，沒有佛家語。在他的文章，包括反佛文章裡，也沒有留下讀佛的痕跡。他反佛最著名的文章是《諫迎佛骨表》和《原道》。古人指出了這兩篇文章存在的毛病。明人茅坤說，《諫迎佛骨表》「只以福田上立說，無一字論佛宗旨。」[78]說到《原道》，茅坤認爲「退之一生闢佛老在此篇，然到底是說得老子而已，一字不入佛氏域。」因而他得出結論，「退之元不知佛氏之學。」[79]明人郭正域認爲韓愈「不達佛理」。[80]清人包世臣說得很直接，韓愈以闢佛、老爲己任，「史氏及後儒推崇皆以此。今觀《原道》，大都門面語，徵引蒙莊，已非老子之旨，尤無關於釋氏。以退之屏棄釋氏，未見其書，故集中所力排者，皆俗僧聳動以邀利之說」。[81]談到韓愈《羅池廟碑》，南宋人董逌斷言他「不讀佛書」。[82]在韓愈其餘的文字中，偶有如司馬光、王抃所指出的符合佛理的隻言片語，這只能認爲，唐代佛教極爲普及，在接觸僧人或嗜佛的士大夫時，偶然聽上幾句，也可以得到一些佛教常識。

另一個問題是，韓愈在思想上是否受到佛學的影響。韓愈的主要成就在文學方面，理論不是他所擅長的領域，因而理論著述很少，質量也不高。《原性》是他爲了批判當時雜佛老而言性所寫的論文，是研究他的思想的重要依據。爲鄭重計，我先將《原性》的核心部分迻錄於下：

> 性也者，與生俱生也；情也者，接於物而生也。性之品有三，而其所以爲性者五；情之品有三。而其所以爲情者七。曰何也？曰性之品有上中下三。上焉者，善焉而已矣；中焉者，可導而上下也；下焉者，惡焉而已矣。其所以爲性者五，曰仁，曰禮，曰信，曰義，曰智。上焉者之於五也，主於一而行於四；中焉者之於五也，一不少有焉，則少反焉，其於四也混；下焉者

之於五也，反於一而悖於四。性之於情視其品。情之品，有上中下三，其所以爲情者七，曰喜，曰怒，曰哀，曰懼，曰愛，曰惡，曰欲。上焉者之於七也，動而處其中；中焉者之於七也，有所甚，有所亡，然而求合其中者也；下焉者之於七也，亡與甚，直情而行者也。情之與性視其品。……上之性就學而愈明，下之性畏威而寡罪。是故上者可教，而下者可制也。其品則孔子謂不移也。[83]

認爲《原性》和佛、道是一致的，古今不乏其說。北宋人蘇軾指出，韓愈認爲「性之無與乎情，而喜、怒、哀、樂皆非性者，是愈流入於佛老而不自知也。」[84]南宋人陳善也認爲，《原性》「以爲喜怒哀樂皆出乎情而非性，則流入於佛老矣。」[85]今人則說得更具體：「韓愈的性情說，更接近於佛道。他認爲，人之性是天生的，情是後起的。」「構成性的要素是仁、義、禮、智、信五德。情包括喜、怒、哀、懼、愛、惡、欲七種要素。這樣分別性、情，同禪宗中所謂的『聖心』和『染心』有什麼兩樣呢？」韓愈「把人性分爲三品。」「上品是善性，中品則善惡相混，下品爲惡性。」性和情「二者的品級是一致的。上品之情『動而處其中』，自然符合封建倫理道德規範，中品之情『有所甚，有所亡，然而求合其中者也。』下品之情『亡與甚直情而行』，是破壞封建道德準則的。韓愈由此得出結論，說上品性情『就學而愈明』，中品『可導而上下』，下品不可教育，只能採取暴力手段，使之『畏威而寡罪』，服從封建等級制度。這樣，『上者可教而下者可制』，封建專制主義就可以長治久安了。在這裡，韓愈和佛、道的差別，只在於佛、道主張離開封建倫理道德進行情的修練，而韓愈則主張在封建倫理道德的規範內進行性情的修養。」⑧以上這些說法，盡管都認爲韓愈「流入於佛老」，「接近於佛道」，但都沒有具體分析《原性》和道教的關係。本書只探討唐代士大夫和佛教的關係，故只就《原性》是否和佛教有共通之處發表點看法。

佛教所說的性，指眞如佛性。佛教認爲，佛性是宇宙間各種現象的精神本體，遍在一切，神妙莫測，不生不滅，湛然清淨，永恆存在，因而叫做實有。它通過因緣條件，和合而成了宇宙間各種物質和精神的東西。被和合而成的東西，都是虛幻不實的，因而是假有。衆生心中有同樣的眞如佛性。這一自性，清淨常寂，就像日月青天一樣。但是，由於妄念浮雲蓋復，自性不能明。如果悟到這一道理，就會吹卻迷妄，內外明徹，現出自性，達到成佛境地。所以悟則成佛，不悟則爲衆生。可見，佛性和宇宙萬物的對立，體現爲本體和現象、實有和假有的對立；佛性和妄念的對立，體現爲佛本位境地和阻礙發現這境地的對立。而它們間的統一性，只在於屬於一對範疇，認識到萬物和妄念的從屬性地位，便歸於或轉化爲佛性。

韓愈所說的性和情，則不是這麼回事。他認爲性是與生俱生的，分爲上中下三品，由仁禮信義智五者構成。上中下三品和仁禮信義智五者的關係是相應重疊，或主或次，或多或少，或順或悖的。上品可學可教，即上品也需要教育。中品可導而上下，即中品介於上、下品之間，可轉化爲上品或下品。下品可制，即下品可以威服。這和佛教所說的性毫無共同之處。韓愈所說的性是人性，而不是作爲宇宙本體的佛性，以及存在於人自身中的佛性。他對於性的構成，具體劃分爲仁、禮、信、義、智五種成分，仍是可以以揣摩得出的實實在在的東西，而不是佛教所說的那種虛空的精神實體。他把性說成與生俱生，也不是佛教認爲的超越時空，超越自然，不生不滅，永恆存在的性質。他把性劃分爲上中下三品，上者可教，下者可制，也不是佛教認爲的那種湛然清淨，圓滿神聖的品格。韓愈對情的成分作了七種分解，把情與性的關係說成是具有同一品級，那麼，情與性不但不是對立的東西，而且還是相應的東西，是一種東西的兩種外現，因而也不存在情向性的轉化問題，這和佛教對宇宙萬物、妄念同佛性的對立關係的說法，是毫無共同之處的。

澄淸以上兩個問題之後，可以得出這樣結論：1.韓愈沒有鑽研過佛書，沒有受佛學的影響，他的思想屬於儒家，他可以算得上是唐代的一位醇儒。2.韓愈和佛教的鬥爭，具有純粹的儒佛鬥爭性質。

考察韓愈的反佛活動，可以明顯地看到一些缺點。這些缺點中，少數由時代的局限所致，因而不但爲韓愈免不了，也爲唐代的其他士大夫避免不了；多數則爲別的士大夫所避免，而他卻未能避免，因而屬於韓愈的個人責任。這些缺點我認爲有下列幾點。

1.針對性差，戰鬥力弱。

韓愈旣然不閱讀佛教典籍，對於佛教這種理論、僧人、經濟三位一體的社會勢力，就不會有全面的了解。不全面了解佛教，不知道佛教的理論，對佛教進行批判，就只能就佛教的一些表面現象和社會後果，發一些議論，而佛教的理論基礎則絲毫未被觸動。這種針對性不強的批判，便顯得膚淺，缺乏戰鬥力。本書第一章第二節第五段落已引用過韓愈反佛的如下詩句：「吾非西方教，憐子狂且醇。

吾疾惰遊者，憐子愚且諄。」「佛法入中國，爾來六百來。齊民逃賦役，高士著幽禪。官吏不之制，紛紛聽其然。耕桑日失隸，朝署時遺賢。」這些話並非危言聳聽，確實是佛教的一大弊端。但是，如果沒有佛教，會不會同樣出現國家控制不了勞動人手，百姓逃避賦稅徭役的情況？會不會同樣出現政府失去人選的情況？我們當然不能要求韓愈從階級社會和剝削制度的本質方面去作深入的探討，但是，至少他沒有對逃戶、官僚特權和科舉制的弊病這些已經表面化的問題作深入的思考，不能不說是一個嚴重的失誤。佛教的這些弊端，崇佛的士大夫也是反對的；但是他們在看到佛教危害封建統治的一面時，還同時看到了佛教維護封建統治的另一面。柳宗元說：「儒者韓退之與余善，嘗病余嗜浮圖言，訾余與浮圖遊。近隴西李生礎自東都來，退之又寓書罪余，且曰：『見《送元生序》，不斥浮圖』。浮圖誠有不可斥者，往往與《易》、《論語》合，誠樂之，其於性情奭然，不與孔子異道。……退之所罪者，其跡也，曰：『髡而緇，無夫婦父子，不為農蠶耕桑而活乎人。』若是，雖吾亦不樂也。退之忿其外而遺其中，是知石而不知韞玉也。」⑰劉禹錫則進一步指出，佛教「革盜心於冥昧之間，泯愛緣於生死之際。陰助教化，總持人天，所謂生成之外，別有陶冶。刑政不及，曲為調柔。」⑱也就是說，佛教的勸善說、因果報應說，教育人民不作壞事，防患於未然，從另一條戰線來誘導人們遵守封建秩序，維護封建統治。劉禹錫這裡所說的佛教功能，實際上相當於儒家「道（導）之以德」⑲的精神。

柳宗元和劉禹錫，是唐順宗時銳意革新的二王八司馬集團的中堅份子，他們的政治抱負和歷史責任感，並不比韓愈差。他們看到的是佛教的實質、主流和用世的一面，而韓愈看到的是佛教的現象、支流和出世的一面。他們看到的是儒家學說已經僵化，必須吸收外來思想資料加以改造，儒釋合流是時代潮流和歷史趨勢，而韓愈看到的是對於儒學國粹，要極力維護，抱殘守闕。奉佛的柳宗元、劉禹錫，比起反佛的韓愈，合乎時宜，高瞻遠矚，在思想上顯得全面、深刻、成熟得多。

《原道》、《原性》和《諫迎佛骨表》三篇文章，都存在著缺乏針對性，只就佛教的粗跡發表議論的毛病。《原道》、《原性》根本未涉及佛理。《諫迎佛骨表》沒有理論分析，只是乾吆喝了一通，因而與其說《諫迎佛骨表》是一篇反佛的論文，毋寧說是一篇蒼白無力的戰鬥檄文。韓愈反佛文字的戰鬥力到底如何？明人薛應旂指出，《原道》「乃闢俗僧、狂道、何與聃（老子）、曇（釋迦牟尼）本色哉！」⑩這說明，不了解自己所要批判的對象，就不能從根本上克敵制勝。

2. 昧於史實，鬥爭盲目。

韓愈反佛的重要例證，是佛教傳入中國前後，各代帝王享國的久暫。他指出，佛教傳入之前，「黃帝在位百年，年百一十歲；少昊在位八十年，年百歲；顓頊在位七十九年，年九十八歲；帝嚳在位七十年，年百五歲；帝堯在位九十八年，年百一十八歲；帝舜及禹年皆百歲。此時天下太平，百姓安樂壽考。」後來「殷湯亦年百歲；湯孫大戊在位七十五年，武丁在位五十九年」，年壽「蓋亦俱不減百歲。周文王年九十七歲，武王年九十三歲，穆王在位百年。」佛教傳入後，東漢明帝在位才十八年。「其後亂亡相繼，運祚不長。宋、齊、梁、陳、元魏已下，事佛漸謹，年代尤促。惟梁武帝在位四十八年，前後三度捨身施佛，宗廟之祭，不用牲牢，晝日一食，止於菜果，其後竟為侯景所逼，餓死台城，國亦尋滅。」他因此得出結論：「事佛求福，乃更得禍；」「佛不足事，亦可知矣」。[91]

在唯物史觀形成之前，雖然人們不可能從階級矛盾、社會矛盾、民族關係等方面，對政權的覆滅、國家的亂亡，作出規律性的認識，但或多或少、或深或淺地找出它們之間的聯繫，還是可以作得到的。唐太宗時期，君臣經常討論國家治亂興亡的原因。唐太宗說：「爲君之道，必須先存百姓，若損百姓以奉其身，猶割股以啖腹，腹飽而身斃。若安天下，必須先正其身，未有身正而影曲，上治而下亂者。朕每思傷其身者不在外物，皆由嗜欲以成其禍。若耽嗜滋味，玩悅聲色，所欲既多，所損亦大，既妨政事，又擾生民。且復出一非理之言，萬姓爲之解體，怨讟既作，離叛亦興。朕每思此，不敢縱逸。」他還說：「天子者，有道則人推而爲主，無道則人棄而不用，誠可畏也。」魏徵認爲：「自古失國之主，皆爲居安忘危，處治忘亂，所以不能長久。今陛下富有四海，內外清晏，能留心治道，常臨深履薄，國家歷數，自然靈長。臣又聞古語云：『君，舟也；人，水也。水能載舟，亦能覆舟』。陛下以爲可畏，誠如聖旨。」[92]這些說法，比韓愈那種僅僅從是否奉佛來推斷統治久暫、國家興亡的認識，要高明得多。

韓愈這種膚淺的認識，並非自己的見解，而是拾人牙慧。傅奕曾說過：「帝王無佛則大治年長，有佛則虐政祚短。自庖犧已下，爰至漢高，二十九代而無佛法，君明臣忠，國祚長久。」這種說法當即遭到僧人法琳的批駁。法琳說：「庖犧獨治，不及子孫」；堯「廢兒自立，其子丹朱不肖」，舜「父頑母嚚，並止一身，不能及嗣。爾時無佛，何不世世相傳，遽早磨滅？」禹「爲民治水，於民有功，若皇天輔德，何爲天祚不永，治止九年？《堪年紀》云：『夏後相及少康之世，其臣有窮羿、寒浞及風夷、淮夷、黃夷、斟尋等國，並相次作亂，凡二十六年，篡夏自立。』當時無佛，篡逆由誰？」他還列出商、周、秦、西漢君主享國的數字，其中不乏三年五載的例子，一再反問：當時無佛，何以天歷不長？其年轉促？接著，他又擺出了佛教傳入後的統治狀況，東漢一共十二帝，一百九十五年，具體到一些皇帝，則是光武帝三十三年，孝明帝十八年，章帝十三年，和帝十七年，安帝十九年，順帝十九年，桓帝二十一年，靈帝三十一年，獻帝三十年，反問傅奕：「汝言有佛祚短，何故長年？」他又引證「自魏皇初元年至蕭之末，凡二百八十二歲，拓跋元魏一十七君，合一百七十九年」反問道：「爾時佛來，何故年久？」

傅奕還說：「未有佛前，人民淳和，世無篡逆者。」法琳反駁道：「何故周烈王弟，顯王篡位，四十八年；悼王立一百一日，爲庶弟子朝所害；敬王弟哀王治三月，思王外哀王弟治五月，思王殺之，孝（考）王復殺思王，三王共立一年？（原注：出陽玠《史目》，陶公《年紀》。）」⑨③

在法琳著文還擊傅奕的時候，奉佛的士大夫李師政緊密配合，著長篇論文《內德論》，其中有兩小節，也是批駁傅奕的這兩個觀點的。李師政舉出事例後，進一步得出這樣的結論：「釋氏之化，爲益非小，延福祚於無窮，遏危亡於未兆」；「一縷之盜，佛猶戒之，豈長篡逆之亂乎！一言之競，佛亦防之，何敗淳和之道乎！惟佛之爲教也，勸臣以忠，勸子以孝，勸國以治，勸家以和。」⑨④

韓愈對於二百年前的這一場大論戰，居然毫無了解，把傅奕那些被法琳、李師政批倒了的說法，重新拿出來和佛教對壘，鬥爭顯得很盲目，當然不可能取得成功。

3.全盤排外，陳腐狹隘。

隋唐時期，旣是兩晉南北朝民族大融合的總結時期，又是中國同外國經濟、文化大交流的時期。在這樣的時代產生的唐代文化，具有世界性，這是中外學者一致認可的歷史現象。唐代的中國文化曾給予了很多國家和民族以巨大的影響，同時，也大量地吸收了外國和國內少數民族的文化營養。拿音樂來說，十部樂中僅燕樂、淸商兩部是本民族的音樂，其餘西涼、天竺、高麗、龜茲、安國、疏勒、康國、高昌八部樂，或來自國內少數民族，或來自國外。舞蹈中，柘枝、胡騰、胡旋，是昭武九姓中石國、康國、米國、史國傳入的；涼州、甘州是龜茲傳入的。歷法、醫藥學，也都吸收了印度、波斯、東羅馬的成分。在唐代傳入或發展的宗教中，佛教、伊斯蘭教、景教、祆教、摩尼教等，全部是外來宗教，只有道教是國產宗教。這體現了唐代社會的開放性。唐代之所以產生了輝煌燦爛的文化，在世界上居於絕對領先的地位，是與不斷吸收國內外各民族的文化營養密切相關的。這個空前偉大的時代，培養起了一種奔放無礙、博大恢宏的時代精神，那便是對外開放，互相交流，兼容並蓄，爲我所用。這是中華民族自尊、自重、自信、自強心理的體現。

在這樣的背景下，韓愈反佛卻彈出了這樣的老調：「孔子之作《春秋》也，諸侯用夷禮則夷之，進於中國則中國之。經曰：『夷狄之有君，不如諸夏之亡』。《詩》曰：『戎狄是膺，荆、舒是懲』。今也舉夷狄之法而加之於先王之敎之上，幾何其不胥而爲夷也？」⑮他還以戰國時期孟子闢楊朱、墨子作爲自己反佛的歷史根據，並以孟子的繼承者自居，說：「禮樂崩而夷狄橫，幾何其不爲禽獸也？」「向無孟氏，則皆服左衽而言侏離矣。」㊻這種不加區別，一概嚴夷夏之防論調與唐代的開放性社會格格不入，與恢宏奔放的時代精神大相徑庭，顯得多麼陳腐，多麼狹隘。而且韓愈對形勢的估計也很荒唐，那種若不抓緊反對佛教，中國很快就會被夷狄同化的杞人之憂，顯得毫無自信，虛弱不堪，似乎中國不是進入了末世，就是亡國危機，迫在眉睫。在封建盛世出現這樣的論調，豈非咄咄怪事。

在這一點上，柳宗元比韓愈頭腦清醒。柳宗元既注意分別外來成分中的良莠，也注意分別本國成分中的薰蕕，既不一概肯定，也不一概否定。他說，韓愈反佛的一個理由是「以其夷也，」「果不信道而斥焉以夷，則將友惡來、盜跖而賤季札、由余乎？非所謂去名求實者矣。」㊼柳宗元的這一觀點，是前人先進思想的繼承和發揚。早在戰國末年，秦國客卿李斯上秦王政的《諫逐客書》中，已經援引由余等人的例子，說明不加分析，一概排外，將對自己不利。李斯大聲疾呼：「太山不讓土壤，故能成其大；河海不擇細流，故能就其深。」㊽這一說法，應該說是千古警句。

4.處理方案，簡單粗暴。

韓愈對佛教提出的處理方案是「人其人，火其書，廬其居；」㊾對於佛骨，則建議「付之有司，投諸水火，永絕根本，斷天下之疑，絕後代之惑。」㊿對於這些方案，古人說了一些很有意思的話，不妨摘引於下。

南宋人陳善說，佛教的「宮殿樓閣，克遍千萬，善入三世，於諸境界，無所分別，彼又安能廬吾居？有大經卷，量等三千大世界，藏在一微塵中，彼又安能火吾書？無我無人，無佛無衆生彼又安能人吾人耶？」⑩

明人郭正域說，《諫迎佛骨表》一文表明韓愈「雖不達佛理，而氣勁，在釋門中幾乎獨覺矣。藏中以即惠能，其擔當直截、掃除外境，大略相似。」⑩「《佛骨》一表，即世尊（釋迦牟尼）見之，當微笑以爲眞知我。」⑩

清人林雲銘說「『投諸水火』數語，分燒是雲門一棒打殺、丹霞燒出舍利之意，謂其有功吾道，可也；即謂其有功佛法，亦無不可也。」⑩說到韓愈給大顛的三封信，林雲銘說：「欲燒佛骨人，卻能闡發佛理。要知眞正佛理，即聖人之道。公之所闢，乃其跡耳。」《與大顛書》「把大和尚造作惡態，盡情掃除，仍是欲燒佛骨辣手。吾願普天下禪和子，將此書受持讀誦，爲人解說，即得阿耨多羅三藐三菩提，亦不必辨其爲奉佛、爲闢佛也。」⑩

古人的這些議論，初步揭出了韓愈這些處理方案因不懂佛理而存在的漏洞。佛教認爲，人是由內四大和五蘊這些因緣條件和合而成的，沒有自身質的規定性，只是以假有、似有的方式存在的虛幻的東西，因而，我即無我，我即非我。既然這樣，「人其人」，即讓僧人還俗，變爲國家的編戶齊民，負擔國家的賦役，盡管很現實，卻不能從理論上摧毀佛教，甚至會被佛教界認爲這不過是一場虛幻的遊戲，沒有任何意義。「火其書」，即把佛教典籍統統焚毀。這種統一思想的簡單粗暴的作法，秦始皇時早已實施過。然而西漢時，一些秦火之餘幸存的古書重新出土問世；一些老儒也能從自己的大腦裡一字不落地將古書尋找回來，焚燒佛書能取得什麼成果，也就不待詳論了。另外，禪宗是不立文字的教外別傳，其主張即使不借助於書籍，照樣可以傳播。因此，就算把佛書燒光，也不能清除佛教。禪宗提倡破除法執，對於書籍本不重視，認爲只要懂得了道理，知道了成佛的途徑，連道理、途徑都可以棄而不顧。他們多次用得魚忘筌、到岸舍筏的比喻來闡明這一主張。「廬其居」，即沒收佛寺廟產。禪宗主張直指人心，見性成佛。慧能說：「若欲修行，在家亦得，不由在寺。」⑯沒收寺院廟產，並不能沒收他們的思想和修持方式。一些崇奉禪宗的士大夫，作爲在家居士，本來就是在沒有寺院的條件下修持佛教的。對於佛骨，建議「付之有司，投諸水火」，和焚毀佛書一樣，沒什麼意義。禪宗單刀直入、明心見性的主張發展到徹底的地步時，提出了不假外求的主張。臨濟宗慧照說：「你欲得如法見解，但莫受人惑，向裡向外，逢著便殺，逢佛殺佛，逢祖殺祖，逢羅漢殺羅漢，逢父母殺父母，逢親眷殺親眷，始得解脫，不與物拘，透脫自在。」⑰於是他們呵佛罵祖，焚燒佛像，以爲這才是眞正的贊佛，才是眞正懂得了佛教。因而韓愈指斥佛教的言論，焚毀佛書佛骨的主張，並不會刺激佛教界，反而會被認爲同禪宗的路子一致，是有功於佛教的舉動，可以得到阿耨多羅三藐三菩提，即無上正等正覺之心。這樣，韓愈的這些主張，對佛教就不可能構成致命的威脅，反而顯得簡單、幼稚。可見，當一種事物還沒有發展到衰落、消亡的階段時，在沒有適當的社會條件的情況下，企圖從社會的外部，強制性地將這一事物窒息、取消，是根本辦不到的。

下面，我再把韓愈的反佛活動，同姚崇、李德裕的反佛活動作一比較。

姚崇早於韓愈，其活動貫穿於武則天、唐中宗、唐睿宗、唐玄宗四朝，多次出任宰相。唐中宗時，公主、外戚都奏請度人爲僧尼，也有拿出私人財產修造佛寺的，於是，各處的富戶強丁都造寺出家，逃避賦役。到唐睿宗時，姚崇上疏反對。唐睿宗接受他的意見，命令有關部門隱括僧徒，致使僞濫還俗者一萬二千多人。唐玄宗開元九年（七二一年），姚崇去世，遺囑中用相當的篇幅告誡子孫不要崇奉佛教和道教。他說：

今之佛經，〔鳩摩〕羅什所譯，姚興執本，與什對翻。姚興造浮屠於永貴里，傾竭府庫，廣事莊嚴，而興命不得延，國亦隨滅。又齊跨山東，周據關右，周則多除佛法而修繕兵威，齊則廣置僧徒而依憑佛力。及至交戰，齊氏滅亡，國既不存，寺復何有？修福之報，何其蔑如！梁武帝以萬乘爲奴，胡太后以六宮入道，豈特身戮名辱，皆以亡國破家。近日孝和皇帝發使贖生，傾國造寺，太平公主、武三思、悖逆庶人、張夫人等，皆度人造寺，竟術彌街，咸不免受戮破家，爲天下所笑。經云：「求長命得長命，求富貴得富貴」，「刀尋段段壞，火坑變成池。」比來緣精進得富貴長命者爲誰？生前易知，尚覺無應，身後難究，誰見有徵。且五帝之時，父不葬子，兄不哭弟，言其致仁壽，無夭橫也。三王之代，國祚延長，人用休息，其人臣則彭祖、老聃之類，皆享遐齡。當此之時，未有佛教，豈抄經鑄像之力，設齋施物之功耶？《宋書·西域傳》有名僧爲《白黑論》，理證明白，足解沈疑，宜觀而行之。

且佛者覺也，在乎方寸，假有萬像之廣，不出五蘊之中，但平等慈悲，行善不行惡，則佛道備矣。何必溺於小說，惑於凡僧，仍將喻品，用爲實錄，抄經寫像，破業傾家，乃至施身亦無所吝，可謂大惑也！亦有緣亡人造像，名爲追福，方便之教，雖則多端，功德須自發心，旁助寧應獲報？遞相欺誑，浸成風俗，損耗生人，無益亡者。假有通才達識，亦爲時俗所拘。如來普慈，意存利物，損衆生之不足，厚豪僧之有餘，必不然矣。且死者是常，古來不免，所造經像，何所施爲？

夫釋迦之本法，爲蒼生之大弊，汝等各宜警策，正法在心，勿效兒女子曹，終身不悟也。吾亡後，必不得爲此弊法。若未能全依正道，須順俗情，從初七至終七，任設七僧齋。若隨齋布施，宜以吾緣身衣物充，不得輒用餘財，爲無益之枉事，亦不得妄出私物，徇追福之虛談。道士者，本以玄牝爲宗，初無趨競之教，而無識者慕僧家之有利，約佛教而爲業。敬尋老君之說，亦無過齋之文，抑同僧例，失之彌遠。汝等勿拘鄙俗，輒屈於家。汝等身沒之後，亦教子孫依吾此法云。⑩⑧

除了這一遺囑外，姚崇尙有兩件體現自己思想的事情，需要提到。

唐玄宗開元四（七一六年），山東（河南崤山以東的廣大地區）鬧特大蝗災。百姓燒香禮拜，設祭祈恩，眼睜睜地看著蝗蟲吃莊稼苗，而不敢捕捉。這是關係到國計民生的大事，處理不當，後果不堪設想。姚崇上奏引《詩經》中「秉彼蟊賊，以付炎火」句，和東漢光武帝詔令中「勉順時政，功督農桑，去彼蝗蜮，以及蟊賊」語，主張「齊心戮力，必是可除。」唐玄宗加以採納，派遣御史分道捕殺蝗蟲。這時，朝野上下，一片喧騰。汴州刺史倪若水說：「蝗是天災，自宜修德。劉聰時除既不得，爲害更深。」因而拒不奉命，姚崇大怒，牒報倪若水說：「古之良守，蝗蟲避境，若其修德可免，彼豈無德致然！今坐看食苗，何忍不救，因以饑饉，將何自安？幸無遲回，自招悔吝。」倪若水於是用姚崇構想的焚瘞法，捕殺蝗蟲十四萬石，投入汴渠流下的不可勝計。在中央，也展開了一場鬥爭。「時朝廷喧議，皆以驅蝗爲不便。」姚崇獨擋一面，加以批駁。他對唐玄宗說：「庸儒執文，不識通變。凡事有違經而合道者，亦有反道而適權者。昔魏時山東有蝗傷稼，緣小忍不除，致使苗稼總盡，人至相食；後秦時有蝗，禾稼及草木俱盡，牛馬至相啖毛。今山東蝗蟲，所在流滿，仍極繁息，實所稀聞。河北、河南，無多貯積，倘不收獲，豈免流離，事繫安危，不可膠柱。縱使除之不盡，猶勝養以成災。」唐玄宗終於改變了自己的猶豫態度。黃門監盧懷愼對姚崇說：「蝗是天災，豈可制以人事？外議咸以爲非。又殺蟲太多，有傷和氣。今猶可復，請公思之」。姚崇回答說：「楚王呑蛭，厥疾用瘳；叔敖殺蛇，其福乃降。趙宣至賢也，恨用其犬；孔丘將聖也，不愛其羊。皆志在安人，思不失禮。今蝗蟲極盛，驅除可得，若其縱食，所在皆空。山東百姓，豈宜餓殺。……若救人殺蟲，因緣致禍，崇請獨受，義不仰關！」在姚崇的堅持下，捕殺蝗蟲進展順利，「蝗因此亦漸止息。」他的破除迷信、人定勝天的思想付諸實踐，終於使國家化險爲夷，避免了一場可怕的災難。

一個多月後，唐玄宗將要巡幸東都洛陽，京師長安的太廟突然崩壞，唐玄宗疑心是神靈用以警誡東行不便。宋璟、蘇頲對唐玄宗說：「陛下三年之制未畢，誠不可行幸。凡災變之發，皆所以明教誡。陛下宜增崇大道，以答天意。且停幸東都。」姚崇說：「太廟殿本是苻堅時所造，隋文帝創立新都，移宇文朝故殿造此廟。國家又因隋氏舊制，歲月滋深，朽蠹而毀。山有朽壞，尙不免崩，既久來枯木，合將摧折，偶與行期相會，不是緣行乃崩。」唐玄宗以爲很合心意，「車駕乃幸東都」。⑲

綜觀姚崇生平事跡，我們可以發現，在反佛方面，他雖然也存在著某些和韓愈共同的缺點，但卻有幾處明顯的不同點。

1.了解對手。

從姚崇的遺囑來看，他對於佛理，特別是《法華經》、《金剛經》，有相當程度的了解。這樣，批判起來，就能避免不著邊際的議論和僅就現象論現象，也容易區分哪些是所要批判的對象應該負責的，那些不應由它負責。對方還擊自己，就沒有多少空子可鑽了。上面分析韓愈「人其人，火其書，廬其居」的漏洞時，引南宋陳善的一段話，他認爲按照佛教理論，韓愈的主張毫無意義。陳善還說：「然儒者猶云：『我不讀佛書，安用此語？』由是達者笑之。予聞釋氏之論曰：『欲破彼宗，先善彼宗』。故佛在世日，西域有三十六種外道，每種各以其藝咸來難佛，佛固晏然不動聲色，即以彼藝還與之較，皆出其上。於是外道藝窮，乃始揚佛。今之與佛老辨者，皆未嘗涉其流者也，乃欲以一己之見破二氏之宗，譬如與人訟，初不置詞曲直所在，而曰吾理勝，其誰肯信之。」⑪不僅韓愈是這樣，傅奕也是這樣。傅奕的批判文字，也不曾涉及佛理，甚至還說出「佛滑稽大言，不及旃孟」⑪那樣的外行話，簡直對佛教的宏觀世界觀一無所知，姚崇在了解對手這一點上，比他們作得好。

2.言行徹底。

韓愈以排佛道二教爲己任，可是又按道教的作法，服食長生不老藥，終於病倒。他所著《原鬼》一文，認爲「無聲與形者，物有之矣，鬼神是也。」⑫他在潮州，聽說當地有鱷魚，幾乎吃盡百姓畜產，就命軍事衙推秦濟炮羊豬各一，投於潭水，並以自己所著《鱷魚文》作爲祭文，約鱷魚在三至七日內遷於他處，此外，他還寫有《祭湖神文》、《祭止雨文》、《祭城隍文》、《祭界石神文》和《祭大湖神文》。量移袁州後，他寫了《祭城隍文》、《祭仰山神文》、《又祭仰山神文》。回到長安後，他又寫了《祭竹木神文》和《曲江祭龍文》。可見，他的神鬼觀念根深蒂固。而姚崇，從其遺囑和主持捕殺蝗蟲、解釋太廟崩壞原因來看，無疑是一位無神論者。因而，無論從理論上，還是實踐上，姚崇反對佛教和唯心主義，都比韓愈徹底。

3.目標實際。

姚崇通過通才達識都不免囿於社會風氣而作些佛事，看到了佛教勢力的強大。因此，他只是希望自己的子孫不要爲了福田利益而大量布施、造像、寫經，並進而希望不要崇信佛教。這個奮鬥目標相當實際。同時，他又認爲，社會風氣既然如此，不得已要順俗的話，適當敷衍一下，各方面都照顧到就算了。在堅持原則的前提下，掌握靈活性，比起韓愈不顧實際情況，在條件不成熟的時候，急於取締佛教，可謂有理有利有節。

李德裕是又一位著名的反佛士大夫。他晚於韓愈，在唐憲宗時步入仕途，歷仕唐穆宗、唐敬宗、唐文宗、唐武宗四朝，唐宣宗繼位後，貶至潮州、崖州，到崖州一年後去世。

李德裕對於佛教，並非一味指斥。他的《贈圓明上人》詩說：「遠公說《易》長松下，龍樹雙經海藏中。今日導師開佛慧，始知前路化成（一作城）空。」⑬《贈奉律上人（原注：律公精於《維摩經》）》詩說：「知君學地厭多聞，廣渡群生出世氛。飯色不應殊寶器，樹香皆遣入禪薰。」⑭他還寫有《大迦葉贊（原注：頭陀第一）》，說：「惟大迦葉，依無上智，初分寶坐，終授密記，晚遇金粟，乃知平地，潛形雞足，以待慈氏。」⑮

在儒釋交遊方面，李德裕也從僧徒中篩選出了戒行和學問堪稱模範的人，加以敬重。他當浙西觀察使時，治所潤州甘露寺一個僧人有戒行，他就將一個大宛國產的方竹杖贈給這位僧人。他後來再來潤州，問起僧人「杖無恙否？」僧人回答說：「已規圓而漆之矣」。他竟「嗟惋彌日」。⑯他對於方竹杖，珍愛到時時惦記的程度，卻贈給了這位僧人。可見，他對這位僧人，不是一般的交情。李德裕還挑選懂《易》的僧人來官府講解。上元瓦官寺僧守亮應召前往。守亮條分縷析，探賾索隱，凡是李德裕要問的疑點，守亮不等問起，早已講解得頭頭是道。李德裕大吃一驚，不覺前席。這樣講了一年多，李德裕及其下屬都洗耳恭聽。守亮去世的噩耗傳來，李德裕十分悲痛，率領賓客到寺中致祭，將南海使剛剛送到的西國異香於龕前焚燒，其煙如弦，穿屋而上。李德裕親自撰寫祭文，認為「舉世之官爵俸祿皆加於亮，亮盡受之，可以無愧。」⑰

不過，以上這些情況僅能表明，在士大夫普遍奉佛的社會風氣下，李德裕同佛教也有一定的聯繫，同僧人也有一定的交往，並不能證明他完全崇奉佛教。把他的其它活動一幷加以考察，即可看出，他是反對佛教和其它迷信的。

在中國古代史上，政府主持的反佛活動，有所謂三武一宗毀佛事件。三武指北魏太武帝、北周武帝、唐武宗，一宗指五代後周世宗。北魏、北周和後周的毀佛，都是在國家分裂、僻守一隅的情況下進行的。只有唐武宗會昌毀佛，是在佛教發展到極盛的情況下，在統一帝國的全境內全面鋪開的，因而對於佛教的打擊，較另外三次更嚴重一些。這樣一個大規模的活動，有其深刻的社會原因，當然不能僅僅簡單地看作是唐武宗和當時的宰輔李德裕都信奉道教這種主觀意志的產物。

會昌毀佛有著充分的歷史準備。在唐武宗前任皇帝唐文宗時期，毀佛已處在量的積累階段。唐文宗認識到：「古者三人共食一農人，今加兵佛，一農人乃爲五人所食，其間吾民尤困於佛。」⑱唐文宗大和三年（八二八年），江南西道觀察使沈傳師奏請因爲皇帝過生日，在治所洪州設方等戒壇度僧尼。唐文宗下詔說：「不度僧尼，累有敕命。傳師忝爲藩守，合奉詔條，誘致愚妄，庸非理道，宜罰一月俸料。」⑲後來，唐文宗又下了《條流僧尼敕》，其中說，佛教使「丁壯苟避徵徭，孤窮實困於誘奪」，「自今已後，京兆府委功德使，外州府委所在長吏，嚴加捉搦。不得度人爲僧尼，累有明敕，」「擅有髡削，亦宜禁斷。」「僧尼並須讀得五百紙，文字通流，兗有舛誤，兼數內念得三紙，則爲及格，京城敕下後，諸州府敕到後，許三個月溫習，然後試鍊。如不及格，便勒還俗。」還規定「天下更不得創造寺院。」敕文強調指出：「況一夫不耕，人受其饑，一女不織，人受其寒。安有廢中夏之人，習外夷無生之法？略期疏滌，用潔源流，俾爾齊氓，去末歸本。」⑳

這些精神，有的已經執行。一位禪僧謁見成都少尹李章武，說：「禪觀有年，未嘗念經，今被追試，前業棄矣。願長者念之。」。李章武贈詩說：「南宗尚許通方便，何處心中更有經。好去苾蒭雪水畔，何山松柏不青青。」這位僧人因而免於還俗。㉑這是執行上述精神過程中出現的特殊情況。

唐文宗時期，宦官專權、藩鎮割據、朋黨鬥爭，已成爲積重難返的社會弊病。唐文宗首先考慮解決宦官專權一事，曾起用宋申錫和李訓、鄭注謀誅宦官，而沒有成功。另外兩個問題，也毫未觸動。唐文宗感嘆自己受制宮廷家奴宦官，連受制於諸侯的亡國君主周赧王、漢獻帝都比不上；同時對藩鎮尾大不掉，朋黨爭鬥激烈感到頭痛，說：「去河北賊非難，去此朋黨實難。」㉒其實，「河北賊」也未除掉。在這種政治狀況下，大規模毀佛，是完全不可能的。這種歷史準備積累到一定程度，才在唐武宗時期將毀佛一事付諸實踐。

宰輔李德裕在會昌毀佛中，無疑起了決策的作用。這不僅由於他地位的方便，也同他一貫的反佛反迷信思想有關。毀佛之後，他上表說：「臣竊位樞衡，莫能稗益，愧無將明之效，徒懷鼓舞之心。」㉓似乎他僅僅是毀佛事件的一個旁觀者。其實，這幾句話只不過表明他事成之後，不居功不伐能的政治家風度而已。他一貫反佛反迷信的思想，在其言論和行動方面，有如下的一些體現。

他在浙西時，凡當地危害人民的舊風俗，他都加以革除。民間信巫祝，惑鬼怪，父母兄弟中有厲疾者，全家人棄之而去。他就選出有見識的農民，或加以教導，或加以處置，數年之間，弊風漸革。對於祠廟，保留了前代名臣賢後的祠廟，取締了淫祠一千零一十所，並廢除私邑山房一千四百六十所。徐州節度使王智興假借唐敬宗生日名義，請在泗州設壇度僧，以邀取厚利。江淮一帶的人民趨之若鶩。李德裕上疏說：「江、淮自元和二年後，不敢私度。自聞泗州有壇，戶有三丁，必令一人落髮，意在規避王徭，影庇資產。自正月以來，落髮者無算。臣今於蒜山渡點其過者，一日一百餘人，勘問唯十四人是舊日沙彌，餘是蘇、常百姓，亦無本州文憑，尋已勒還本貫。訪聞泗州置壇次第，凡僧徒到者，人納二緡，給牒即回，別無法事。若不特行禁止，比到誕月，計江、淮已南，失卻六十萬丁壯。此事非細，繫於朝廷法度。」朝廷見到他的奏狀，立即下詔取締度僧。後來，他又對於妖僧出售「聖水」而謀取錢財、危害人民一事，作了鬥爭。他認爲：「昔吳時有聖水，宋、齊有聖火，事皆妖妄，古人所非。」⑫⁴這事也得到朝廷的批准。

他在劍南西川時，拆毀浮屠私廬數千所，把地給予農民。蜀漢先主劉備祠旁有一個叫猱村的村莊，「其民剃髮若浮屠者，畜妻子自如。」他下令禁止。他不懈努力，移風易俗，終於使「蜀風大變。」⑫⁵

他崇奉道教，但反對服食長生不老藥。道士趙歸眞和僧人惟貞、齊賢、正簡四人，出入禁中，搖唇鼓舌，或說以神仙之術，或諭以祠禱修福，以致長年，使唐敬宗很受迷惑，三年之中，四次下詔在江南求訪異人。浙西一個名叫周息元的騙子，自稱年數百歲，認識已故幾十年的道士張果、葉靜能，被徵赴京師。李德裕上疏說：「臣所慮赴召者，必迂怪之士，苟合之徒，使物淖冰，以爲小術，衒耀邪僻，蔽欺聰明。……臣所以三年之內，四奉詔書，未敢以一人塞詔，實有所懼。臣又聞前代帝王，雖好方士，未有服其藥者。故《漢書》稱黃金可成，以爲飲食器則益壽。又高宗朝劉道合、玄宗朝孫甑生，皆成黃金，二祖竟不敢服，豈不以宗廟社稷之重，不可輕易。此事炳然載於國史。以臣微見，倘陛下睿慮精求，必致眞隱，唯問保和之術，不求餌藥之功，縱使必成黃金，止可充於玩好，則九廟靈鑒，必當慰悅，寰海兆庶，誰不歡心？」⑫⑥

理論上反佛，見於他的兩篇文章。一篇是《賀廢毀佛寺德音表》。此文認爲，佛教傳入中國之前，「至化深厚，大道和平，人自稟於孝慈，俗必臻於仁壽。」佛教傳入後，東吳時建置塔廟，翻譯佛書，宋齊梁陳時期，佛教便十分興盛。這一歷史時期，「好大不經之說，陋乃詩書；因報拔濟之談，隆於仁孝。運祚浮促，篡奪相尋，二百年間，五變朝市。君無殷宗之福，臣靡衛武之年，感驗寂寥，斯可明矣。」到了唐代，唐高祖即欲鏟除積弊，但爲梁之後蕭瑀阻撓，「遂使土木興妖，山林增搆，一巖之秀，必極雕鐫，一川之腴，已布高刹。鬼功不可，人力寧堪！耗蠹生靈，侵減徵稅。」唐武宗會昌毀佛，才使這一「國家大蠹，千有餘年」的狀況爲之一變，「破逃亡之藪，皆列齊人；收高壤之田，盡歸王稅。正群生之大惑，返六合之澆風。出前聖之謨，爲後王之法。巍巍功德，煥炳圖書。」他欣喜異常，感嘆道：「千古未逢，百生何幸，不任抃賀踴躍之至。」⑫⑦這一篇文章，還是傅奕、辛替否、姚崇、韓愈等人的那套路子，簡單地把歷代興亡盛衰歸結爲佛教的有無，因而在理論上並沒有什麼建樹。

另一篇《梁武論》，結合佛理對梁武帝佞佛作出具體的分析、批判，則高出前文一籌。此文開頭即旗幟鮮明地提出：「世人疑梁武建佛剎三百餘所，而國破家亡，其禍甚酷，以爲釋氏之力不能拯其顚危，余以爲不然也。」接著他分析說，施舍是佛教的六波羅蜜之一，深求此理，不過是戒人勿貪，而庸人理解爲作福，那是十分錯誤的。「梁武所建佛剎，未嘗自損一毫，或出自有司，或厚歛氓俗。竭經國之費，破生人之產，勞役不止，杼柚其空，閏位偏方，不堪其弊，以徼身福，不其悖哉！梁武所以不免也。」⑫⑧

從以上這些事跡可以看出，李德裕既主持了會昌毀佛，又對佛教進行了理論批判。馬克思在談到對於宗教的批判時指出：「批判的武器當然不能代替武器的批判，物質力量只能用物質力量來摧毀；但是理論一經掌握群衆，也會變成物質力量。」⑫⑨會昌毀佛是政府以行政手段來簡單否定佛教的自上而下的政治運動。這種運動盡管來勢迅猛，但不能有效地觸動宗教的理論基礎和社會基礎，猶如下了一場暴雨，雨水還來不及滲進土壤便流走了。唐武宗去世後，唐宣宗一上台，就全面恢復佛教。孫樵在唐宣宗大中五年（八五一年）上疏批評說：「陛下即位以來，修復廢寺，天下斧斤之聲至今不絕，度僧幾復其舊矣。」⑬⓪這是佛教的社會基礎未被觸動的反映。若僅僅歸結爲「宣宗忌武宗君相，而悉反其政，浮屠因緣以復進；」⑬①或歸結爲唐宣宗微時，以唐武宗忌之，而遁跡爲僧，因而登極後著力保護佛教，則未免把問題看得太簡單了。毀佛運動還存在另外的問題。幾十萬還俗僧人一旦失去寺院的集體生活和民間的施舍，衣食全無著落，生計成爲問題，於是便到處搶劫，社會治安和封建秩序反倒出現嚴重危機。李德裕對這一點了如指掌，《請淮南等五道置遊奕船狀》一文指出：「自有還僧以來，江西劫殺比常年尤甚。自上元至宣池地界，商旅絕行。」⑬²日僧圓仁見到的當時情況是，「唐國僧尼本來貧，天下僧尼盡令還俗，乍作俗形，無衣可著，無物可吃，艱窮至甚，凍餓不徹，便入鄉村，劫奪人物，觸處甚多。州縣捉獲者，皆是還俗僧。」⑬³近人湯用彤先生據此推論說：「唐末王仙芝、黃巢相繼起義，山東江淮之民於短期間從之者數萬，是必社會人民之困乏，有以致之。而武宗之毀法，未詳爲僧人謀生計，亦或其一因歟？」⑬⁴而在當時，要對佛教作科學的理論批判，讓理論掌握群衆，變成物質力量，去摧毀佛教，則是完全作不到的。在這樣的歷史條件下，李德裕由於機遇甚好，不僅在理論上有一定的闡發，而且在實踐上，既能促成政府的毀佛運動，又能在治區內鏟除積弊，移風易俗，在唐代反佛士大夫中，成績最爲卓著。

通過以上的比較，可以看出，在反佛方面，無論是思想的深刻程度，還是實踐的徹底程度，韓愈都比不上姚崇和李德裕。然而，他的聲望卻超越姚崇、李德裕和其他反佛士大夫之上，以至於人們只要提到唐代士大夫的反佛，便首先想到他。這主要是由於他上《諫迎佛骨表》於唐憲宗而險些被殺頭，一下子名聲陡起，猶如一個三、四流作家的作品，在全國範圍內遭到了不公正的批判，使作者反倒享有了第一流作家那種全國性的威望一樣。

儘管如此，韓愈反佛仍然具有不可磨滅的歷史功績。大致可以歸納爲以下三點。

1. 助長正氣。

孔子不談論「怪力亂神」。⑬⑤孟子善養「浩然之氣。」⑬⑥這是韓愈對佛教本能地產生反感的思想根源和情感根源。韓愈上表批評皇帝崇奉佛教，並以亡國絕祀相警告，這需要一定的魄力和勇氣。韓愈反佛雖然沒有多少成效，然而他所表現出來的浩然正氣，卻產生了積極的社會效果。當他出任京兆尹兼御史大夫時，一向桀驁不馴的六軍將士都不敢犯，私下相互議論說：「是尚欲燒佛骨者，安可忤！」於是秩序井然，「盜賊止。」⑬⑦這對於壓倒歪風邪氣，維持社會安定，無疑起到了促進的作用。

2. 威脅佛教。

清人梁章鉅引五台山僧人話說：「闢佛之說，宋儒深而昌黎（韓愈）淺，宋儒精而昌黎粗。然披緇之徒畏昌黎，不畏宋儒，銜昌黎，不銜宋儒也。蓋昌黎所闢檀施供養之佛，爲愚夫婦言之也。宋儒所闢明心見性之佛，爲士大夫言之也。天下士大夫少而愚夫婦多。僧徒所取給，亦資於士大夫者少，資於愚夫婦者多。使昌黎之說勝，則香積無煙，祇園無地。雖有大善知識，能率恆河沙衆枵腹露宿而說法哉！比如用兵者，先斷糧道，不攻而自潰也。故畏昌黎甚，銜昌黎亦甚。使宋儒之說勝，不過爾儒理如是，儒法如是，爾亦不必從我；我佛理如是，佛法如是，我亦不必從爾。各尊所聞，各行所知，兩相枝拄，未有害也。故不畏宋儒，亦不甚銜宋儒。然則唐以前之儒，語語有實用；宋以後之儒，事事皆空談，講學家之闢佛，於釋氏毫無加損，徒喧鬧耳。」⑬⑧這裡批判宋代理學家遊談無根、空談性命的作法，對佛教毫無損害，應該說失之於偏頗；但指出韓愈的批判，影響到佛教所希望得到的施捨，因而對佛教構成了釜底抽薪的威脅，卻有相當的道理。即使是明心見性的禪宗，固然標榜向自己的內心去求佛，卻不能完全脫離物資。這是韓愈反佛活動意外地產生唯物主義效果的事情。然而，只有徹底的唯物主義，才能對唯心主義構成根本性的震懾，這是韓愈不可能作到的。

另外，韓愈由於理論水平的限制，不得不運用常識，就福田利益一事，對廣大普通民衆宣傳反佛，這種普及工作有時會收到較大的效果。可見，在宣傳效果上，下里巴人有時比陽春白雪更切合實際。

3.提供借鑒。

韓愈反佛思想的不成熟性，是反佛社會條件不成熟性的體現。佛教作爲一種歷史現象、社會勢力、宗教和文化，應該受到人們的清理和批判。在近代的科學方法形成之前，我們不能苛求古人去作準確、系統、周密的批判；相反，對於古人近是或稍有可取的說法，我們都應當尊重。韓愈的批判，作爲思想資料，可以作爲後人對佛教進行科學的批判的重要借鑒，甚至可以看作反佛總過程中的一個方面軍。思想的發展有連續性和繼承性，後人對佛教的批判，無疑可以被認爲是包括韓愈在內的前人思想中合理成分的繼承和發展，以及不合理成分的矯正和揚棄。

總之，韓愈反佛，厥功不沒。

【附　註】

①《全唐詩》卷一九七。
②參今人郭朋先生《隋唐佛教》頁五九五—六〇〇。
③《全唐詩》卷六六二。
④《全唐詩》卷二四九。
⑤《全唐詩》卷五五〇。
⑥《全唐詩》卷六〇二。
⑦《因話錄》卷四。
⑧《全唐詩》卷三〇一。
⑨《舊唐書》卷七九《傅奕傳》。
⑩北宋邵博《邵氏聞見後錄》卷八。
⑪南宋陳善《捫虱新話》卷一,《韓文公論佛骨表其說始於傅奕》。
⑫清梁章鉅《退庵隨筆》卷一八。
⑬《舊唐書》卷一二七《彭偃傳》。
⑭《全唐詩》卷四二七,白居易《新樂府·兩朱閣 刺佛寺寖多也》。
⑮《舊唐書》卷八八《韋嗣立傳》。
⑯《舊唐書》卷一〇一《辛替否傳》。

⑰《舊唐書》卷八九《狄仁傑傳》。
⑱杜牧《樊川文集》卷一〇，《杭州新造南亭子記》。
⑲《舊唐書》卷八九《狄仁傑傳》。
⑳《新唐詩》卷一二五《蘇悋傳》。
㉑《舊唐書》卷一〇一《張廷珪傳》。
㉒《舊唐書》卷九四《李嶠傳》。
㉓《資治通鑑》卷二四九唐宣宗大中五年條。
㉔《全唐文》卷八〇四，劉允章《直諫書》。
㉕㉖《舊唐書》卷七九《傅奕傳》。
㉗《樊川文集》卷一〇，《杭州新造南亭子記》。
㉘《廣弘明集》卷一一，傅奕《上廢省佛僧表》。
㉙《全唐詩》卷三三七，韓愈《送靈師》。
㉚《舊唐書》卷八九《狄仁杰傳》。
㉛《舊唐書》卷一二七《彭偃傳》。
㉜《廣弘明集》卷一一，法琳《對傅奕廢佛僧事》引傅奕語。
㉝《舊唐書》卷九一《桓彥範傳》。

㉞《舊唐書》卷一一一《張鎬傳》。
㉟《舊唐書》卷一一七《崔蠡傳》。
㊱《舊唐書》卷一七八《李蔚傳》。
㊲《樊川文集》卷一〇，《杭州新造南亭子記》。
㊳《韓昌黎集》卷三九，《諫迎佛骨表》。
㊴李翺《李文公集》卷四，《去佛齋》。
㊵《新唐書》卷一四七《李叔明傳》載裴伯言語。
㊶《舊唐書》卷九六《姚崇傳》。
㊷《韓昌黎集》卷三九，《諫迎佛骨表》。
㊸《舊唐書》卷九六《姚崇傳》。
㊹《舊唐書》卷一〇一《辛替否傳》。
㊺《韓昌黎集》卷一一，《原道》。
㊻《廣弘明集》卷一一，傅奕《上廢省佛僧表》。
㊼《舊唐書》卷七九《傅奕傳》。
㊽《舊唐書》卷一二七《彭偃傳》。
㊾《新唐書》卷一四七《李叔明傳》載裴伯言語。

㊿《新唐書》卷一四七《李叔明傳》，並參《舊唐書》卷一二七《彭偃傳》所載李叔明語。

51《韓昌黎集》卷三九，《諫迎佛骨表》。

52《樊川文集》卷一〇，《杭州新造南亭子記》。

53《舊唐書》一八三《薛懷義傳》。

54《資治通鑑》卷二〇三武則天垂拱二年條。

55《資治通鑑》卷二〇八唐中宗神龍元年、景龍元年條。

56《資治通鑑》卷二〇九唐睿宗景雲二年條。

57《宋高僧傳》卷一一《崇演傳》。

58《雲溪友議》卷上。

59《雲溪友議》卷下。按：「以勵」原作「以例」，「七歲」原作「上歲」，據《全唐文紀事》卷一〇三引此條校改。

60《舊唐書》卷一二九《韓滉傳》。

61《舊唐書》卷一七四《李德裕傳》。

62《史學月刊》一九八五年第三期。

63《資治通鑑》卷二〇三武則天垂拱二年條。

64《雲溪友議》卷下。

⑮《集古今佛道論衡》卷丙。
⑯《集古今佛道論衡》卷丙。
⑰《集古今佛道論衡》卷丙。
⑱《廣弘明集》卷一一，法琳《對傅奕廢佛僧事》。
⑲《大慈恩寺三藏法師傳》卷五。
⑳《舊唐書》卷一〇一《張廷珪傳》。
㉑《舊唐書》卷一〇一《辛替否傳》。
㉒《嬾眞子》卷二。
㉓清趙翼《甌北詩話》卷三。
㉔《退庵隨筆》卷一八。
㉕《溫國文正司馬公文集》卷六九，《書心經後贈紹鑒》。
㉖《韓昌黎集》卷一六，《答李翊書》。
㉗《韓昌黎集》卷一二，《進學解》。
㉘《唐宋八大家文鈔·韓文》評語卷一。
㉙《唐宋八大家文鈔·韓文》評語卷九。
㊱《韓文杜律·韓文》評語。

⑧①清包世臣《藝舟雙楫》論文一。
⑧②南宋董逌《廣川書跋》卷九，《爲陳中玉書羅池碑》。
⑧③《韓昌黎集》卷一一。
⑧④《經進東坡文集事略》卷八，《揚雄論》。
⑧⑤《捫虱新語》卷一，《韓退之謂荀楊未純》。
⑧⑥中國史稿編寫組《中國史稿》第四冊第三七三—三七四頁，人民出版社一九八二年版。
⑧⑦《柳宗元集》卷二五，《送僧浩初序》。
⑧⑧《劉禹錫集》卷四，《袁州萍鄉縣楊岐山故廣禪師碑》。
⑧⑨《論語·爲政篇》。
⑨⑩明薛應旂《薛方山紀述》。
⑨①《韓昌黎集》卷三九《諫迎佛骨表》。
⑨②唐吳兢《貞觀政要》卷一。
⑨③《廣弘明集》卷一一，法琳《對傅奕廢佛僧事》。
⑨④《廣弘明集》卷一四。
⑨⑤《韓昌黎集》卷一一，《原道》。
⑨⑥《韓昌黎集》卷一八，《與孟尙書書》。

⑰《柳宗元集》卷二五，《送僧浩初序》。
⑱《史記》卷八七，《李斯列傳》。
⑲《韓昌黎集》卷一一，《原道》。
⑳《韓昌黎集》卷三九，《諫迎佛骨表》。
⑩《捫虱新話》卷三，《韓退之闢佛老》。
⑩《韓文杜律·韓文》評語。
⑩《韓文杜律·韓文》卷首。
⑭清林雲銘《韓文起》評語卷二。
⑮《韓文起》評語卷四。
⑯敦煌本《壇經》。
⑰《古尊宿語錄》卷四，《鎮州臨濟慧照禪師語錄》。
⑱《舊唐書》卷九六《姚崇傳》。
⑲《舊唐書》卷九六《姚崇傳》。
⑩《捫虱新話》卷三，《韓退之闢佛老》。
⑪《廣弘明集》卷一一，法琳《對傅奕廢佛僧事》引傅奕語。
⑫《韓昌黎集》卷一一。

⑪③《全唐詩》卷四七五。「開佛慧」原作「聞佛慧」，據上海涵芬樓影印常熟瞿氏鐵琴銅劍樓藏明刊本《李文饒文集》別集卷三校改。
⑪④《全唐詩》卷四七五。
⑪⑤《李文饒文集》別集卷八。
⑪⑥南宋張表臣《珊瑚鉤詩話》卷二。
⑪⑦《唐語林》卷二。
⑪⑧《樊川文集》卷一〇，《杭州新造南亭子記》。
⑪⑨《舊唐書》卷一七上《文宗紀上》。
⑫⓪《全唐書》卷七四。
⑫①《本事詩》。
⑫②《舊唐書》卷一七六《李宗閔傳》。
⑫③《李文饒文集》卷二〇，《賀廢毀佛寺德音表》。
⑫④《舊唐書》卷一七四《李德裕傳》。
⑫⑤《新唐書》卷一八〇《李德裕傳》。
⑫⑥《舊唐書》卷一七四，《李德裕傳》。
⑫⑦《李文饒文集》卷二〇。「鬼功」原作「鬼切」，據文意徑改。

⑫⑧《李文饒文集》外集卷四。
⑫⑨馬克思《黑格爾法哲學批判導言》。《馬克思恩格斯選集》第一卷第九頁。
⑬⓪《資治通鑑》卷二四九唐宣宗大中五年條。
⑬①清王夫之《讀通鑑論》卷二六，《武宗》。
⑬②《李文饒文集》卷一二。
⑬③《入唐求法巡禮行記》卷四。
⑬④湯用彤《隋唐佛教史稿》頁五〇。
⑬⑤《論語·述而篇》。
⑬⑥《孟子·公孫丑上》。
⑬⑦《李文公集》卷一一，《故正議大夫行尚書吏部侍郎上柱國賜紫金魚袋贈禮部尚書韓公行狀》。
⑬⑧《退庵隨筆》卷一八。

第四章　佛教對士大夫的影響

第一節　佛教對士大夫思想方面的影響

一、思想開發

佛教和世界上其它宗教一樣，是一種宗教。同時，它又和其它宗教有很大的差別。它是理論的宗教、哲學的宗教、藝術的宗教，而不僅僅是故事的宗教、教條的宗教。佛教也需要建立自己的宗教權威、宗教秩序、宗教心理、宗教憧憬；但它不是依據蒙昧主義、神秘主義來讓人們盲目地服從而達到這一點；相反，它是通過理論探討來解釋世界和教育群衆的。因此，佛教是一種思想體系，擁有汗牛充棟的的文獻，擁有專家學者，擁有教育手段和文學藝術。佛教作爲一種異國宗教，傳入中國後，給中國的思想領域帶來了新成分。它以自己徹底的唯心主義，大而無當的謊言，色彩斑駁的故事，離奇古怪的術語，豐富的辯證法因素，嚴謹的邏輯，縝密的分析，以及圓滑的因果報應、輪回、涅槃等等內涵，對中國的傳統文化進行了一次巨大的衝擊。各種學說和它比起來，都是小巫見大巫了。它以鎮懾一切的力量，贏得了中國人的大多數，因而也贏得了士大夫的大多數。

隨著佛教的傳入和發展，佛教典籍的漢文譯本逐漸增多。漢譯本對原本的理解和表達，因人、地、時的不同而呈現紛繁雜沓的狀態。漢地佛教和印度佛教、西域佛教，林林總總，派別衆多，其主張在總原則一致的情況下，又各有歧異。士大夫與唐代佛教各宗都有聯繫，衆多條渠道程度不同地接受佛教思想。佛教理論與中國傳統文化有同有異，士大夫在比較的過程中，難免要考鏡源流，辨章學術。基於這些原因，士大夫接受的佛學思想相當雜蕪。由於缺乏理論興趣，多數人淺嘗輒止，只會生吞活剝地搬弄術語，涉獵典故；只有少數人能從自己所受的傳統文化的教育出發而學習佛理，達到知其突奧、融會貫通的地步。但從總的方面來看，他們對佛教宣傳的唯心主義、色空說、因果報應說、出世主張等等，則是程度不同地加以接受的。

陳子昂對佛教和儒墨老莊進行了比較，在《夏日暉上人房別李參軍崇嗣》一詩的序言中，他寫道：「討論儒墨，探覽眞玄，覺周孔之猶迷（一作述），知老莊之未悟（一作晤），遂欲高攀寶座，伏奏金仙，開不二之法門，觀大千之世界。」①白居易對佛教和老莊進行了比較，在《讀老子》詩中，他指出老子認爲「知者默，」可是老子是智者，「緣何自著五千文？」在《讀莊子》詩中，他說，莊子提出「齊物同歸一」，泯滅事物的差別，然而「遂性逍遙雖一致，鸞鳳終校勝蛇蟲。」至於佛教呢？

《讀禪經》詩寫道：「須知諸相皆非相，若住無餘卻有餘。言下忘言一時了，夢中說夢兩重虛。空花豈得兼求果，陽（一作物）焰如何更覓魚？攝動是禪禪是動，不動不禪即如如。」②通過比較思索，由於佛教理論比儒墨老莊深刻嚴密得多，他們在思想上接受了佛教的一些成分。

帶上了這樣的佛教眼鏡，白居易看到的一切都以佛教的世界觀、方法論加以認識。《感芍藥花寄正一上人》詩說：「今日階前紅芍藥，幾花欲老幾花新。開時不解比色相，落後始知如幻身。空門此去幾多地，欲把殘花問上人。」③這是佛教的緣起學說對士大夫的智力開發，啓發士大夫對於一些熟視無睹的現象重新認識。《僧院花》一詩便徑直得出了結論，詩云：「欲悟色空爲佛事，故栽芳樹在僧家。細看便是華嚴偈，方便樹開智慧花。」④華嚴偈即《華嚴經》，梵本全經共由十萬偈構成，幾個漢譯本都不是《華嚴經》全本。《華嚴經》是華嚴宗的經典。華嚴宗的理論基礎是法界緣起說，認爲世間的一切叫事法界，都是由佛性即理法界變現出來的。理法界與事法界，熔融無礙，理遍於事，事遍於理，一即一切，一切即一。因此，佛性是遍存於一切的。佛教的其它宗派也有這種見解。三論宗的創始人、隋代僧人吉藏說過：「一切草木，並是佛性也。」⑤唐代天台宗僧人湛然也說過：「無情有性。」⑥禪宗人也不斷討論「青青翠竹，盡是法身，鬱鬱黃花，無非般若。」⑦白居易的這首詩，不正是這一佛學理論的韻文化嗎？

韋應物在《聽嘉陵江水聲寄深上人》詩中，就水聲產生一事，請教於僧深。詩云：「鑿崖泄奔湍，稱古神禹跡。夜喧山門店，獨宿不安席。水性自云（一作爲）靜，石中本無聲，如何兩相激，雷轉空山驚？貽之道門友（一作舊），了此物我情。」⑧鮑溶在《贈僧戒休》詩中寫道：「風行露宿不知貧，明月爲心又是身。欲問月中無我法，無人無我問何人？」⑨這兩首詩表現了作者的思辨興趣。儒家思想培養起來的士大夫，聽到佛教的一些出乎意表的說法，便會大吃一驚。嚴維《宿天竺寺》詩說：「方外主人名道林，怕將水月淨身心。居然對我說無我，寂歷山深將夜深。」⑩人體是客觀存在，而佛教認爲人是由內四大和五蘊和合而成的，沒有自性，是一種虛幻的存在，一種假有，於無我中而取我相，我即非我，我即無我。這種唯心主義的說法十分奇特，難免使士大夫感到吃驚，說「居然對我說無我」了。李渤是個學識淵博的人，百家之書，無不該綜，人號李萬卷。但他對於佛教關於須彌山容得下一粒芥子，一粒芥子也容納得了須彌山的說法，百思不得其解，就向禪僧智常請教。須彌山，又叫妙高山，是佛教虛構的世界的中心。須彌山非常高，日月星辰只繞著它的半山腰旋轉。而芥子，卻是微乎其微的東西。關於須彌山能容得下一粒芥子，一粒芥子也容得了須彌山，天台宗和華嚴宗都有論述。天台宗人隋僧慧思指出，大和小在心中得到統一，「舉小收大，無大而非小；舉大攝小，無小而非大。無小而非大，故大入小而大不減；無大而非小，故小容大而小不增。是以小無異增，故芥子舊質不改；大無異減，故須彌大相如故。此即據緣起之義也。若以心體平等之義望彼，即大小之相本來非有，不生不滅，唯一眞心也。」⑪華嚴宗人唐僧法藏指出，世界上的一切，都是心派生的，「塵是心緣，心爲塵因，因緣和合，幻相方生。」由心派生的外界一切，在心的領域中，泯滅了各自大小多少的差異。「通大小者，如塵圓相，是小；須彌高廣，爲大。然此塵與彼山，大小相容，隨心回轉，而不生滅。且如見山高廣之時，是自心現作大，非別有大；今見塵圓小之時，亦是自心現作小，非別有小。」⑫而且，「大必收小，方得名大；小必容大，乃得小稱。」「是知大是小大，小是大小。小無定性，終自遍於十方；大非定形，歷劫皎於一世。則知小時正大，芥子納於須彌；大時正小，海水納於毛孔。」⑬法藏還同智儼一樣，將這一說法從理論上概括爲因陀羅網境界門，認爲理法界變現出了事法界的一切，事法界的每一種事物，不管大的小的，多的少的，既然都是理法界的體現，因而都含有理法界，所以大的小的，多的少的，本身也都含有所有其它的事物，彼此互相滲透、交融，無窮無盡，如同帝釋天宮殿中綴以寶珠的網一樣，珠光互相輝映，層層疊疊，融成一個境界。這些說法，對於僅僅讀過諸子百家著作的李渤來說，還顯得太玄妙艱深了些。智常是禪宗人，可能對這些理論不是多麼熟悉，或者考慮到要闡釋這個道理，不是幾句話可以說淸的，也不一定能使李渤弄懂，因而他沒有正面作解釋，只反問了一句：「人言博士學覽萬卷書籍」，「摩踵至頂，只若干尺身，萬卷書向何處著？」李渤被這一問弄得「俯首無言，再思稱嘆。」⑭無疑，這種說法比形而上學地看待問題略高一籌，對於士大夫的思想開發，能起到啓迪作用。

在探索的過程中，總會有不同的意見。韓愈和柳宗元之間，就曾進行過激烈的爭論和批評，本書第三章第二節第二段落、第四章第二節第二段落和第五章第二節有具體的論述，此處從略。

這種思想的活躍，是一件好事。佛學中的一些有益的成分，對於士大夫開闊眼界，啓發思索，起了良好的作用。通過對它錯誤成分的思考和批判，也會導致積極的後果。總之，能使思想界別開生面，增添財富。但是，大規模地開展對於佛教理論的吸收和批判，由於歷史的原因，唐代士大夫是不能勝任的（僅僅由李翺等少數人開始作了點工作），只好留待宋代理學家們去作了。

二、柳宗元、劉禹錫的唯物主義

宋代士大夫吸收佛、道學說，對儒學進行改造，形成爲理學。理學形成以前，儒學經歷了漫長而單調的發展時期。早在春秋時期，儒學的開山祖孔子就不談論怪力亂神，對於不清楚的事情，採取多聞闕疑的態度，不進行積極的探討，宇宙本原這類大問題，距離人事太遙遠了，因而得不到應有的重視。儒學僅僅成爲治理國家的學說和爲人處世的規定。這一學說和規定，往往是緣事而發，以歷史和現實作爲考察對象，而且往往缺乏論證過程，只揭出結論。到了戰國時期，孟子發揮和發展了孔子的學說；荀子雖有《天論》一文，涉及到自然觀，但著作中絕大多數內容，依然是關於社會的學說。西漢時，董仲舒建議罷黜百家，獨尊儒術，但經他改造後的儒學，吸收了法家、陰陽家的成分，成爲非常荒誕的學說。韓愈不承認董仲舒在儒學發展史上的地位，認爲孟子以下是一段空白，儒學不得其傳。可見，儒學一直是沿著一條注重現實和人事的道路發展的，不過問宇宙本原和思辨原理。這種現實主義的風格，無疑限制了人們的眼界，禁錮了人們的思想，培養出一代又一代沒有理論能力的文人。

佛教則不然。佛教的理論包羅萬象，有對社會人生的研究，有對宇宙本體的研究，有對物質現象和精神現象的研究，有對人體和心理活動的研究，有對宏觀和微觀的研究，有對時間和空間的研究，有對認識能力和邏輯方式的研究。佛教理論的博大精深，在世界古代史上是空前的和僅見的。這種浪漫主義的風格，無疑會開拓人們的眼界，啓發人們的思維。誠然，佛教的很多說法都是錯誤的荒謬的，但是，我們如果想一下當時的生產力發展水平，當時各個學科的幼稚程度和空白狀態，在沒有天文望遠鏡、宇宙飛船、顯微鏡、激光等等的條件下，佛教能提出系統而深刻的理論，實在難能可貴。而且，從人類的認識史來看，最先提出的錯誤理論，只要深刻，就能促進認識向縱深發展，錯誤往往會成爲正確的先導，科學發展的過程，就是謬誤不斷地被糾正的過程。因此，佛教理論與它的宣傳目的恰恰相反，會收到意外的後果。

唐代哲學界沒有出現驚人的劃時代的成果，在唯心主義和唯物主義的分野上，卻出現了一個有趣的現象，即唯心主義思想家，是崇儒反佛最堅決的韓愈，而唯物主義思想家，卻是崇佛最佞的柳宗元、劉禹錫。在同樣的歷史條件下，會出現唯心主義和唯物主義的分野，這恐怕應該從他們所奉學說的風格上找原因。韓愈在儒學現實主義作風的影響下，囿於見聞，膠柱鼓瑟，只能重複一些老調。他認爲天有意志，「有功者受賞必大矣，其禍焉者受罰亦大矣。」⑮他還認爲神鬼是確確實實存在的，「無聲與形者，物有之矣，鬼神是也。」「漠然無形與聲者，鬼之常也。民有忤於天，有違於民（南宋朱熹《韓文考異》說：上民字一作人，下民字或作時），有爽於物，逆於倫，而感於氣，於是乎鬼有形於形、有憑於聲以應之，而下殃禍焉，皆民之爲之也。其既也，又反乎其常。」⑯這些說法，都不是什麼新貨色，或出於他素不尊崇的西漢人董仲舒，或出於戰國時期的墨子。

柳宗元、劉禹錫在自然觀方面，堅持了唯物主義的路線。柳宗元認為天地是物質，沒有意志，與人類沒有感應的關係，不可能賞功罰禍。他在《天說》一文中批判了韓愈的唯心主義天人感應說：指出：「彼上而玄者，世謂之天；下而黃者，世謂之地；渾然而中處者，世謂之元氣；寒而暑者，世謂之陰陽。是雖大，無異果蓏、癰痔、草木也。假而有能去其攻穴者，是物也，其能有報乎？繁而息之者，其能有怒乎？天地，大果蓏也；元氣，大癰痔也，陰陽，大草木也，其烏能賞功而罰禍乎？功者自功，禍者自禍，欲望其賞罰者大謬；呼而怨，欲望其哀其仁者，愈大謬矣。」⑰他在《天對》、《非國語三川震》、《非國語神降於莘》、《非國語卜》、《時令論》等文中，一再闡述自己的唯物主義見解，認為天地、元氣是物質，時間和空間是無限的客觀存在，自然災害是自然界的現象，和社會政治沒有感應的關係，不應該聽之於鬼神，等等。劉禹錫著有《天論》上、中、下三篇，認為：「天，有形之大者也；人，動物之尤者也。天之能，人固不能也；人之能，天亦有所不能也。故余曰：天與人交相勝爾。」「天恆執其所能以臨乎下，非有預乎治亂云爾。人恆執其所能以仰乎天，非有預乎寒暑云爾。」⑱

這些觀點，戰國時期的荀子，東漢時期的王充，都已大致提出了。荀子說：「天行有常，不為堯存，不為桀亡」；「明於天人之分，則可謂至人矣」；「大天而思之，孰與物畜而制之；從天而頌之，孰與制天命而用之。」⑲這是說，天是獨立於人們意志之外的自然界，在按著自己的常規運動變化，和有意志有感情的人完全不同，應該加以區別，因而，對天不必推崇頌揚，而應當作物來畜養、控制和利用。王充說：「夫天者，體也，與地同」，⑳「天地，含氣之自然也」，㉑「天地不生故不死。」㉒他還批判說：「儒者論曰：天地故生人。此言妄也。夫天地合氣，人偶自生也，猶夫婦合氣，子則自生也。」㉓這是說，天地是永恆的物質實體，是由元氣構成的，天地沒有情感意志，獨立於人類之外，不能有目的地生出萬物。他進而批判天人感應論，說：「天能譴告人君，則亦能故命聖君，擇才若堯舜，受以王命，委以王事，勿復與知。今則不然，生庸庸之君，失道廢德，隨譴告之，何天不憚勞也！」㉔但荀子反對人們對天進行探討研究，說自然界的一切事物是「不爲而成，不求而得」的，這叫做「天職。」天職「雖深，其人不加慮焉」，「雖精，不加察焉。夫是之謂不與天爭職。」「唯聖人爲不求知天。」㉕他還說，君子對於天地萬物，「不務說其所以然。」㉖這種主張無疑限制了人們的研究，不能使認識深化。王充說：「天施氣而衆星布精，天所施氣，衆星之氣在其中矣。人稟氣而生，含氣而長，得貴則貴，得賤則賤。貴或秩有高下，富或資有多少，皆星位尊卑小大之所授也。」㉗今人任繼愈先生指出：「這裡爲了明人的富貴貧賤是由於稟氣受命，把人的地位、財產和天上星象的大小尊卑聯繫起來，這實際上等於背離了天道自然的主張，把天神秘化了。」㉘

柳宗元、劉禹錫繼承了荀子、王充的唯物主義主張，又有一定的發展。如果我們考慮一下柳宗元、劉禹錫奉佛的程度，就可知他們的知識結構是完全不同於荀子和王充的。

柳宗元和劉禹錫都以儒學佛，以佛解儒。柳宗元認爲，佛教和《易》、《論語》相合，「誠樂之，其於性情奭然，不與孔子道異。」他這樣學習佛教，自以爲「雖聖人復生不可得而斥也。」㉙劉禹錫是在學習儒學感到困惑時，才轉而學習佛教，並由此豁然領悟，融會貫通的。他說，孔子立「中樞之教，懋建大中，」釋迦起「西方之教，習登正覺」。「然則儒以中道御群生，罕言性命，故世衰而寖息；佛以大悲救諸苦，廣啓困業，故劫濁而益尊」。佛教內容極爲廣博，不同層次和不同目的的人，都可以領略其中的一部分內容，「味眞實者，即清淨以觀空；存相好者，怖威神而遷善；厚於求者，植因以覬福；罹於苦者，證業以銷冤。」㉚他過去學習《禮記》中的《中庸》，到「不勉而中，不思而得」一句時，「悚然知聖人之德，學以至於無學。」但是對於這句話，仍然覺得能見到室廬而找不到入門的途徑。後來讀了佛書，「見大雄念物之普，級寶山而梯之，高揭慧火，巧熔惡見，廣疏便門，旁束邪徑。其所證入，如舟泝川，未始念於前而日遠矣。夫可勉而思之邪？」這才感到自己「知突奧於《中庸》，啓鍵關於內典，會而歸之，猶初心也。」㉛因此，他便廣讀佛書，交際僧人，「深入智地，靜通道源，客塵觀盡，妙氣來宅，猶煎煉然。」㉜可見，他們都是以中學爲體，佛學爲用，把佛學當作理論、哲學來學習，以補充儒學中欠缺的部分。這樣，便培養起了他們開拓性的品格。

佛教用緣起說來解釋宇宙的生成。華嚴宗五祖宗密寫有《華嚴原人論》一文，探討世界和人類的起源。他說，佛教的小乘教即已指出，世界在「成住壞空，空而復成」的過程中，不斷地生成，毀滅，再生成，再毀滅，周而復始，循環不已。關於從空劫到成劫這一個周期中，世界是如何生成的，人類是如何生成的，「頌曰：空界大風起，傍廣數無量，厚十六洛叉，金剛不能壞，此名持風界。光音金藏雲，布及三千界，雨如車軸下，風遏不聽流，深十一洛叉，始作金剛界。次第金藏雲，注雨滿其內，先成梵王界，乃至夜摩天。風鼓清水成，須彌七金等，滓濁爲山地，四洲及泥犁，咸海外輪圍，方名器界立。時經一增減，乃至二禪福盡，下生人間，初食地餅林藤，後粳米不銷，大小便利，男女形別，分田立主，求臣佐，種種差別。經十九增減，兼前總二十增減，名爲成劫。」這段文字很晦澀，是說世界毀壞後，經歷漫長的時間，又再次生成。最初由最下層的空輪（空界）刮起一股大風。這股風寬廣無量，厚十六個洛叉（一洛叉爲十萬），堅實無比，即使堅利的金剛，也不能穿透它，這叫風輪（風界）。這時，遍滿於三千界的金藏雲開始降下如同車軸似的大雨，但被大風阻遏，不能流動，形成深十一個洛叉的水輪。水輪上凝聚了一層金膜，叫做金輪。雨不斷地下，大風也不斷向上刮。清水被風刮得最高，逐漸形成色界梵王諸天和欲界夜摩天。介於清濁之間的水也被風刮起，但沒有清水高，形成須彌山和周圍的七座金山。濁水沉澱，則形成須彌山四方咸海之中的東勝身洲、南贍部洲、西牛貨洲和北俱盧洲的大地。世界生成後，居住在二禪天享盡了清福的天人就下到大地上，吃掉地餅（地皮）、林藤、粳米，便形成不同的性別體軀，於是各種不同的人便出現了。

宗密在此文中建立了他的判教說法。他把佛教各派別，由淺入深，分爲五等，解釋爲這是佛教爲了對不同根機的人宣傳道理，才出現這種情況的。他把第一等人天教比附爲儒教，第二等小乘教比附爲道教，認爲人天教只用善惡因果學說爲初心人宣講道理，和世俗的儒教相當，懲惡勸善是一樣的，不離仁義禮智信五常，五戒中，「不殺是仁，不盜是義，不邪淫是禮，不妄語是信，不飲酒啖肉，神氣清潔，益於智也。」當然，這種粗淺的學說，不可能導致人們去關心宇宙本原這類大問題。他認爲小乘教約略相當於道教。在闡述了上面關於宇宙、生命的起源問題之後，宗密認爲，道教在自然觀方面比儒教高明，在外典中理論最深奧，但「道教只知今此世界未成時一度空劫，云虛無混沌一氣等，名爲元始，不知空界已前，早經千千萬萬遍成住壞空，終而復始。故知佛教法中小乘淺淺之教，已超外典深深之說。」㉝可見，只有佛教關於宇宙起源的理論能啓發人們探索宇宙的奧秘。

如前所述，劉禹錫向人們具體地披露了自己以佛典解《中庸》這一思想發展過程。柳宗元在給僧人浩初的序中，也原則地講到佛教與《易》、《論語》的精神相合。他在南方同浩初一起遊玩，寫下《與浩初上人同看山寄京華親故》一詩，云：「海畔尖山似劍鋩，秋來處處割愁腸。若爲化得身千億，散上（一作作）峰頭望故鄉。」㉞這個說法並不新鮮。武則天時的宰相房融崇奉佛教，曾於嶺南筆受《楞嚴經》。他所寫《謫南海過始興廣勝寺果上人房》一詩云：「零落嗟殘命，蕭條托勝因。方燒三界火，遽洗六情塵。隔嶺天花發，凌空月殿新。誰憐鄉國夢（一作故鄉思），終（一作從）此學分身。」㉟禪宗創始人慧能曾教導世人，不必外求，「於自色身歸依千百億化身佛，」解釋說：「何名千百億化身？不思量性即空寂，思量即是自化。思量惡法，化爲地獄，思量善法，化爲天堂。毒害化爲畜生，慈悲化爲菩薩，知惠化爲上界，愚痴化爲下方。自性變化甚多，迷人自不知見。一念善知惠即生，此名自性化身。」㊱上引宗密一文，在解釋了世界生成的理論之後，接著又叙述關於人的說法，說：「此身本不是我。不是我者，謂此身本因色心和合爲相。今推尋分析，色有地水火風之四大，心有受想行識之四蘊，若皆是我，即成八我。況地大中復有衆多，謂三百六十段骨，一一各別，皮、毛、筋、肉、肝、心、脾、腎，各不相是。諸心數等亦各不同，見不是聞，喜不是怒，展轉乃至八萬四千塵勞。既有此衆多之物，不知定取何者爲我。若皆是我，我即百千。」㊲柳宗元晚於慧能，比宗密早出生七年，「若爲化得身千億」和「自性化身」、「我即百千」的思想，如出一轍。可見，柳宗元和劉禹錫，在思想認識上受佛教影響甚深，知識結構和荀子、王充完全不一樣。

世俗觀念認爲君主是人世間的主宰，而天是宇宙間的主宰，比君主還高一等。君主可以無法，但不可以無天。這種觀念將天神秘化、權威化，人們對天只能敬畏，不能藐視，更不能褻瀆，也就談不上把天同大自然中的其它現象一樣，加以考察研究了。而佛教則認爲天和人同屬於六凡，都處在遷流不息的輪回之中，只有修持佛道，超凡入聖，達到涅槃境地，才能擺脫輪回之苦。天的地位遠在佛、菩薩之下。人可以成佛，天若不成佛的話，地位也就在成佛的人之下。這一說法解除了天的權威和神秘感，也才有可能把天置於被考察、被研究的地位。柳宗元、劉禹錫對天的唯物主義研究，應該說是在佛教這些說法的前提下進行的。

我們可以從柳宗元、劉禹錫唯物主義自然觀文字中找到例子，來說明他們受佛教的影響。戰國後期，楚國浪漫主義詩人屈原著《天問》一詩，對神話傳說和宇宙、歷史諸問題，提出了懷疑。柳宗元著《天對》，加以解答。《天問》問道：「斡維焉繫？天極焉加？」是問天在不停地運轉，是否有繩子繫住？繩子繫在何處？天的邊際放在何處？《天對》回答說：「烏傒繫維，乃麋身位。無極之極，漭彌非垠。或形之加，孰取大焉。」㊳這是說，天不需要用繩子來栓住，天無限廣大，沒有邊際，怎麼能找到一個更大的東西，來放置天的邊際呢？在《非國語上·三川震》一文中，柳宗元又指出，天地無倪，陰陽無窮。㊴這和佛教關於空間、時間無限性的宏觀說法，完全一致。劉禹錫說，無形的天並非眞空，而是「形之希微者」，由肉眼看不到的細微的物質組成。「爲體也不妨乎物，而爲用也資乎有，必依於物而後形焉。今爲室廬，而高厚之形藏乎內也，爲器用，而規矩之形起乎內也。音之作也有大小，而響不能逾；表之立也有曲直，而影不能逾，非空之數歟？夫目之視，非能有光也，必因乎日月之火炎而後光存焉。所謂晦而幽者，目有所不能燭爾。彼狸狌犬鼠之目，庸謂晦而幽邪？吾固曰：以目而視，得形之粗者也；以智而視，得形之微者也。烏有天地之內有無形者邪？古所謂無形，蓋無常形耳，必因物而後見爾，烏能逃乎數邪？㊵劉禹錫所用的「體」和「用」這一對概念，是佛教的範疇。佛教所說的體，指宇宙本體，即眞如、佛性、心、理法界等等不同的稱謂；用，指本體通過因緣條件變現出來的物質現象和精神現象，即色、法、塵、事法界等等不同的稱謂。劉禹錫在這裡運用體用這一概念，雖和佛教原義不同，但在思想方法上受佛教影響，則昭然可見。佛教認爲眼、耳、鼻、舌、身、意六根是六種感覺認識器官，分別爲它們所認識的客觀外界現象，即色、聲、香、味、觸、法，被稱爲六塵。孟子說：「耳目之官不思，而蔽於物。物交物，則引之而已矣。心之官則思，思則得之，不思則不得也。此天之所與我者。」㊶劉禹錫所說「以目而視，得形之粗者」，這是佛教傳入之前就有的常識，還不好斷定和佛教的認識完全一致，但他沒有像孟子一樣認爲心是天給的，而是反其道而行之，用心去思考天。他不說以心而「思」，而說以智而「視」，即用意識進行觀察、思考，透過現象看本質。智而能視，這是佛教的認識論；透過現象看本質的作法，也和佛教關於假有的說法有關聯。

以上的分析，不是說唯心主義的佛教，可以引出唯物主義的結論；只是說，由於佛教的理論包羅萬象，也提出了宇宙本原的問題，這可以啓發人們去繼續探索，至於得出什什麼樣的結論，那就由人們自已去負責了。這是由佛教的浪漫主義作風使其然的。

三、說理散文

說理散文的寫作，體現出作者的邏輯思維水平和辯論能力。佛教對於事物的繁瑣細密的分析，和佛教邏輯學——因明，對士大夫說理散文的寫作，產生了一定的影響。近人錢基博先生比較了韓愈和柳宗元的文章，認爲他們崇奉的學說不同，因而所寫的文章，在技巧上也有高下之別。他說：「韓愈服膺儒者，而宗元兼通佛學，所爲《龍安海禪師碑》、《南岳雲峰寺和尙碑》、《大明和尙碑》，談空顯有，深入理奥，難在虛無寂滅之教，寫以宏深肅括之文，其氣安重以徐，其筆辨析而肆；鉤賾索引，得未曾有；此固韓愈之所不屑爲，而亦韓愈之所不能爲者也。」㊷韓愈和柳宗元，在散文的成就方面，堪稱唐代的雙璧。一般地說，韓愈的散文以表現手法見長，讀者從中能較多地體會到美感，得到藝術享受；而柳宗元的散文以分析說理稱美，讀者從中能較多地體會到氣勢，見到它的深刻。這是由於他們各自所受教育的不同，氣質的不同所造成的。韓愈是一位文學家，而柳宗元除了是一位文學家外，還是一位理論家，因爲他除了具備韓愈的條件以外，還比韓愈多懂一門佛學理論。

唐代士大夫中，受到佛教影響，寫出鴻篇巨製的說理散文的，當推李師政。李師政在唐高祖時期當過東宮學士，後來皈依佛教，拜著名僧人法琳爲師，成爲在家居士。他站在法琳一邊，積極地參加了還擊傅奕反佛的鬥爭。他所寫的《內德論》，就是這一鬥爭的產物。《內德論》約一萬二千字，在說理散文中，篇幅最爲可觀。全文由三部分組成，第二部分《通命》和第三部分《空有》，都是闡述、發揮佛理的文字。第一部分《辨惑》，是批判傅奕反佛言論的文字。

《辨惑》共有十條，針對傅奕的佛出西胡、周孔不言、毀佛譽道、比佛妖魅、昔有反僧、比僧土梟、譏毀鬚髮、泥種事泥、有佛政虐、無佛民和等十種說法，一一加以辨駁。我們不妨摘引一段，來看看它的邏輯性和辨析力量。

李師政先擺出傅奕昔有反僧的說法：「趙時梁時，皆有僧反，況今天下僧二十萬衆？」緊接著反駁道：「若以昔有反僧，而廢今之法衆，豈得以古有叛臣，而棄今之多士，鄰有逆兒，而逐己之順子，昔有亂民，而不養今之黎庶乎？夫普天之下，出家之衆，非雲集於一邑，實星分於九土，攝之以州縣，限之以關河，無徵發之威權，有憲章之禁約，縱令五三凶險，一二闡提，既無緣以烏合，亦何憂於蟻聚？且又沙門入道，豈懷亡命之謀，女子出家，寧求帶鉀之用；何乃混計僧尼之數，雷同梟獍之黨，構虛以亂眞，蔽善而稱惡？君子有三畏，豈當如是乎？夫青衿有罪，非關尼父之失，皀服爲非，豈是釋尊之咎？僧干朝憲，尼犯俗刑，譬誦律而穿窬，如讀禮而驕倨；但以人稟頑嚚之性，而不遷於善，非是經開逆亂之源，而令染於惡。人不皆賢，法實盡善，何得因惡而及善，以咎人而棄法？夫口談〔伯〕夷、〔柳下〕惠，而身行〔夏〕桀、〔盜〕跖，耳聽《詩》《禮》，而心存邪僻，夏殷已降，何代無之，豈得怒跖而尤夷、惠，疾邪而廢《詩》《禮》？然則人有可誅之罪，法無可廢之過，但應禁非以弘法，不可以人而賤道。竊篤信於妙法，不苟黨於沙門，至於耘稊稗以殖嘉苗，肅姦回以清大教，所深願矣。」㊸這裡說了五層意思：

1.傅奕以歷史上曾有僧人造反，就主張將唐初的二十萬僧人全部取締，這個說法缺乏分析，站不住腳。古代有叛臣、亂民，不必因此而一概廢棄當今的順臣、順民；同樣，不能因為過去曾有過反僧，就因噎廢食，取締當今的所有僧人。

2.僧尼出家，目的在於修持佛教，而絕不是為了造反。不能因為其中有個別惡劣分子，就把所有僧尼都看作是惡劣分子，或把佛教看作是產生惡跡的淵藪。

3.僧人散處在全國各地，有山川形勢的阻隔，有國家政權的管束，即使有個別僧人謀反，也不會聚集成伙，造成威脅。

4.僧教持戒，勸善，連微小的身心過失都提倡防範，個別僧人犯法，是與這一主張背道而馳的，原因在於自己冥頑不化，沒有接受佛教禁戒，當然責任應由自己負擔，與佛教本身毫不相干，正如儒生有罪，不能歸咎於孔子和儒教一樣。

5.對人應作分析，人是分等次的。世俗中有亂臣賊子，佛教中也有惡劣僧徒，這不必諱言。自己雖深信佛教，但絕不會與僧人無原則無是非地加以勾結，並且一直懷著願望，清除不法僧人，使佛教純潔、精粹，發揚光大。

可以看出，李師政這段話，思路清楚，邏輯嚴密，無懈可擊。這當然是得力於佛教的思想方法的。

針對著傅奕「未有佛法之前，人皆淳和，世無篡逆」的說法，李師政除援引史實，指出傅奕「專構虛言，皆違實錄」以外，還進而指出：「一縷之盜，佛猶戒之，豈長篡逆之亂乎！一言之競，佛亦防之，何敗淳和之道乎！」他因而得出結論：「惟佛之爲敎也，勸臣以忠，勸子以孝，勸國以治，勸家以和；弘善示天堂之樂，懲非顯地獄之苦。」㊹這個說法，高屋建瓴，顯示出李師政比傅奕站得高，看得遠。

傅奕反佛，用了很多謾罵的字眼。李師政引用過的有「道人土梟，驢騾四色，皆是貪逆之惡種」㊺。法琳所引更詳細，說：「西域胡者，惡泥而生，便事泥瓦，今猶毛臊，人面而獸心；土梟道人，驢騾四色，貪逆之惡種。佛生西方，非中國之正俗，蓋妖魅之邪氣。」此外，還有說佛是「胡鬼」，僧是「禿丁」，佛經爲「妖胡浪語」，戒律爲「邪戒」，等等。㊻謾罵往往是辯論的一方，理論力量不足時，才感情用事，乞救於污穢的語言，企圖以聲勢震懾對方，壓倒對方，而出現的不理智的行動。李師政並沒有以眼還眼，以牙還牙，而是顯得心平氣和，頗有風度，柔中有剛，絕不讓步。他先說自己皈依佛教之前，「篤志於儒林」，「措心於文苑」，不了解佛理，有很多糊塗認識，接著說：太史令傅君，又甚余曩日之惑焉。」他擺出傅奕的論點後，往往說：「余昔同此惑焉，今又悟其不然矣，」或「此其未思之言也」，「此又不思之言也。」在逐條批駁中，他又不斷地表示，傅奕認爲佛教「有之爲損，無之爲益，是何言歟！是何言歟！與佛何讎，而誣之至此，佛何所負，而疾之若讎乎！」傅奕要廢棄於國有益的佛教，「何其爲國謀而不忠乎！爲身慮而不遠乎！」這樣作，「亦何傷於佛日乎？但自淪於苦海矣。輕而不避，良可悲夫！」㊼佛教認爲貪、瞋、痴三毒是阻礙衆生成佛的主要因素，應該用戒、定、慧三學加以破除。李師政正是以定破瞋，故能不像傅奕那樣跳梁怒罵，而能境地平和，安重以徐；正是以慧破痴，故能不像傅奕那樣片面和不作分析，而能思路敏捷，辯才無礙。大乘佛教將三學發展成爲六度，即加上了布施、忍辱、精進。李師政也正是在精進的精神指導下，奮起護法，以淨而止於無淨的。

以上這些事例，都可以看出，佛教縝密細致的思想方法，給予士大夫以深刻的影響，使他們的頭腦變得周密複雜起來，他們的說理散文因而也比不受佛教影響的士大夫所寫的說理散文，顯得細密深刻，奔放浩蕩，具有強烈的理論力量和邏輯力量。

四、李翺的《復性書》

李翺是韓愈的侄女婿，又是韓門弟子中最重要的一員。他除了寫有《去佛齋》一文進行反佛以外，還在二十九歲時，寫成《復性書》上、中、下三篇，㊽系統地闡述了性與情的關係，以及如何復歸到性的本來狀態。韓愈認爲《復性書》表面上反佛老，實際上受佛老影響甚深，是雜佛老而言性，因而作《原性》一文，從正面加以分析。南宋葉夢得認爲：「李翺《復性書》，即佛氏所常言，而一以吾儒之說文之。……此道豈有二，以儒言之則爲儒，以佛言之則爲佛。……吾謂唐人善學佛而能不失其爲儒者，無如翺。」他介紹說：「《復性書》上篇，儒與佛者之常言也。其中篇，以齋戒其心爲未離乎靜，知本無有思，則動靜皆離。視聽昭昭不起於聞見，而其心寂然，光照天地。此吾儒所未嘗言，非自佛發之乎？末篇，論鳥獸蟲魚之類，謂受形一氣，一爲物，一爲人，得之甚難；生乎世，又非深長之年，使人知年非深長而身爲難得，則今釋氏所謂人身難得，無常迅速之二言也。」㊾南宋朱熹也認爲李翺的道理「也只是從佛中來，」《去佛齋》一文的闢佛「只是粗跡。」㊿這都是說《復性書》受佛教影響，用儒家語言來表達佛教思想，因而是儒其外而佛其中。今人呂澂先生指出，李翺「結合禪家的無念法門和天台家的中道觀，寫成《復性書》，即隱隱含著溝通儒佛兩家思想之意。」51在古人和前輩學者這些說法的指示和啓發下，我這裡對《復性書》受佛教的影響，作一些具體的分析。

《復性書》上篇說：「人之所以爲聖人者，性也；人之所以惑其性者，情也。喜、怒、哀、懼、愛、惡、欲七者，皆情之所爲也。情既昏，性斯匿矣，非性之過也。」這裡提出了性與情的對立關係，以爲性是人所固有的，不生不滅，情與性對立，表現爲喜、怒、哀、懼、愛、惡、欲七種，情掩蓋了性，這不是性本身的問題。這和佛教關於佛性與妄念的對立關係完全一樣。慧能認爲：「迷人於境上有念，念上便起邪見，一切塵勞妄念，從此而生。」「自性常清淨，日月常明，只爲雲覆蓋，上明下暗，不能了見日月星辰。」52

《復性書》上篇解釋情昏性匿，非性之過的時候，運用了水火作比喻，說：「水之渾也，其流不清，火之煙也，其光不明，非水火清明之過。沙不渾，流斯清矣；煙不鬱，光斯明矣。」《復性書》中篇說：「水之性清澈，其渾之者沙泥也。方其渾也，性豈遂無有耶？久而不動，沙泥自沉，清明之性鑒於天地，非自外來也。故其渾也，性本弗失，及其復也，性亦不生。人之性，亦猶水也。」這也是佛教常用的比喻。佛教認爲佛和衆生同一心體，心體有染淨二性。唐代僧人湛然爲了說明「染體即淨」，曾用水作比喻，說：「濁水清水，波濕無殊。清濁雖即由緣，而濁成本有。濁雖本有，而全體是清。以二波理通，舉體是用。」53他還用水來分析佛性的普遍存在，得出無情有性，即無生命的東西也有佛性的結論，說：「萬法之稱，寧隔於纖塵，眞如之體，何專於彼我。是則無有無波之水，未有不濕之波。在濕詎間於混澄，爲波自分於清濁。雖有清有濁，而一性無殊。……情性合譬，思之可知，無情有無，例之可見。」54李翺所說性情和湛然所說性情，含義雖不盡相同，所用比喻和思想方法，卻有共通之處。

天台宗根據印度僧人龍樹《中論》中《觀四諦品偈》所說：「因緣所生法，我說即是空，亦爲是假名，亦是中道義」，建立起自己的一心三觀、圓融三諦學說。隋代僧人智顗說：「一空一切空，無假、中而不空，總空觀也。一假一切假，無空、中而不假，總假觀也。一中一切中，無空、假而不中，總中觀也。」㊺他們認爲，世間的一切現象，都是眞如佛性變現出來的，因而，空無自性，虛幻不實，這叫空觀；但又不妨礙看作是由因緣條件和合而成的假有，這叫假觀。從空入假觀偏於空，從假入空觀偏於假，都是片面的。因此，要克服這兩種片面性，旣不偏於空，又不偏於假，要看到空即假，假即空，非空非假，亦空亦假，這就是中道觀。《復性書》上篇說：「性與情不相無也。雖然，無性，則情無所生矣，是情由性而生。情不自情，因性而情，性不自性，因情以明。」這和佛教的中道觀思想是一個路子。

《復性書》上篇談到聖人時，說：「聖人者，豈其無情耶？聖人者寂然不動，不往而到，不言而神，不耀而光，制作參乎天地，變化合乎陰陽，雖有情也，未嘗有情也。……故聖人者，人之先覺者也。」《復性書》中篇說：「聖人旣復其性矣，知情之爲邪，邪即爲明所覺矣，覺則無邪，邪何由生也？」這和佛教對於佛的描繪大致相似。法琳說：「佛爲聖主」。「智無不周者，稱之爲佛陀。……夫佛陀者，漢言大覺也。」他還說，釋迦牟尼也可譯爲能儒，但譯爲能儒，不夠莊重，也不能充分表達願意，故譯爲釋迦牟尼。爲著同樣的理由，將無上正眞之道，譯爲阿耨多羅三藐三菩提。㊻佛教認爲佛是大智大覺、利己利他的聖人。佛處於涅槃境界，永離六道輪回之苦，常樂我淨，湛然寂靜，絕對超脫，還能以先覺覺後覺，普渡衆生。李翺心目中的聖人，和佛的形象沒什麼區別。

《復性書》上篇說：「百姓之性與聖人之性弗差也。」《復性書》中篇又說：「桀紂之性，猶堯舜之性也。其所以不睹其性者，嗜欲好惡之所昏也，非性之罪也。」因此，《復性書》上篇得出結論：

「人皆可以及乎此。」佛教一再宣傳衆生同一眞如本性；有的派別還認爲，一闡提迦，即衆生中斷絕一切善根的人，也有同佛一樣的佛性，也能通過累劫的苦修而成佛。李翺的這一說法和佛教的這一精神是一致的。

關於復性的途徑，《復性書》上篇說：「復其性者，賢人循之而不已者也，不已則能歸其源矣；」「非自外得者也，能盡其性而已矣。」這和禪宗明心見性、不假外求的修持方法一樣。慧能說：「自性心地，以智惠觀照，內外明徹，識自本心。若識本心，即是解脫，即得解脫，即是般若三昧，悟般若三昧，即是無念。……悟無念法者，萬法盡通，悟無念法者，見諸佛境界，悟無念頓法者，至佛位地。」⑰《復性書》上篇又具體地說：「聖人知人性皆善，可以循之不息而至於聖也，故制禮以節之，作樂以和之。」制禮作樂，「所以教人忘嗜欲而歸性命之道也。」佛教關於修持方法，規定了戒定慧三學；又以三學爲主幹，發展爲布施、持戒、忍辱、精進、禪定、智慧六度。三學和六度，作用相當於禮樂。柳宗元看到這一點，說：「儒以禮立仁義，無之則壞；佛以律持定慧，去之則喪。是故離禮於仁義者，不可與言儒；異律於定慧者，不可與言佛。」⑱可見，儒家的禮樂仁義，佛教的三學六度，都是達到理想境界的手段。《復性書》中篇又說：「弗慮弗思，情則不生，情既不生，乃爲正思。正思者，無慮之思也。」佛教禪那一詞，又譯爲靜慮、思惟修，靜慮的含義是安靜地沉思，思惟修的含義是將思惟收斂，凝注於一境。禪那，是三學和六度中的一種，是達到佛教理想境界的一種方法。佛教認爲正道是阿耨多羅三藐三菩提，意思是無上正等正覺之心。李翺所說「正思」，和無上正等正覺之心很相似；所說「弗慮弗思，情則不生」，和禪那這一修持手段相同。《復性書》中篇說：「情者性之邪也。知其爲邪，邪本無有。心寂不動，邪思自息。惟性明照，邪何所生？」又說：「妄情滅息，本性清明，周流六虛。」這正是禪宗的無念法門。除了剛才引過的慧能那段關於無念法門的話以外，還可以引他的另一段話加以證明：「世人性淨，猶如清天，惠如日，智如月，知惠常明。於外著境，妄念浮雲蓋覆，自性不能明。故遇善知識開眞法，吹欲迷妄，內外明徹，於自性中，萬法皆見，一切法自在性，名爲清淨法身。」懂得了這一道理，就能保持心的湛然寂靜狀態，當然就不會起什麼妄念浮雲了。所以，「此教門立無念爲宗，世人離見，不起於念，若無有念，無念亦不立。無者無何事，念者念何物？無者無離相諸塵勞，念者念眞如本性，眞如是念之體，念是眞如之用。自性起念，雖即見聞覺知，不染萬境，而常自在。」㊾

《復性書》中篇提到，有人認爲李翺的這些說法和過去注解《中庸》的說法不同，李翺回答說：「彼以事解者也，我以心通者也。」李翺承認自己的說法和傳統的說法不是一個路子，而是以心相通，一語洩漏了自己的見解和禪宗明心見性主張的淵源關係。

通過以上的比較和分析，可以看出，李翺是唐代士大夫中系統地吸收佛教思想，來改造儒家思想，建立新儒學的人。一個時代有一個時代的認識水平。儒學和佛教長期並存，從不同的角度認識社會，既有對立的地方，又有同一的地方，既互相鬥爭，又互爲吸收。以章句之學爲主要內涵的儒學，已經走進了死胡同，它本身必須更新成分，改弦更張，才會有生命。佛教給它注入了新鮮血液。它吸收佛教後，變章句之學爲義理之學，轉變爲理學。這是時化的契機。不管李翺出於自覺還是不自覺，自己承認還是不承認，作爲一個歷史人物，他完成了從儒佛對抗到儒佛合流這一根本性的轉化。他是一個承前啓後的人物，是宋代理學的先驅者。

第二節　佛教對士大夫處世態度的影響

一、消極態度

士大夫在儒家經邦濟世思想的指導下，產生了一種歷史責任感，或者攻讀經史，或者參與政治，成爲在野和在仕兩類人，也就是古人所區分的布衣和簪組。他們這些活動的內容，從社會後果來檢驗，是有優劣正誤之分的，但在表現形式上，都屬於積極入世。士大夫積極入世的態度在遭到挫折、打擊，或自己表示厭倦、消沉時，往往矯枉過正，走向極端，轉爲對立的消極出世態度。老莊思想曾給他們提供過寄情於山水之間，放浪於形骸之外的避世方式，佛教又給他們提供了遁入空門、誦經念佛的出路。儒、道（道家、道教）、釋三者的並存，使得士大夫狡兔三窟，盡得其所。唐代士大夫或多或少地都具有這種傾向。像杜甫那樣的醇儒，是以「致君堯舜上，再使風俗淳」⑥⑩爲己任的，但在年輕時，便有憑藉佛、道二家出世的念頭，說：「往與惠詢輩，中年滄洲期。」⑥①因此他時而表示：

「懶心似江水，日夜向滄洲。……豪（一作榮）華看古往，服食寄冥搜；」⑫「范蠡舟偏小，王喬鶴不群。此生隨萬物，何路出塵氛？」⑬時而表示「方知象教力，足可追冥搜；」⑭願聞第一義，回向心地初。」⑮賀知章、李白、韋渠牟、白居易等人，則是表現最爲典型的。賀知章、李白、白居易的具體情況，本書的一些章節有所介紹。至於韋渠牟，既當過道士、和尙，也當過官。時人權載之論及他的文章時說，韋渠牟與隱士陸鴻漸、僧人皎然「爲方外之侶，沉冥博約，爲日最久，而不名一行，不滯一方。故其曳羽衣也，則曰遺名；攝方袍也，則曰塵外；披儒服也，則今之名字著焉。周流三教，出入無際，寄詞詣理，必於斯文。」⑯

本書的研究只限定在唐代士大夫與佛教的關係和影響這一範圍內，所以這裡只就佛教給予士大夫處世態度的消極影響進行論述，不再軼出範圍，討論道家思想和道教對於士大夫的消極影響。

柳宗元在《送文郁師序》中指出：「吾思當世以文儒取名聲，爲顯官，入朝受僧媢訕黜摧伏，不得守其土者，十恆八九。若師者，其可訕而黜耶」？於是「返退而自識。」⑰就是由儒家的積極入世態度轉向佛教影響下的消極出世態度這一思想過程的反映。白居易貶官後，也產生了這種思想轉化，說：「不堪匡聖主，只合事空王。」⑱他在《蕭相公宅遇自遠禪師有感而贈》一詩中，說得很坦白：「宦途堪笑不勝（一作勞）悲，昨日榮華今日衰。轉似秋蓬無定處，長於春夢幾多時？半頭白髮慚蕭相，滿面紅塵問遠師。應是世間緣未盡，欲卻去官尙遲疑。」⑲遲疑之下，也就決定了不能最終皈依空門，而只是棲止於這一窟中，作爲臨時的休整，以便時來運轉，東山再起。韋應物便是這樣，窮則棲止於佛寺，書也懶得念，頭也不想梳，飲酒、遠眺，消磨時日；達則辭別山林，興奮異常，峨冠博帶，前呼後擁，十分神氣。他的《始除尙書郎別善福精舍（時建中二年四月十九日自前櫟陽令除尙書比部員外郎）》一詩，記錄了這一過程。詩云：「簡略非世器，委身同草木。逍遙精舍居，飮酒自爲足。累日曾一櫛，對書常懶讀。社臘會高年，山川恣遠矚。明世方選士，中朝懸美祿。除書忽到門，冠帶便拘束。愧忝郎署跡，謬蒙君子錄。府仰垂華纓，飄搖翔輕轂。行將親愛別，戀此西澗曲。遠峰明夕川，夏雨生衆綠。迅風飄野路（一作吹往路），回首不遑宿。明晨下煙閣，白雲在幽谷。」⑳羅珦《行縣至浮查山寺》一詩，倒是不用什麼「慚忝」、「謬蒙」之類的詞語，而把得意忘形的樣子赤裸裸地表示出來：「三十年前此布衣，鹿鳴西上虎符歸。行時賓從過前寺，到處松杉長舊圍。野老競遮官道拜，沙鷗遙避隼旗飛。春風一宿琉璃地，自有泉聲愜素機。」㉑可見，士大夫的消極有兩種類型，一是目的地，二是中轉站，前者由積極最終發展爲消極，後者再由消極發展到積極。

佛教給士大夫帶來的消極影響，不管屬於哪種類型，我們今天都應該審愼地加以分析。多年來，學術界流行的作法是將佛教影響下的消極態度和儒家影響下的積極入世這兩種成分，不區別具體的環境、時機，不分辨具體的內容、後果，簡單地對立起來，對積極入世一律加以褒揚，對消極態度一律予以斥責。這種作法往往流於表面化、片面化，缺乏說服力。

在封建社會裡，士大夫是作爲勞動人民的統治者的身份而存在的，封建文人往往用「牧」和「羊」的關係來說明士大夫和百姓的關係。隋朝建立後，河南道行臺兵部尙書、銀青光祿大夫楊尙希就上表批評當時「民少官多，十羊九牧」⑫的狀況。州縣官往往被稱爲牧宰。士大夫的積極入世，不過是意味著積極參與社會活動。這些社會活動，有的對於社會的發展，起著順應和促進的作用，有的則完全相反，而且都是建立在剝削和壓迫勞動人民的基礎之上的。就後者而言，他們助紂爲虐、魚肉人民時，越積極，危害性就越大，他們朋黨傾軋、勾心鬥角時，越積極，越會鬧得不可開交，因而城門失火，殃及池魚，不可能造福於社會和民衆。韓愈《送李愿歸盤谷序》，借李願的口描繪了積極入世的士大夫形象，說：

利澤施於人，名聲昭於時，坐於廟朝，進退百官而佐天子出令。其在外，則樹旗旄，羅弓矢，武夫前呵，從者塞途。供給之人，各執其物，夾道而疾馳。喜有賞，怒有刑。才畯（按：或作俊，是）滿前，道古今而譽盛德，入耳而不煩。曲眉豐頰，消聲而便體，秀外而惠中，飄輕裾，翳長袖，粉白黛綠者，列屋而閑居，妒寵而負恃，爭妍而取憐。大丈夫之知遇於天子、用力於當世者之所爲也。⑬

對於士大夫的這一類積極入世，恐怕不能一味地謳歌贊美吧！士大夫一旦由積極入世轉爲消極出世，他們就從群體集合力量轉化爲分散單一的個人，活動的範圍就縮小了，朋黨之爭也退出了，一些無益的活動也洗手不幹了，對社會和人民的危害當然也就相應地避免或者減少了；有的人還能在地方上爲人民多少做些好事。那麼，這種消極出世影響下的士大夫個人活動，難道比積極入世指導下的群體活動，更應該首先受到人們的指責嗎？

王維和白居易兩人，受佛教的消極影響很深。對於這一點，現代的文史研究者，幾乎千口一腔地發表過批評意見。我們可以擷取兩則典型的說法。

關於王維，典型的說法認爲：「王維……回到朝廷被擢爲右拾遺。張九齡罷相，繼任的李林甫是個奸佞人物，其時玄宗又逐漸追求享樂，唐代原先較開明的政治，從此走下坡路。王維當時雖心有不滿，他不願同流合污，但又不敢反對當權者，結果只好採取若即若離而實際是向惡勢力妥協的態度。……人生觀愈來愈消極，信仰佛教，經常在退朝以後，焚香獨坐，以禪誦爲事。」㉔這種說法存在著邏輯混亂。難道治亂盛衰沒有深刻的社會根源，而僅僅由兩個宰相的個人品質和人事更替造成？難道唐玄宗這時才「逐漸追求享樂」？在「開明的政治」「走下坡路」之前，他和其他的皇帝都不追求享樂，甚至連「逐漸」這種量變的階段都不存在？王維「不願同流合污」，難道他不屬於封建官僚整體？他有什麼宣言或行動表明自己是卓犖獨立的反對派？既然不同流合污，理應退出這些活動，那麼應該說是好事，爲什麼又要批評他「愈來愈消極」？假若他積極，難道會向「惡勢力」鬥爭？這種膚淺而混亂的說法，出現在一九八〇年初版的書裡，不能不令人遺憾！

關於白居易，典型的說法認爲，自貶江州開始，白居易「轉向消極。隨著政治環境的日益險惡，在前期還是偶一浮現的佛、道思想，這時也就逐漸滋長。他糅合儒家的『樂天安命』、道家的『知足不辱』和佛家的『四大皆空』來作爲『明哲保身』的法寶。……他緘默了，不敢再過問政治了。……爲了避免牛李黨爭之禍，他爲自己安排下一條『中隱』的道路。……以地方官爲隱。……在這種消極思想的支配下，白居易的詩歌也喪失了它的戰鬥性和光芒。……老百姓「饑凍」的根源，他再也不去追究、揭露了。」⑮這樣的論述告訴人們，白居易積極時，是懷著對人民的同情和負責精神，同執政者和老百姓饑凍的根源作堅決鬥爭的；他消極時，忘記了人民，忘記了戰鬥的職責，只圖保住自己一己的利益，苟且偷安。這種看法顯然是不夠妥當的。

白居易是地主階級的一員，是封建官僚，這是無庸置疑的事實。他寫了很多諷諭詩，積極地干預政治和社會生活，對勞苦大衆的悲慘處境表示出一定程度的同情，這是難能可貴的。對於這筆珍貴的文化遺產，我同很多人一樣，表示肯定和珍惜，同時還認爲應該恰如其分地加以估價。《全唐詩》卷四二六和卷四二七收有他的五十首《新樂府》。他說這些詩是「爲君、爲臣、爲民、爲物、爲事而作，不爲文而作也。」他在每首詩的標題下，直接揭示出寫作目的。比如：《新豐折臂翁》旨在「戒邊功」，《太行路》旨在「借夫婦以諷君臣之不終」，《捕蝗》旨在「刺長史」，《昆明春》旨在「思王澤之廣被」，《城鹽州》旨在「美聖謨而誚邊將」，《道州民》旨在「美臣遇明主」，《縛戎人》旨在「達窮民之情」，《驪宮高》旨在「美天子重惜人之財力」，《牡丹芳》旨在「美天子憂農」，《紅線毯》旨在「憂蠶桑之費」，《杜陵叟》旨在「傷農夫之困」，《繚綾》旨在「念女工之勞」，《賣炭翁》旨在「苦宮市」，《隋堤柳》旨在「憫亡國」，《采詩官》旨在「監前王亂亡之由」，……可見，他在思想感情上是傾向於朝廷和地主階級的。他的詩歌的服務對象也是朝廷和地主階級，其目的在於勸說統治者調整政策，節制剝削，緩和矛盾，從而收到長治久安的功效。他既然不是作爲統治者和地主階級的對立面，不是反對現行政治制度，也不懷疑統治目的，把這些詩譽爲「戰鬥性」，應該說是過頭話。至於說他「追究、揭露」「老百姓『饑凍』的根源」，儼然是位嚴峻的思想家和社會革命家的形象，是與事實不符的。他不具備先進的思想方法，又缺乏理論分析能力，沒有對社會弊端作本質的規律性的探討，也沒有提出系統而可行的改革方略。他僅僅是個文人。他讀了很多佛教典籍，「常以忘懷處順爲事，都不以遷謫介意。」⑯目睹到牛李黨爭和南衙北司之爭，他不願染指其間，用當時適合他身份的方式——中隱，躲過了麻煩。在他老病相乘時，他說：「予早棲心釋梵，浪跡老莊，因疾觀身，果有所得。何則？外形骸而內忘憂恚，先禪觀而後順醫治。旨月以還，厥疾少間，杜門高枕，澹然而閑。」⑰這樣，遊離於統治階級內部鬥爭之外，至少自己不作惡，不爲動蕩的政局推波助瀾，還能在地方上爲人民作些修治河道之類的好事，有多少理由可以來指責他的消極呢？再說，人上了年歲，精力不足，想擺脫庶務，圖個清閑安靜，也是人之常情，何況他既老且病。他「外形骸而內忘憂恚，先禪觀而後順醫治」，實際上是把道家和佛教的一些作法，當作醫治病患的輔助手段，來凝心靜氣，調整呼吸，安養身體，恢復健康，這屬於個人的養生之道，更不必加以指責了。

士大夫的處世態度，無疑要受到社會因素和政治因素的制約。但在同樣的社會背景和政治條件下，有的士大夫趨於消極，有的士大夫卻躊躇滿志，躍躍欲試，這便不能把士大夫消極的原因統統歸諸社會因素和政治因素，而應多從士大夫個人的因素加以考慮了。士大夫階層的每一個人，情況不盡相同，他們或者由於年歲的增長，逐漸失去朝氣和進取精神，變得暮氣沉沉，消極保守，隨遇而安，無可無不可；或者由於從事社會活動既久，感到單調和厭煩；或者由於家庭、親朋中出現病亡的變故，感到人世無常；或者仕途不順心，遭到傾軋而失敗，心灰意冷；或者自己健康狀況不佳，感到人命危淺，朝不慮夕；或者覺得上輩的喪事和下輩的婚事都已辦妥，自己責任已經盡到，沒有什麼可操心了，等等。我們可以看一看下面的一些例子。

王維《終南別業》詩說：「中歲頗好道，晚家南山陲。」⑱《飯覆釜山僧》詩說：「晚知清淨理，日與人群疏。」⑲

元稹《悟禪三首寄胡果》詩之二說：「晚歲倦爲學，閑心易到禪。病宜多宴坐，貧似少攀緣。」之三說：「莫驚頭欲白，禪觀老彌深。」⑳

白居易《蘭若寓居》詩說：「名宦老慵求，退身安草野。家園病懶歸，寄居在蘭若。……人間千萬事，無有關心者。」㉑《在家出家》詩說：「衣食支吾婚嫁畢，從今家事不相仍。夜眠身是投林鳥，朝飯心同乞食僧。……中宵入定跏趺坐，女喚妻呼多不應。」㉒

岑參《出關經華嚴寺訪華公》詩說：「謫宦忽東走，王程苦相仍。欲去戀雙樹，何由窮一乘？」㉓

李端《病後遊青龍寺》詩說：「境靜聞神遠，身羸向道深。」㉔

韓愈所寫《弔武侍御所畫佛文》說，侍御武氏壯年喪妻，十分悲傷，就將妻子生前用過的衣物收拾起來，到每月的初一和十五拿出來陳列，並抱著嬰兒哭泣。信奉佛教的人勸他說：「是豈有益邪？

吾師云：人死則爲鬼，鬼且復爲人，隨所積善惡受報，環復不窮也。極西之方有佛焉，其土大樂。親戚姑能相爲，圖是佛而禮之，願其往生，莫不如意。」武氏茫然自失，加以拒絕，說：「吾儒者，其可以爲是！」後來他思想有所反覆，認爲：「吾不能了釋氏之信不，又安知其不果然乎？」於是將妻子遺物送給僧人，請僧人爲他畫張佛像，加以禮拜。㊳

士大夫這些不同的個人因素，有的是生老病死之類的自然屬性，有的是升沉榮辱、去就窮達之類的社會屬性。即使是社會屬性，也多是個人遭際，而不是士大夫整個階層承受的社會問題和政治事件作用下的社會後果。因此，動輒將士大夫個人由積極轉爲消極歸結爲政治「走下坡路」，「政治環境的日益險惡」的結果，因而似乎士大夫的消極成了政治由好變壞的界標和晴雨計，也是不妥當的。依照這種邏輯，士大夫消極者代不乏人，界標比比皆是，那麽，一部中國古代政治史不但混亂不堪，而且讓人覺得沒有像樣的時候，於是今不如昔，人心不古，就成了歷史發展的總趨勢，社會豈不是越發展越退步嗎？

正是基於上述事實，一些士大夫才能從佛教中找出清淨光潔的東西。一位士大夫退朝之後，在一個朋友家見到有位僧人在座，立即不歡而去，後來批評朋友說：「公好毳褐夫，何也？適且覺其臭。」朋友立即反唇相譏：「毳褐之外也，豈甚銅乳？銅乳之臭，並肩而立，接跡而趨，公處其間，曾不嫌恥，乃譏予與山野有道之士遊乎！南朝高人以蛙鳴及蒿萊勝鼓吹，吾視毳褐夫愈於今之朱紫遠矣！」㊴柳宗元解釋自己和僧人交遊的原因說：「凡爲其道者，不愛官，不爭能，樂山水而嗜閑安者爲多。

吾病世之逐逐然唯印組爲務以相軋也，則捨是其焉從？」⑧⑦對於士大夫爭先恐後地追逐一官半職，以及官場的種種齷齪行爲，他們表示極度的反感，轉而以佛教的恬淡無爭作爲指導，採取避世遁世的態度，實際上是傲世，表面上看來十分消極，但傲世保持了自己卓犖昂藏和磊落不羈的人格，消極中蘊含著積極的成分。再說士大夫也需要佛教的消極思想作爲一劑麻醉藥，來安慰自己。柳宗元一生只有四十多年的光景，步入仕途後，十多年都處在貶竄南荒的淒苦境況中，假若沒有佛教的消極思想作爲慰藉，那日子不知道該怎麼過才好。韓愈則相反。他曾三上宰相書，汲汲於干謁進取，偶遭貶官，便十分焦燥，惶惶不可終日，正由於缺少了這點精神安慰。

以上的論述，只是想說明佛教對士大夫處世態度的消極影響，應該區別情況，加以分析，不應該一概否定，當然，也不應該一概肯定。同樣，對於儒家思想對士大夫處世態度的積極影響，也應該區別情況，加以分析，不應該一概肯定，也不應該一概否定。比如說，在外族寇邊或入侵，國家安全和民族利益受到威脅時；在地方軍閥叛亂或割據勢力囂張跋扈，國家統一和社會安定受到威脅時；在統治階級驕奢淫逸、勾心鬥角，釀成或潛在社會危機，需要揭露鬥爭時；在生民塗炭、流離失所，需要紓難安輯時；在弊端叢生，社會前進受到阻礙，需要在政治、經濟、軍事、文化等方面進行改革時；在鞏固和發展國內外民族友好關係，加強經濟、文化交流時；在文學、藝術、學術和科學技術等領域，不斷地追求探索，貢獻自己的聰明才智時；在改造自然，發展生產，爲人民謀利益時；在傳播文化，改變邊遠落後地區的愚昧狀況時；等等，士大夫的積極進取，符合國家、民族、社會和人民的利益，符合時代的需要，不管其成敗如何，都應該加以肯定。反之，士大夫的消極逃避盡管不曾加劇這些情況，但卻無助於解決問題，因而都在否定之列。士大夫的上述努力，事例很多，爲治史者所共知，這裡不必羅列。即如韋應物，「身多疾病思田里，邑有流亡愧俸錢，」[88]去就之間，想到的還是百姓流離失所，自己拿著俸祿，沒有盡到責任，感到很慚愧。這種積極不正體現了韋應物是一位有良心的封建官員嗎？

二、積極態度

佛教對士大夫處世態度的消極影響，形成了習見的社會現象，以至於當我們轉而討論佛教對士大夫處世態度的積極影響時，可能讀者都會瞋怪筆者怎麼能提出這樣一個問題。這個問題往往被人們忽視，因爲它事例太少，太不顯眼。然而按照事物發展的對立統一規律，有消極就必然有積極，因而它屬於佛教的正常影響。

佛教所追求的涅槃境界，是一種積極的狀態。達到涅槃境界，就永遠脫離了三界六道的輪回之苦，絕對超脫，不生不死，湛然常存，圓滿而寂淨。達到涅槃境界的途徑，有所謂三學、六度。而六度之一的精進波羅蜜，即是積極的手段。《無量壽經》卷上說：「勇猛精進，志願無惓。」唐代僧人窺基《彌勒上生經疏》卷下說：「精謂精純無惡雜也；進謂升進不懈怠故。」精進即是執著地追求佛教眞理，按照佛教規定，毫不倦怠地修善斷惡，去染轉淨。白居易《唐江州興果寺律大德湊公塔碣銘

（並序）》說，律僧神湊「以精進心，脂不退輪；以勇健力，撾無畏鼓。」具體地說，神湊「心行禪，身持律，起居動息，皆有常節。雖沍寒隆暑，風雨黑夜，奉一爐，秉一燭，行道禮佛者，四十五年，凡十二時，未嘗闕一。其精勤如是。」⑧在這種精進精神的指導下，很多僧人爲了學習和宣揚佛教，不遺餘力，百折不撓，出了像玄奘、鑒眞那樣的著名高僧；爲了捍衛佛教，也置生死於不顧，勇敢堅定，出了像法琳那樣的著名護法僧人。這種積極精神，無疑會影響到士大夫。

唐初三教鬥爭中，李師政撰寫了《內德論》三篇。他在前言中，披露了自己的寫作動機，說：「搢紳之士，祖述多途，各師所學，異論鋒起。……愚竊撫心而太息，所以發憤而含毫者也。忝賴皇恩，預沾法雨，切磋所惑，積稔於茲。信隨聞起，疑因解滅，昔嘗苟訾而不信，今則篤信而無毀。近推諸己，廣以量人，凡百輕毀而弗欽，皆爲討論之未究；若令探賾索隱，功齊於（佛圖）澄、（鳩摩羅）什，必皆深信篤敬，志均於名僧矣。」對於這一政治事件，他的態度十分積極，沒有絲毫退避無爭的意思。在還擊傅奕對佛教的批判時，他不時地指控說：「傅氏觀不深於名僧，思未精於前哲，獨師心而背法，輕絕福而興咎，何其爲國謀而不忠乎！爲身慮而不遠乎！」「傅謂有之爲損，無之爲益是何言歟！是何言歟！與佛何讎，而誣之至此，佛何所負，而疾之若讎乎！」傅奕「專構虛言，皆違實錄，」「乃謂傷和而長亂，不亦誣謗之甚哉！亦何傷於佛日乎？但自淪於苦海矣。」⑨李師政針鋒相對，劍拔弩張，沒有一點讓步的餘地。

同樣的情況，還出現在柳宗元的所作所爲裡。他在《送玄舉歸幽泉寺序》中說：「佛之道，大而多容，凡有志乎物外而恥制於世者，則思入焉。」⑨1這無疑是他自己崇奉佛教的思想動機，說得很明白，受社會力量的約束，感到恥辱，只好以崇奉佛教來達到解脫。這當然是積極的奮鬥抗爭，而不是消極的處順就範。因此，他對於一切不同意的事情，都沒有消極地容忍，違心地贊同，而是積極地鬥爭。對於韓愈、劉禹錫這樣的好友，不管哪方面有不同看法，他都積極地加以表白。《送僧浩初序》說：「儒者韓退之與余善，嘗病余嗜浮圖言，訾余與浮圖遊。近隴西李生礎自東都來，退之又寓書罪余。」接著，他對於韓愈的批評，一一予以批駁，結尾特別聲明：「因北人寓退之，視何如也。」還要等待韓愈的下一步行動而決定自己的行動。其中關於僧人多數樂於山水，不慕官職，是針對著世人「逐逐然唯印組爲務以相軋」⑨2的醜惡現象而說的，語含譏刺，旁敲側擊，那用意免不了也捎帶上了韓愈。他對於社會上一些他認爲不符合佛教原理的理解，也一一撰文批駁。《岳州聖安寺無姓和尚碑》、《龍安海禪師碑》、《南岳大明寺律和尚碑》、《送巽上人赴中丞叔父召序》、《送元暠師序》、《送琛上人南遊序》等文中，都有這樣的內容（參看本書第五章第二節）。他在《與韓愈論史官書》中，表示對韓愈的一些說法，「私心甚不喜，」並加以批評。⑨3韓愈認爲天有意志，能賞功罰禍。他作《天說》予以批評。劉禹錫發揮他《天說》的思想，作《天論》三篇。他在《答劉禹錫天論書》中說：「發書得《天論》三篇，以僕所爲《天說》爲未究，欲畢其言。始得之，大喜，謂有以開明吾志慮。及詳讀五六日，求其所以異吾說，卒不可得。其歸要曰：『非天預乎人也。』凡子之論，乃吾《天說》傳疏耳，無異道焉。諄諄佐吾言，而曰有以異，不識何以爲異也？」⑨4話不夠客氣，但還應該說是朋友間以文會友、周而不比的正常關係。他批判《國語》、《呂氏春秋》中的一些說法，針砭時政，反對苛政猛於虎和過分剝削，反對藩鎮割劇，銳意改革，無不表現出積極的品格。這完全體現了他奉佛的確出於「恥制於世」，我們看不到他受到什麼消極影響。

在一些政治事件中，我們依然可以看到奉佛士大夫的積極態度。武則天統治時期，唐中宗被迫遜位，處境非常危險。武則天病重之時，張柬之等人發動政變，誅殺張易之、張昌宗兄弟，逼迫武則天交權，擁載唐中宗復辟。張說撰寫的《唐陳州龍興寺碑》一文說：「唐祚中微，周德更盛，歷載十六，奸臣擅命，伯明氏有盜國之心，一闡提有害聖之跡。皇上操北斗。起東朝，排閶闔，運扶搖，張目而叱之，殷乎若震雷發地，欻虩翕響，以克彼二凶；赫然若太陽升天，晞照仰像，以復我萬邦。返元後傳國之璽，受光武登壇之玉。尊祖繼宗，郊天祀地之禮既洎；修舊佈新，改物班瑞之典又備。乃考出世之法，鼓大雄之事，入無功用之品，住不思議之方。一光所燭，庶兆為之清涼；一音所宣，大千為之震動。」⑨⑤雖說是唐室再造，沒有什麼政治風險時，才發表的政見，卻明明白白地借佛教而表示了積極入世的態度。

唐玄宗末年，安祿山、史思明發動武裝叛亂。叛軍由范陽南下，河朔州縣相繼失守，只有常山顏杲卿和平原顏眞卿堂兄弟二人奮起抵抗，挫傷了叛軍的銳氣，大長了正氣。到了唐德宗時，朱滔、王武俊、田悅、李納又連鎮叛亂，僭稱冀王、趙王、魏王、齊王。這時，李希烈也發動叛亂。李希烈攻下汝州，汝州別駕李元平被捆著帶到李希烈面前時，竟嚇得尿了一褲子。這時，顏眞卿已年近八旬，受朝廷指派，到許州宣慰李希烈。一路上，鄭叔則、李勉都勸他稍事逗留，再向朝廷請求換人，但他大義凜然，視死如歸，一往不顧。他到了李希烈處，李希烈的養子千餘人，手持明晃晃的鋼刀，爭相逼近，表示要吃他的肉；諸將圍著他，不住地謾罵，舉刀要殺他，但他毫不畏懼。他爲了國家的統一和安定，向李希烈曉以大義，企圖說服李希烈改惡從善，但沒能奏效。李希烈將他拘留，令甲士十人嚴密監視，在院中挖了坑，聲言要活埋他，他怡然自得，毫不在乎。李希烈後來又積薪沃油，加以威脅，他於是投身赴火，毫不變節。最後，他罵不絕口，被李希烈派人縊殺。

北宋歐陽修在《集古錄》中，對顏眞卿的氣節和奉佛老發了通議論。北宋末年的趙明誠不同意歐陽修的說法，認爲，「《集古錄》云：顏公忠義之節，皎如日月，而不免惑於神仙釋老之說。予觀魯公（顏眞卿）使李希烈時，見危授命，非深於二氏（佛、老）之說者不能。夫富貴不淫，貧賤不移，威武不屈，二氏之教與吾儒同也。以魯公而猶謂之惑乎！」⑯這裡，我們無法斷定顏眞卿見危授命，臨難不苟，視死如歸，到底是出於儒家威武不能屈、殺身以成仁、捨生而取義精神，還是出於對於佛教理想境界的追求，或對於神通廣大、法力無邊的佛教神秘力量的信賴；但我們可以說，他和佛教關係極爲密切⑰，又一貫積極進取，臨危不懼，在處世態度上受到的佛教影響，與消極毫不相干，那麼，受到的影響，當然是積極的一面。這種積極，是無可指責的。

第三節 佛教對士大夫詩歌活動的影響

一、佛教與詩歌活動之間聯繫的溝通

詩歌創作是士大夫的主要文化活動和儒釋交遊的重要內容。作詩是人事，以出世爲宗旨的佛教，自然是不該理會的。爲了傳教，佛教界也有詩、偈、變文等創作實踐，佛教典籍中卻沒有關於作詩的專門探討。佛教認爲殺生、偷盜、邪淫三者是身業，妄語、兩舌、惡口、綺語四者是口業，貪欲、瞋恚、邪見三者是意業，統稱十惡，應相應地淨修身業、口業和意業而加以破除，才能獲得解脫。禪宗玄覺對於如何淨修三業，專門著文論述，其中關於淨修口業，說要用正直語、柔軟語、和合語、如實語等四實語，分別除掉綺語、惡口、兩舌和妄語。具體地說，四實語又各分爲兩種。正直語的兩種是：「一、稱法說，令諸聞者信解明了；二，稱理說，令諸聞者除疑遣惑。」柔軟語的兩種是，「一者安慰語，令諸聞者歡喜親近；二者宮商清雅，令諸聞者愛樂受習。」和合語的兩種是，「一，事和合者，見鬥爭人，諫勸令舍，不自稱譽，卑遜敬物；理和合者，見退菩提心人，殷勤勸進，善能分別菩提、煩惱平等一相。」如實語的兩種是，「一，事實者，有則言有，無則言無，是則言是，非則言非；二，理實者，一切衆生，皆有佛性，如來涅槃常住不變。」他進而指出：「觀彼衆生曠劫以來，爲彼四過（四種口業）之所顚倒，沉淪生死，難可出離，我今欲拔其源，觀彼口業，唇舌牙齒，咽喉臍響，識風鼓擊，音出其中，由心因緣，虛實兩別，實則利益，虛則損減；實是起善之根，虛是生惡之本；善惡根本，由口言詮；詮善之言，名爲四正，詮惡之語，名爲四邪；邪則就苦，正則歸樂，善是助道之緣，惡是敗道之本。是故智者要心扶正，實自立，誦經念佛，觀語實相，言無所存，語默平等，是名淨修口業。」⑱他還寫有佛教詩《永嘉證道歌》，無疑自認爲屬於實語。

《大集經》分得更細，有所謂六十四種惡口之業，諸如粗語、軟語、非時語、妄語、漏語、高語、輕語、破語、不了語、散語、低語、仰語、錯語、惡語、畏語、吃語、諍語、讇語、誑語、惱語、怯語、邪語、罪語、啞語、入語、燒語、地語、獄語、虛語、慢語、不愛語、說罪咎語、失語、別離語、利害語、兩舌語、無義語、無護語、喜語、狂語、殺語、害語、系語、閑語、縛語、打語、歌語、非法語、自贊嘆語、說他過語、說三寶語，等等。這些名目繁多的忌諱，叫人開口即得咎，因而不具備實踐的意義。李頎《無盡上人東林禪居》詩說：「草堂每多暇，時謁山僧門。所對但群本，終朝無一言。……孤峰隔身世，百衲老寒暄。」⑲豈不是犯了閑語一條。張祜《題畫僧二首》說：「終年不語看如意，似證禪心入大乘。」⑳那是因爲他是畫面上的僧人。生活在人世間的僧人，終生不犯任何一種口業，無疑是不可能的。

吟詩當然屬於語的範疇，作爲社會生活之反映的詩歌，種種情緒、語匯，應有盡有。清人何文煥針對中唐詩僧皎然關於其十世祖謝靈運的詩歌創作得助於佛教的說法而加以批評，說：「釋氏寂滅，不用語言文字，《容齋隨筆》記《大集經》著六十四種惡口，載有大語、高語、自贊嘆語、說三寶語。宣唱尙屬口業，況制作美詞？乃皎然論謝康樂早歲能文，兼通內典，詩皆造極，謂得空王之助。何乃自昧宗旨乃爾！」⑩可見，在實踐上，佛教對於口業的禁戒，在詩歌創作方面，起不到任何約束作用。

但是士大夫對於這一點，多少也有些擔心。白居易認爲佛經都是如來所說的「眞語、實語、不誑語、不異語，」⑩而自己寫了很多詩，「寓興放言，緣情綺語者，亦往往有之。」自己是佛弟子，「備聞聖教，深信因果，懼結來業，悟知前非。」⑩因此，他一再表示「願以今生世俗文字之業，放言綺語之過，轉爲將來世世贊佛乘之因，轉法輪之緣也。」⑩

然而自從禪宗提倡直指心性，不假外求之後，就否定了一切外在的求佛形式，進而將世俗的一切活動，都看成無一不是修持佛教的手段。律僧源問禪宗慧海：「和尙修道還用功否？」慧海回答「用功」。又問「如何用功？」回答說：「饑來吃飯，困來即眠。」⑩禪宗義玄也說：「道流佛法，無用功處。只是平常無事，屙屎送尿，著衣吃飯，困來即臥。愚人笑我，智乃知焉。」⑩這樣，就取消了世俗間的一切活動和佛教的宗教活動之間的差別，而將二者等同劃一了。照理推論，作詩也便是修持佛教了。詩僧廣宣便作過這樣的宣傳，李益《贈宣大師》詩說：「因論佛地求心地，只說常吟是住持。」⑩因此，僧人便把詩歌和佛教作爲自己的兩項活動。張籍《送閑師歸江南》詩說：「多生修律業，外學得詩名。」⑱李洞《登圭峰舊隱寄荐福棲白上人》詩說：「夜寒吟病甚，秋健講聲圓。」⑲棲白和他一起回憶故人往事，他又寫下「前朝吟會散，故國講流終」⑪的句子。棲白死後，他寫下《哭棲白供奉》詩，說：「吟詩堂裡秋關（《唐詩紀事》卷七四僧棲白條作『閉』）影，禮佛燈前夜照碑。」⑪於是，詩僧輩出，人才濟濟。律僧道宗也「以詩爲佛事；」⑫僧人尙顏也說：「詩爲儒者禪。」⑬權德輿說詩僧靈澈「心冥空無而跡寄文字」，「睹其容覽其詞者，知其心不待境靜而靜」，「靜得佳句，然後深入空寂，萬慮洗然，則向之境物，又其稊稗也。」⑭

這樣，佛教與詩歌之間的聯繫，便得以溝通。

二、佛教對士大夫詩歌活動的影響

㈠佛教對詩歌活動的廣泛影響

據筆者粗略的統計，《全唐詩》所收唐代士大夫遊覽佛寺、研讀佛典、交接僧人的詩，約二千七百首，唐代僧人的詩，約二千五百首，⑮共五千二百多首。《全唐詩》共收詩四萬八千九百多首，反映著廣泛的社會生活，而僅此一宗，就占了十分之一以上，再加上五代時期和繫年無從稽考的有關佛教的詩，比重就更大了。即此一項，就可顯示佛教對社會生活和詩歌創作，影響多麼深廣。

既然佛教對詩歌活動有影響，人們也就喜歡用一些佛教說法來看待詩人和詩歌。唐末張爲作《詩人主客圖》評論詩人的成就，認爲白居易是「廣大教化主，」而其他很多詩人，不過登堂、入室或及門而已。[116]南宋嚴羽說：「禪家者流，乘有小大，宗有南北，道有邪正。學者須從最上乘，具正法眼，悟第一義。若小乘禪，聲聞、辟支果，皆非正也。論詩如論禪，漢魏晉與盛唐之詩，則第一義也。〔唐代宗〕大歷以還之詩，則小乘禪也，已落第二義矣。晚唐之詩，則聲聞、辟支果也。學漢魏晉與盛唐詩者，臨濟下也。學大歷以還之詩者，曹洞下也。大抵禪道惟在妙悟，詩道亦在妙悟。」[117]清人王士禎論唐人詩說：「王維佛語，孟浩然菩薩語，劉愼虛、韋應物祖師語，柳宗元聲聞、辟支語。」[118]賈島是僧人還俗，明人陸時雍認爲賈島爲僧的經歷對其詩歌有很大影響，說：「賈島衲氣，終身不除，語雖佳，其氣韻自枯寂耳。……賈島詩如寒齏，味雖不和，時有餘酸荐齒。」[119]論及王維的說法稍多些，爲了行文方便，將在下面介紹。

㈡佛教對詩歌創作的作用

劉禹錫《秋日過鴻擧法師寺院便送歸江陵》一詩的引言說：「梵言沙門，猶華言去欲也。能離欲，則方寸地虛，虛而萬象入，入乃有所泄，乃形爲詞，詞妙而深者，必依於聲律。故自近古而降，釋子以詩聞於世者相踵焉。因定而得境，故翛然以清；由慧而遣詞，故粹然以麗。信禪林之蘤萼，而戒河之珠璣耳。」[120]這在唐代是士大夫普遍具有的見解，上引權德輿論詩僧靈澈的話，也說靈澈「心不待境靜而靜」，「靜得佳句，然後深入空寂，萬慮洗然，則向之境物，又其稊稗也。」明人楊愼《升庵詩話》卷一止觀之義條，也用同樣的思想解釋唐代的詩歌現象，說：「杜詩『白首重聞止觀經』。佛經云：『止能捨樂，觀能離苦』。又云『止能修心，能斷貪愛；觀能修慧，能斷無明』。止如定而後能靜，觀則慮而後能得也。」

這裡提到了佛教的三學問題。三學即戒、定、慧，是佛教宣揚的由此岸世界到達彼岸淨土的橋梁。三學是一個整體，缺一不可，彼此互相聯繫和制約。戒是三學的基礎，爲初學修持者的入手法門，當然也就可以略而不提了。劉禹錫和楊愼都只標出了定（止）和慧（觀），實際上是包含著戒的。依照他們的這一說法，人若不離欲，不斷貪愛，就不能修心，心就不虛，萬象就不能入，就不能有所得。也就是說，客觀存在反映到人的頭腦中，必須以主觀的「虛」爲前提，主觀對於客觀，有著嚴格的排斥性的選擇；意境只能納入「定」的軌道內，造詞遣句必須受「慧」的制約。這樣，他們把三學作爲文學創作的根源、動力和出發點，便完全顚倒了社會存在和社會意識的關係，割斷了社會生活和文學創作的源流聯繫，因而是唯心主義的見解。照此推理，佛教與詩歌中的蘤萼珠璣同時問世，那豈不是說，佛教產生之前和消亡之後，詩壇上一片荒涼，根本不可能出現淸詞麗句！顯然，這種說法是錯誤的。

詩僧皎然著《詩式》，探討詩歌創作的規律，免不了用些佛教的行話。他認爲自己的十世祖東晉詩人謝靈運「早歲能文，性穎神澈，及通內典，心地更精，故所作詩，發皆造極，得非空王之道（佛教）助邪？」⑫在討論詩歌的言外之意時，他認爲詩的文外之旨，「但見情性，不睹文字，蓋詩道之極也。向使此道尊之於儒，則冠六經之首；貴之於道，則居衆妙之門；崇之於釋，則徹空王之奧。」⑫他認爲詩歌形式不應陳陳相因，而應不斷變革、翻新，稱爲復、變。「反古曰復，不滯曰變。」但

「復變二門，復忌太過。詩人呼爲膏肓之疾，安可治也。如釋氏頓教學者，有沈性之失，殊不知性起之法，萬象皆眞。夫變若造微，不忌太過，苟不失正，亦何咎哉！」「復變之道，豈惟文章乎？在儒爲權，在文爲變，在道爲方便。」⑫③

皎然還有一些說法，雖然沒有運用佛教行話，卻體現了佛教的思想方法。他追求詩歌的意境，認爲取得意境應當苦思，「不入虎穴，焉得虎子。取境之時，須至難至險，始見奇句。成篇之後，觀其氣貌，有似等閑，不思而得，此高手也。有時意靜神王，佳句縱橫，若不可遏，宛如神助。不然，蓋由先積神思，因神王而得乎？」⑫④這裡和劉禹錫「因定而得境」的見解，都同悟禪的說法一致，不過說得還比較朦朧。後人則徑直揭出「學詩渾似學參禪」之旨，北宋人蘇軾、吳可、曾幾、趙蕃，南宋人楊萬里、葛天民、嚴羽，明人都穆，淸人徐增，都有詩文談及。不過，作詩和悟禪，畢竟是兩碼事，何況禪宗標榜不立文字，而作詩卻是要形諸紙墨的，所謂「似」，僅僅指路子相似而已。

在討論對偶問題時，皎然指出：「上句偶然孤發，其意未全，更資下句引之方了。其對語一句便顯，不假下句，此少相敵，功夫稍深。請試論之：夫對者，如天尊、地卑，君臣、父子，蓋天地自然之數。若斤斧跡存，不合自然，則非作者之意。又詩語二句相須，如鳥有翅，若惟擅工一句，雖奇且麗，何異於鴛鴦五色隻翼而飛者哉？」⑫⑤

佛教中有豐富的辯證法因素。慧能對此，有所領悟，總結出三十六組對立的範疇，即：天與地，日與月，明與暗，陰與陽，水與火，語與法，有與無，有色與無色，有相與無相，有漏與無漏，色與空，動與靜，清與濁，凡與聖，僧與俗，老與少，大與小，長與短，邪與正，癡與慧，愚與智，亂與定，慈與毒，戒與非，直與曲，實與虛，險與平，煩惱與菩提，常與無常，悲與害，喜與瞋，捨與慳，進與退，生與滅，法身與色身，化身與報身。他告誡門人說：「動用三十六對，出沒即離兩邊，說一切法，莫離自性。忽有人問汝法，出語盡雙，皆取對法，來去相因，究竟二法盡除，更無去處。」比如說：「若有人問汝義，問有將無對，問無將有對，問凡以聖對，問聖以凡對，二道相因，生中道義。如一問一對，餘問一依此作，即不失理也。設有人問何名爲暗，答曰：明是因，暗是緣，明沒則暗，以明顯暗，以暗顯明，來去相因，成中道義。餘問悉皆如此。」[126]佛教的這一作法，引進到詩歌創作中，則如清人徐增所說：「釋迦說法，妙在兩輪，故無死句。作詩有對，須要互旋，方不死於句下也。」[127]

唐代近體詩崛起，成爲一代文體，其中律詩的成就也極高，技巧極爲嫻熟。律詩中的對偶部分，體現了作者的邏輯思維能力。近人陳寅恪先生說：「凡上等之對子，必具正反合之三階段。」他認爲這符合黑格爾的辯證法思想。比如合掌爲詩家之大忌，就因爲它僅僅有正而無反。「若正及反前後二階段之詞類聲調，不但能相當對，而且所表現之意義，復能互相貫通，因得綜合組織，別產生一新意義。此新意義，雖不似前之正及反二階段之意義，顯著於字句之上，但確可以想像而得之，所謂言外之意是也。此類對子，既能備具第三階段之合，即對子中最上等者。」他總結道：「凡能對上等對子者，其人之思想必通貫而有條理，決非僅知配擬字句者所能企及。」[128]皎然工近體，爲韋應物所激賞，被北宋僧贊寧評價爲「合律乎淸壯，亦一代偉才焉。」⑫⁹無疑，他是深知寫作對偶句子的甘苦的，因而才能上升爲理論。

辯證法思想在佛教傳入之前就在中國本土出現，並由老子加以總結。對偶句式在近體詩產生之前，也已出現於文學作品和士大夫的日常閑談中。但佛教有意識地總結、宣揚、提倡，和僅僅由文學現象自發地發展相比，卻有著規範化、成熟化、多樣化、可變化的積極後果。初唐時期，近體詩還很幼稚，而盛唐、中唐、晚唐時期，以對偶典雅工整名世的大家輩出不窮，其中不少是奉佛的士大夫，這和佛教創宗後的發展時期，特別是慧能講過三十六對的時期，正好相符，這便不能簡單地歸結爲文學自身的發展了。比如杜甫「水流心不競，雲在意俱遲」⑬⁰的對句，便明顯地帶著佛教的痕跡。他的很多對句都合乎陳寅恪先生正反合三個標準，都是對偶句中的上乘。《月夜憶舍弟》詩中有「露從今夜白，月是故鄉明；」⑬¹《春望》中有「烽火連三月，家書抵萬金；」⑬²《登樓》中有「錦江春色來天地，玉壘浮雲變古今；」⑬³《秋興》之一有「叢菊兩開他日淚，孤舟一繫故園心。」⑬⁴此類句子，不勝枚舉。剛才介紹楊愼的一段議論，其中引杜詩「白首重聞止觀經，」字句不確。這是杜甫《別李秘書始興寺所居》詩中的句子。該詩後四句是「重聞西方止觀經，老身古寺風泠泠。妻兒待我（一作來）且歸去，他日杖藜來細聽。」⑬⁵止觀是天台宗的法門，止觀經當即天台宗所崇奉的《妙法蓮華經》。天台宗的主張有一心三觀、圓融三諦，其即空即假即中的思想方法具有對立統一的因素。杜甫不是初聞、再聞，而是「重聞」，當然是多次受《法華經》的熏陶，對句能運用自如地達到正、反、合三階段的和諧統一，與這一熏陶不無關係。柳宗元是天台宗的信徒。他的詩歌被王士禎稱爲聲聞、辟支語，即佛教中覺悟程度最低的羅漢，僅僅入室，地位不高。但他《衡陽與夢得分路贈別》詩中「直以慵疏招物議，休將文字占時名」⑬⑥句；《登柳州城樓寄漳汀封連四州》詩中「嶺樹重遮千里目，江流曲似九回腸」⑬⑦句，就不能不說是極好的對句。劉禹錫作的律詩很多，對偶的技巧相當成熟。這些都可以看作佛教的思想方法對詩歌的構思和表達所起的積極作用。

㈢宗教類詩

正當劉禹錫議論佛教使詩歌創作繁榮昌盛，出現了「禪林之薌蔔」、「戒河之珠璣」，皎然爲衆多士大夫所交接，「京師則公相敦重，諸郡則邦伯所欽」⑬⑧的時候，白居易卻唱出了反調。白居易《題道宗上人十韻》一詩的序言指出：「予始知上人之文爲義作，爲法作，爲方便智作，爲解脫性作，不爲詩而作也。……恐不知上人者，謂爲護國、法振、靈一、皎然之徒歟！」詩裡有道宗律師「以詩爲佛事」，「人多愛師句，我獨知師意，不似休上人，空有碧雲思」⑬⑨的句子。這裡所表示的見解，是和他「文章合爲時而著，歌詩合爲事而作」⑭⓪的主張，以及重視文學的美刺作用的精神，背道而馳的。但他明確指出關於佛教的詩可分爲兩大類，一是宗教詩，即正面闡述佛理和運用佛教術語典故的詩；一類是非宗教詩，即區別於宗教詩，爲詩而作的一般詩歌。他和劉禹錫分別側重一類加以強調。

宗教類的詩，大多寫得很糟糕，讀來興味索然。比如白居易的詩，《贈草堂宗密上人》云：「吾師道與佛相應，念念無爲法法能。口藏宣傳十二部，心臺照耀百千燈。盡離文字非中道，長住虛中是小乘。少有人知菩薩行，世間只是重高僧。」[141]《讀禪經》云：「須知諸相皆非相，若住無餘卻有餘。言下忘言一時了，夢中說夢兩重虛。空花豈得兼求果，陽（一作物）焰如何更覓魚？攝動是禪禪是動，不禪不動即如如。」[142]迷信佛教極深的在家居士龐蘊，留下的七首詩全是佛理詩，比如：「萬法從心起，心生萬法生。法生同日了，來去在虛行。寄語修道人，空生愼無生。如能達此理，不動出深坑。」又如：「神識苟能無掛礙，廓周法界等虛空。不假坐禪持戒律，超然解脫豈勞功。」[143]這些詩完全是堆砌佛教術語，毫無哲理的美感和藝術的明快，不僅讓人覺得味同嚼蠟，簡直要惡心了。大量的詩中，不過運用一些繩床、錫杖、眞如、因緣、實相、虛心、蓮花、貝葉、朝梵、夜禪、解脫、方便、須彌、恆沙、色、空、染、淨、寂、滅、輪、塔、衲、唄、香、燈……之類的佛教語匯。劉長卿《送靈澈上人歸嵩陽蘭若（一作巖）》詩云：「南地隨緣久，東林幾歲空。暮山門獨掩，青草路難通。作梵連松韻，焚香入桂叢。唯將舊瓶缽，卻奇白雲中。」[144]詩味很薄，只不過把緣、空、梵、香、瓶、缽、東林、白雲等佛教字眼，硬嵌進詩裡而已。就是寫風光的，也不單純是自然現象的摹寫，而有著佛教的寓義。劉長卿與佛教有關的五十七首詩中，有十來首寫到雲、水。略舉幾句如下：《送道標上人歸南岳》詩云：「白雲留不住，淥水去無心。」[145]《秋夜雨中諸公過靈光寺所居》詩云：「流水從他事，孤雲任此心。」[146]《惠福寺與陳留諸官茶會》詩云：「到此機事遣，自嫌塵網迷。因知萬法幻，盡與浮雲齊。」[147]《齊一和尚影堂》詩云：「一公住世忘世紛，暫來復去誰能分。身寄虛空如過客，心將生滅是浮雲。」[148]有趣的是，士大夫寫詩一涉及到佛教，便免不了寫上雲、水之類。劉禹錫《送景玄師東歸》詩云：「山下偶隨流水出，秋來卻赴白雲期。」[149]劉商《題道濟上人房》詩云：「何處營求出世間？心中無事即身閑。門外水流風葉落，唯將定性對前山。」[150]這並不是因爲佛寺多在山林之中，寫上雲、水是爲了寫景。白居易《病中詩十五首·罷灸》說：「病身佛說將何喻？變滅須臾豈不聞。莫遣淨（一作浮）名知（一作和）我笑，休將火艾灸浮雲。」自注說：「《維摩經》云：是身如浮雲，須臾變滅也。」[151]至於水，湛然就曾在《十不二門》裡以「濁水清水，波濕無殊」來解釋過「染體即淨。」

還有很多詩，不過羅列一些佛教人物和典故。前代僧人支公（支遁，又名支道林）、遠公（慧遠）、生公（竺道生），屢次被用來稱頌當時的僧人。一些典故也頻繁地出現於詩歌中。盧綸《同崔峒補闕慈恩寺避暑》詩有「始悟塵居者，應將火宅同」[152]的句子，用的是《法華經》中「三界無安，猶如火宅」的典故。《法華經》把人間比作四周著火的險境，警告說：「汝等莫得樂住三界火宅，勿貪粗弊色聲香味觸。若貪著生愛，則爲所燒。汝速出火宅。」張謂《送僧》詩有「殷勤結香火，來世上牛車」[153]的句子，用的是《法華經》中大白牛車的典故。《法華經》借長者使諸子逃離火宅，用大白牛車、牛車、鹿車、羊車把他們接走爲比喻，說明各車的功力有別，用以區分大、中、小乘。天台宗人因而把自己的教義比作大白牛車，高於其它所有各車。白居易《病中詩十五首·答閑上人來問因何風疾》詩有「欲界凡夫何足道，四禪天始免風災」的句子，自注說：「色界四天，初禪具三災，二禪無火災，三禪無水災，四禪無風災。」[154]《與果上人歿時題此訣別兼簡二林僧社》詩有「本（一作願）

結菩提香火社，爲嫌煩惱電泡身」⑮的句子，典出《金剛經》偈：「一切有爲法，如夢幻泡影，如露亦如電，應作如是觀。」

士大夫有時用典，並不拘泥於佛教原義，只不過隨興之所至，信手拈來而已。王維《登辨（一作新）覺寺》詩說：「竹徑從（一作連）初地，蓮峰出化城。」⑯清人趙殿成箋注說：「琢崖嘗說：此詩『初地』即菩薩十地中之第一地，所謂歡喜地也，本是聖境中所造階級之名，今借作寺外路徑用。『化城』用《法華經》中化城事，本是方便小乘止息之喻，今借作寺中殿宇用。工則工矣，然右丞（王維）是學佛者，奈犯綺語戒何！」趙殿成同意這種看法，認爲這樣用典「雖於文無害，然不究其原而僅襲其步，恐有邯鄲匍匐之患耳。」⑰

宗教類的詩，有的是佛教教義的濃縮韻文，有的是佛教術語典故的堆砌或與其它語匯的攙和。這類詩，語言貧乏，思想枯竭，缺少藝術的美感和魅力，是詩歌中的糟粕。

㈣非宗教類詩

在一般詩歌中，有一些不是專門爲了闡釋佛理，也不大量運用佛教術語、典故，而是在禪宗的影響下，構成禪機理趣，這類詩，我把它劃爲受佛教影響的非宗教類詩。這類詩以王維的成就最高，爲古人所重視。王維的《辛夷塢》詩云：「木末芙蓉花，山中發紅萼。澗戶寂無人，紛紛開且落。」《鳥鳴澗》詩云：「人閑桂花落，夜靜春山空。月出驚山鳥，時鳴春澗中。」《鹿柴》詩云：「空山不見人，但聞人語響。返景入深林，復照青苔上。」《木蘭柴》詩云：「秋山斂餘照，飛鳥逐前侶。彩翠時分明，夕嵐無處所。」[158]明人胡應麟認爲《辛夷塢》是「五言絕之入禪者，」《鳥鳴澗》一詩，「讀之身世兩忘，萬念皆寂。不謂聲律之中，有此妙詮。」[159]明人謝榛引孔文谷的話說，王維和孟浩然、韋應物的詩，「典雅沖穆，入妙通玄，觀寶玉於東序，聽廣樂於鈞天。」[160]清人王士禎認爲：「內典所云不即不離，不黏不脫，曹洞宗所云參話句是也。」當有人提問「《鹿柴》、《木蘭柴》諸絕，自極淡遠，不知移向他處，亦可用否？」王士禎回答道：「摩詰（王維）詩如參曹洞禪，不犯正位，須參活句。然鈍根人學渠不得。」[161]清人徐增更是推崇備至，說：「夫作詩必須師承，若無師承，必須妙悟。雖然，即有師承，亦須妙悟。蓋妙悟、師承，不可偏舉者也。是故由師承得者，堂構宛然；由妙悟得者，性靈獨至。詩固非聊爾事也，騷人墨客從而小之則小，菩薩丈夫從而大之則大。故成詩而無關於內聖，勿作也；作詩而無關於外王，亦無作也。有唐三百年間，詩人若王摩詰之字字精微，杜子美（杜甫）之言言忠孝，此其選也。雖然，吾猶有憾焉。以摩詰天子，不能統杜陵（杜甫）宰相，杜陵宰相，不能攝摩詰天子，豈妙悟、師承，詣有偏至？又豈內聖、外王，道難兼至歟？竊見今之詩家，俎豆杜陵者比比，而皈依摩詰者甚鮮。蓋杜陵，嚴於師承，尚有尺寸可導；摩詰純乎妙悟，絕無跡象可即。」他還認爲李白是天才，以氣韻取勝；杜甫是地才，以格律取勝；王維是人才，以理趣取勝。李白千秋逸調，杜甫一代規模，而王維「精大雄氏之學（佛教），篇章字句，皆合聖教。」人們可以宗尚李白，師法杜甫，至於王維，「而人鮮有窺其際者。」[162]

胡應麟所說的「讀之身世兩忘，萬念皆寂，」是從讀者欣賞的角度來說的。讀者欣賞的效果，又是建立在詩歌原意的基礎之上的。所謂「身世兩忘，萬念皆寂，」就是佛教所說破除了我執法執，達到身心超脱，圓滿而寂淨的最高境界。把這種境界引入詩中，就構成了禪機理趣，成爲空寂幽靜的境界。

佛教對非宗教類詩歌的影響，古人僅僅看到空寂這一個方面。我們如果想一想禪宗的特殊風格，以及士大夫崇奉禪宗的原因（參看本書第一章第五節第三段落），便會發現，佛教對非宗教類詩歌的影響，還體現在很多方面。下面先援引一些完整的詩歌作爲例子。

張說《山夜聞鍾》詩：「夜卧聞夜鐘，夜靜山更響，霜風吹寒月，窈窕虛中上。前聲既春容，後聲復晃蕩。聽之如可見，尋之定無像。信知本際空，徒掛生滅想。」⑯③

李嘉祐《題道虔上人竹房》詩：「詩思禪心共竹閑，任他流水向（一作到）人間。手持如意高窗裡，斜日沿江千萬山。」⑯④

柳宗元《江雪》詩：「千山鳥飛絕，萬徑人蹤滅，孤舟蓑笠翁，獨釣寒江雪。」⑯⑤《漁翁》詩：「漁翁夜傍西巖宿，曉汲清湘燃楚竹。煙銷日出不見人，欸乃一聲山水綠。回看天際下中流，巖上無心雲相逐。」⑯⑥

元稹《嘉陵水》詩：「爾是無心水，東流有恨無？我心無說處，也共爾何殊？」⑯⑦《杏園》詩：「浩浩長安車馬塵，狂風吹送每年春。門前本是虛空（一作空虛）界，何事栽花誤世人！」⑯⑧《尋西明寺僧不在》詩：「春來日日到西林，飛錫經行不可尋。蓮池舊是無波水，莫逐狂風起浪心。」⑯⑨

《晚春》詩：「晝靜檐疏燕語頻，雙雙門雀動階塵。柴扉日暮隨風掩，落盡閑花不見人。」⑰《靖安窮居》詩：「喧靜不由居遠近，大都車馬就權門。野人住處無名利，草滿空階樹滿園。」⑰《贈樂天》詩：「等閑相見銷長日，也有閑時更學琴。不是眼前無外物，不關心事不經心。」⑰

溫庭筠《早秋山居》詩：「山近覺寒早，草堂霜氣晴。樹凋窗有日，池滿水無聲。果落見猿過，葉乾聞鹿行。素琴機慮靜（一作息），空伴夜泉清。」⑰

李洞《贈僧》詩：「不羨王侯與貴人，唯將雲鶴自相親。閑來石上觀流水，欲洗禪衣未有塵。」⑰

一些零星的句子如：

杜甫《江亭》詩句：「水流心不競，雲在意俱遲。」⑰柳宗元《南澗中題》詩句：「秋氣集南澗，獨遊亭午時。回風一蕭瑟，林影久參差。始至若有得，稍深遂忘疲。羈禽響幽谷，寒藻舞淪漪。……索寞竟何事，徘徊只自知。」⑰又《溪居》詩句：「曉耕翻露草，夜榜（一作塝）響溪石。來往不逢人，長歌楚天碧。」⑰劉禹錫《蒙池》詩句：「風起不成文，月來同一色。」⑰溫庭筠《商山早行》詩句：「雞聲茅店月，人跡板橋霜。」⑰等等。

通過這些例子，我們可以體會到典雅蘊藉，機智雋永，自然明快，灑脫奔放，恬淡無爭，這正是禪宗的風格。

我們也不必否認，受禪宗影響的山水詩，那意境和情趣是沁人心脾的幽冷孤獨，和那些氣象雄深的山水詩相比，明顯地給人一種纖細低沉的感覺，但它是一種自然美，一種豪放風格無法代替的婉約風格。既然大自然是多樣性的，爲什麼一定要強求對它的表現單一化呢？一瀉千里的江河，震撼山岳的颶風，可以構成大自然的氣勢；如絲如縷的涓涓細流，和煦溫馨的微風，不是更使多元化的大自然顯得寧靜和諧嗎？動與靜，大與小，多與少，雄渾與細膩，豪放與婉約，是相輔相成的。作者的氣質有別，欣賞者的情趣也不同，這是天下之通義。因此，我們應該珍視詩歌中的這份寶貴遺產，不應簡單地以「消極」二字加以抹殺。

【附　註】

①《全唐詩》卷八三。
②《全唐詩》卷四五五。
③《全唐詩》卷四三六。
④《全唐詩》卷四四九。
⑤隋僧吉藏《大乘玄論》卷三。
⑥唐僧湛然《金剛錍》。
⑦《大珠禪師語錄》卷下，《雲門語錄》卷中。
⑧《全唐詩》卷一八七。

⑨《全唐詩》卷四八六。
⑩《全唐詩》卷二六三。
⑪隋僧慧思《大乘止觀法門》。
⑫唐僧法藏《華嚴經義海百門》。
⑬法藏《華嚴策林》。
⑭《宋高僧傳》卷一七，《智常傳》。
⑮《柳宗元集》卷一六，《天說》引韓愈語。
⑯《韓昌黎集》卷一一，《原鬼》。
⑰《柳宗元集》卷一六。
⑱《劉禹錫集》卷五，《天論》上。
⑲《荀子·天論》。
⑳東漢王充《論衡》卷二五，《禮義篇》。
㉑《論衡》卷一一，《談天篇》。
㉒《論衡》卷七，《道虛篇》。
㉓《論衡》卷三，《物勢篇》。
㉔《論衡》卷一八，《自然篇》。

㉕《荀子·天論》。
㉖《荀子·君道》。
㉗《論衡》卷二,《命義篇》。
㉘今人任繼愈主編《中國哲學史》第二冊第一三五頁。
㉙《柳宗元集》卷二五,《送僧浩初序》。
㉚《劉禹錫集》卷四,《袁州萍鄉縣楊岐山故廣禪師碑》。
㉛《劉禹錫集》卷二九,《贈別君素上人》詩序。
㉜《劉禹錫集》卷二九,《送僧元暠南遊》詩序。
㉝唐僧宗密《華嚴原人論·斥偏淺第二》自注。
㉞《全唐詩》卷三五一。
㉟《全唐詩》卷一〇〇。
㊱敦煌本《壇經》。
㊲《華嚴原人論·斥偏淺第二》。
㊳《柳宗元集》卷一四。
㊴《柳宗元集》卷四四。
㊵《劉禹錫集》卷五,《天論》中。

㊶《孟子·告子上》。
㊷近人錢基博《韓愈志》頁七一。
㊸《廣弘明集》卷一四。
㊹《廣弘明集》卷一四，《內德論》辨惑一。
㊺《廣弘明集》，《內德論》辨惑一。
㊻《廣弘明集》卷一一，傅奕《上廢省佛僧表》及法琳《對傅奕廢佛僧事》引傅奕語。
㊼《廣弘明集》卷一四，《內德論》辨惑一。
㊽《李文公集》卷三。
㊾南宋葉夢得《避暑錄話》卷下。
㊿南宋朱熹《朱子語類》卷一三七。
[51]《中國佛教》唐代佛教條，第一輯頁七一。
[52]敦煌本《壇經》。
[53]唐僧湛然《十不二門》。
[54]唐僧湛然《金剛錍》。
[55]隋僧智顗《摩訶止觀》卷五。
[56]《廣弘明集》卷一三，法琳《辨正論》。

㊼敦煌本《壇經》。
㊽《柳宗元集》卷七，《南岳大明寺律和尚碑》。
㊾敦煌本《壇經》。
㊿《全唐詩》卷二一六，杜甫《奉贈書左丞文二十二韻》。
(61)《全唐詩》卷二一八，杜甫《幽人》。淸人錢謙益《錢注杜詩》卷三注云，惠詢舊注爲惠昭、荀珏或惠遠、許詢，都是錯誤的，惠詢很可能是杜甫的朋友惠二。
(62)《全唐詩》卷二三九，杜甫《西閣二首》之二。
(63)《全唐詩》卷二三六，杜甫《觀李固請司馬弟山水圖三首》之二。
(64)《全唐詩》卷二一六，杜甫《同諸公登慈恩寺塔》。
(65)《全唐詩》卷二三〇，杜甫《謁文公上方》。
(66)南宋計有功《唐詩紀事》卷四八韋渠牟條。
(67)《柳宗元集》卷二五。
(68)《全唐詩》卷四四一，白居易《郡齋暇日憶廬山草堂兼寄二林僧社三十韻多叙貶官已來出處之意》。
(69)《全唐詩》卷四二二。
(70)《全唐詩》卷一八九。
(71)《全唐詩》卷三一三。

⑫《隋書》卷四六，《楊尚希傳》。
⑬《韓昌黎集》卷一九。
⑭今人丹徒等《中國古典文學名著題解》王維條，頁二二一。
⑮今人游國恩、蕭滌非等《中國文學史》第二冊第一一八—一一九頁。
⑯《舊唐詩》卷一六六《白居易傳》。
⑰《全唐詩》卷四五八，白居易《病中詩十五首》序。
⑱《全唐詩》卷一二六。
⑲《全唐詩》卷一二五。
⑳《全唐詩》卷四〇九。
㉑《全唐詩》卷四二九。
㉒《全唐詩》卷四五八。
㉓《全唐詩》卷一九八。
㉔《全唐詩》卷二八四。
㉕《韓昌黎集》卷二三。
㉖《太平廣記》卷四九九，衲衣道人條引《國語》。
㉗《柳宗元集》卷二五，《送僧浩初序》。

⑧8《全唐詩》卷一八八，韋應物《寄李儋元錫》。
⑧9《白居易集》卷四一。
⑨0《廣弘明集》卷一四。
⑨1《柳宗元集》卷二五。
⑨2《柳宗元集》卷二五。
⑨3《柳宗元集》卷三一。
⑨4《柳宗元集》卷三一。
⑨5《張燕公集》卷一四。
⑨6清陳鴻墀《全唐文紀事》卷二四，忠烈門引《金石後錄·麻姑仙壇記》。
⑨7《顏魯公集》卷五《泛愛寺重修記》說：「予不信佛法，而好居佛寺，喜與學佛者語，人視之，若酷信佛法者，而實不然也」。《顏集》編訂者黃本驥認爲《記》中「既仕於崑」、「每至姑蘇」句，與顏氏生平不符，「疑非魯公所作，《全唐文》不知據何本採入。」退一步講，即便這話眞是顏氏講的，恐怕要算是當局者迷、旁觀者清了。這類現象屢見不鮮。
⑨8唐僧玄覺《禪宗永嘉集·淨修三業第三》。
⑨9《全唐詩》卷一三二。
⑩0《全唐詩》卷五一一。

⑩清何文煥《歷代詩話考索》。
⑩《白居易集》卷四五，《與濟法師書》。
⑩《白居易集》卷七〇，《蘇州南禪院白氏文集記》。
⑩《白居易集》卷七一，《香山寺白氏洛中集記》。
⑩北宋僧道原《景德傳燈錄》卷六，《懷讓禪師第二世馬祖法嗣》。
⑩《古尊宿語錄》卷四，《鎮州臨濟慧照禪師語錄》。
⑩《全唐詩》卷二八三。
⑩《全唐詩》卷三八四。
⑩《全唐詩》卷七二二。
⑩《全唐詩》卷七二二，李洞《叙事寄荐福棲白（一作聽白公話歸）》。
⑪《全唐詩》卷七二三。
⑪《全唐詩》卷四四四，白居易《題道宗上人十韻》。
⑪《全唐詩》卷八四八，尙顏《讀齊己上人集》。
⑪《全唐文》卷四九三，權德輿《送靈澈上人廬山回歸沃洲序》。
⑪這個數字不包括寒山的三〇〇多首詩。傳統說法以爲寒山是唐初僧人，近人余嘉錫先生通過對史籍的考辨，指出他是唐末「隱逸之流」，「爲僧爲道不可知」，「爲仙爲佛，總屬寄托。」詳余嘉錫《四庫提要辨證》卷二〇

集部一。

⑯《唐詩紀事》卷六五，張爲條。

⑰南宋嚴羽《滄浪詩話》。

⑱清王士禎《帶經堂詩話》卷一，《品藻·居易錄》。

⑲明陸時雍《詩鏡總論》。

⑳《全唐詩》卷三五七。

⑫唐僧皎然《詩式》卷一，《文章宗旨》。

⑫《詩式》卷一，《重意詩例》。

⑫《詩式》卷五，《復古通變體》。

⑫《詩式》卷一，《取境》。

⑫《詩式》卷一，《對句不對句》。

⑫宗寶本《壇經·付囑品第十》。敦煌本關於三十六對的文字，脫誤很多，不如宗寶本文從字順。

⑫清徐增《而庵詩話》。

⑫近人陳寅恪《與劉叔雅論國文試題書》，《金明館叢稿二編》頁二二六。

⑫《宋高僧傳》卷二九，《皎然傳》。

⑬《全唐詩》卷二二六，杜甫《江亭》。

⑬《全唐詩》卷二二五。
⑬《全唐詩》卷二二四。
⑬《全唐詩》卷二三八。
⑬《全唐詩》卷二三〇。
⑬《全唐詩》卷二三二。
⑬《全唐詩》卷三五一。
⑬《全唐詩》卷三五一。
⑬《宋高僧傳》卷二九，《皎然傳》。
⑬《全唐詩》卷四四四。
⑭《白居易集》卷四五，《與元九書》。
⑭《全唐詩》卷四五四。
⑭《全唐詩》卷四五五。
⑭《全唐詩》卷八一〇，龐蘊《雜詩》。
⑭《全唐詩》卷一四七。
⑭《全唐詩》卷一四八。
⑭《全唐詩》卷一四八。

⑭《全唐詩》卷一四九。
⑭《全唐詩》卷一五一。
⑭《全唐詩》卷三五九。
⑮《全唐詩》卷三〇四。
⑮《全唐詩》卷四五八。
⑮《全唐詩》卷二七九。
⑮《全唐詩》卷一九七。
⑮《全唐詩》卷四五八。
⑮《全唐詩》卷四四〇。
⑮《全唐詩》卷一二六。
⑮《王右丞集箋注》卷八。
⑮《全唐詩》卷一二八。
⑮明胡應麟《詩藪》內編卷六。
⑯明謝榛《四溟詩話》卷四。
⑯清王士禛《師友詩傳續錄》。
⑯清徐增《而庵詩話》。

⑯《全唐詩》卷八六。
⑯《全唐詩》卷二〇七。
⑯《全唐詩》卷三五二。
⑯《全唐詩》卷三五三。
⑯《全唐詩》卷四一〇。
⑯⑯⑰《全唐詩》卷四一一。
⑰《全唐詩》卷四一二。
⑰《全唐詩》卷四一二。
⑰《全唐詩》卷五八一。
⑰《全唐詩》卷七二三。
⑰《全唐詩》卷二二六。
⑰⑰《全唐詩》卷三五二。
⑰《全唐詩》卷三五五。
⑰《全唐詩》卷五八一。

第五章 士大夫對佛教的影響

士大夫一方面受到佛教的影響，一方面又給予佛教以影響。士大夫對佛教的影響，表現爲通過對佛教的宣傳、捍衛和改造，來修正和發展佛教，使之成爲帶著中國風格的強大的社會勢力。

第一節 宣傳

士大夫對於佛教和僧人，進行了廣泛的宣傳。他們爲佛教的博大精深而嘖嘖驚嘆，一再由衷地表示自己的服膺態度。張說指出：「觀夫廣大無相者，空虛也。四輪倚之而住對微無體者，佛性也，萬法因之以生。聖人有以見三界成壞，皆有爲觳，故剖之以戒觜。聖人有以見六趣輪回，是無明網，故決之以定力。爍寶光之慧炬，而沛善利之慈舟；返迷途率於中道，猗橫流登於彼岸。以言乎眞實之要，總攝一乘；以言乎天地之間，曲成萬物。大矣哉！道心包舉，等太虛而無際；法教流通，彌曠劫而常在。」①柳宗元也感嘆「佛之道，大而多容，凡有志乎物外而恥制於世者，則思入焉。」②於是他們孜孜以求，以至於皓首窮經，始得了悟佛教的底蘊。王維在《謁璇上人》詩中總結自己的經歷，說：「少年不足言，識道年已長。事往安可悔，餘生幸能養。誓從斷臂（一作葷）血，不復嬰世網。……一心在法要，願以無生獎。」③羊士諤《郡齋讀經》一詩，幾乎是他的懺悔錄，說：「壯齡非濟物，柔翰誤爲儒。及此齋心暇，翛然與道俱。……圓寂期超詣，凋殘幸已蘇。」④柳宗元說：「吾自幼好佛，求其道積三十年。」⑤劉禹錫說：「予策名二十年，百慮而無一得，然後知世所謂道無非畏途，唯出世間法可盡心耳。由是在席硯者多旁行四句之書，備將迎者皆赤髭白足之侶。深入智地，靜通道源，客塵觀盡，妙氣來宅，內視胸中，猶煎煉然。」⑥於是士大夫便廣泛地宣傳佛教。

張說、王維、柳宗元、劉禹錫寫了很多詩文來宣傳佛教，李華、梁肅、白居易、段成式、裴休等人也是如此。崔恭爲梁肅的文集作序，總結了梁肅的佛教著述生涯，說：「公早從釋氏，義理生知，結意爲文，志在於此。言談語笑，常所切劘，心在一乘，故叙釋氏最爲精博，……歸根復命，一以貫之，作《心印銘》。住一乘，明法體，作《三如來畫贊》。知法要，識權實，作《天台山禪林寺碑》。達教源，周境智，作《荆溪大師碑》。大教之所由，佛日之未忘，蓋盡於此矣。若以神道設教，化源旁濟，作《泗州開元寺僧伽和尚塔銘》。言僧事，齊律儀，作《過海和尚塔銘》、《幽公碑銘》。釋氏制作，無以抗敵，大法將滅，人鮮知之，唱和之者或寡矣。故公之文章，粹美深遠，無人能到。……蓋釋氏之鼓吹歟！諸佛之影響歟！」⑦梁肅是天台宗的信徒。他對佛教的研究，達到了登堂入室的地步，超過了很多僧人。北宋僧人贊寧感嘆道，我們僧人往往有不懂得天台宗湛然的理論的，而梁肅卻

「深入門室，見宗廟之富」。「《詩》云：『維鵲有巢，維鳩居之』。梁公深入佛之理窟之謂歟！」⑧至於裴休，不僅爲僧人宗密的《法界觀》、《禪詮》注文撰序，還將和禪宗希運的問答整理爲《筠州黃檗山斷際禪師傳心法要》一文，爲宣傳佛教出了不少力。

士大夫之間，也以佛教相勸誘。李端年青時，崇尚神仙術，年老時，其友人暢當以佛教來開導他。他對佛教了解不多，卻「心知必是」，只是「未得其門」，就寫了首《書志贈暢當》的詩，把暢當比作前代熟知佛理的在家居士宗柄，來向他請教佛教教義。詩說：「少喜（一作嘉）神仙術，未去已蹉跎。壯志一爲累，浮生事漸多。衰顏不相識，歲暮定相過。請問宗居士，君其奈老何？」⑨

士大夫還向民間宣傳佛教。朝散大夫郟城令牛騰，調到邊遠地區牂牁做官，就「大布釋教於牂牁中。」⑩

士大夫對於僧人的宣傳，極爲普遍。對於活著的僧人，或人品，或才學，他們備加推崇。楊炯《送幷州旻上人詩序》說：「旻上人天骨多奇，神情獨王。法門梁棟，豈非龍象之雄；晉國英靈，即是河汾之寶。道尊德貴，所以名稱並聞；盡性窮神，所以身心不動。」⑪盧仝《寄贈含曦上人》詩說：「破鎖推玄關，高辯果難揣。論語老莊易，搜索通神鬼。起信中百門，敲骨得佛髓。此外雜經律，泛讀一萬紙。」⑫對於死去的僧人，他們也惋惜不已。嚴維《哭靈一上人》詩說：「經論傳緇侶，文章遍墨卿。禪林枝幹折，法宇棟梁傾。誰復修僧史，應知傳已成」。⑬林寬《哭棲白供奉》詩說：「侍輦才難得，三朝有上人。琢詩方倒骨，至死不離貧。」⑭

士大夫的這些宣傳，對於佛教的普及和發展，無疑起到了推動的作用。

第二節　捍衛

士大夫崇奉佛教以後，立場、感情在很大程度上轉到佛教方面。因此，他們自覺地捍衛佛教，批判危害佛教的種種言論和傾向。唐宣宗的宰相裴休就公開表示過這種態度，說：「願世世為國王，弘護佛法。」⑮最突出的例子，則是唐高祖時的東宮學士李師政。他在三教論爭中，配合其師法琳，寫了《內德論》和《正邪論》來反對傅奕。《內德論》的部分內容和邏輯力量，本書第四章第一節第三段落已有介紹，這裡再從捍衛佛教的角度略加徵引。李師政先總括地介紹了佛教是如何的高深玄妙，於世有補，說：「若夫十力調御，運法舟於苦海，三乘汲引，坦夷途於火宅』勸善進德之廣，七經之所不逮，戒惡防患之深，九流莫之比。」然後說到自己肩負著朝廷和佛教賦予的雙重責任，應該起而護法，還擊傅奕對佛教的批判，說：「我皇誕膺天命，弘濟區宇，覆等蒼旻，載均厚地。掃氛祲，清八表，救塗炭，寧兆民，五教敬敷，九功惟序，總萬古之徽猷，改百王之餘弊。搜羅庶善，崇三寶以津梁；芟夷群惡，屏四部之梯蕣。遵付囑之遺旨，弘紹隆之要術，功德崇高，昊天罔喻。……聖朝勸善，立伽藍以崇福；迷民起謗，反功德以為疣。此深訕上，非徒毀佛。愚竊撫心而太息，所以發憤而含毫者也。忝賴皇恩，預沾法雨，切磋所惑，積稔於茲。信隨聞起，疑因解滅，昔嘗苟訾而不信，今則篤信而無毀。近推諸己，廣以量人，凡百輕毀而弗欽，皆爲討論之未究；若令探賾索隱，功齊於〔佛圖〕澄、〔鳩摩羅〕什，必皆深信篤敬，志均於名僧矣。」他針對著傅奕的反佛言論，詳細地寫了十條反駁意見。他所得出的結論是：「亡秦者胡亥，時無佛而土崩；興佛者漢明，世有僧而國治。周除佛寺，而天元之祚未永；隋弘釋教，而開皇之令無虐。盛衰由布政，治亂在庶官，歸咎佛僧，實非通論。且佛唯弘善，不長惡於臣民；戒本防非，何損害於家國？若人人守善，家家奉戒，則刑罰何得而廣，禍亂無由而作。」⑯唐祚初建時，統治者抬高道教，壓抑佛教，佛教的處境相當困難。但佛教不但沒被取締，反而轉危爲安，除了有其生存的社會土壤以外，李師政和法琳這種儒釋雙方互爲掎角的配合抗爭，不能不說是決定性的因素。

到了唐武宗會昌年間，終於演成了毀佛事件，成爲所謂三武一宗法難中的一次。這次毀佛並不徹底。由於藩鎮割據，黃河已北的奉佛藩鎮節帥拒不執行朝廷詔令。日本僧人圓仁記述了自己耳聞目睹的情況，說：「唯黃河已北鎮、幽、魏、潞等四節度，元來敬重佛法，不毀拆佛寺，不條流僧尼，佛法之事，一切不動之。頻有敕使勘罰，云：『天子自來毀拆焚燒即可然矣，臣等不能作此事也。』」⑰而在南方，佛教受到的打擊則相當嚴重。唐宣宗時，杭州地方官李播說：「吳越古今多文士，來吾郡遊，登樓倚軒，莫不飄然而增思。吾郡之江山甲於天下，信然也。佛熾害中國六百歲，生見聖人，一揮而幾夷之。今不取其寺材立亭勝地，以彰聖人之功，使文士歌詩之，後必有指吾而罵者。」他便用所拆佛寺的材料，修了一座亭子。杜牧爲此而寫的《杭州新造南亭子記》一文，記述了這次毀佛的歷史動因和後果，還設想，百數十年後，來登臨南亭的人，必然會想起「仁聖天子之神功，美子烈（李播）之旨跡。」⑱

正當杜牧著文歡呼時，李節卻唱了對台戲。李節是唐宣宗大中年間的進士，任河東節度使盧鈞的巡官。他在太原，對於黃河以北的藩鎮拒不執行毀佛詔令，非常理解。潭州道林寺僧疏言，前來太原搜求經卷，返回湖南之際，李節寫《贈釋疏言還道林寺詩》送行。詩的序言詳細地記載了這一舉動的原委本末，說：「會昌季年，武宗大翦釋氏，巾其徒且數萬人（按：據官方統計數字，僧尼還俗共二十六萬五百人），民隸其居，容貌於土木者沉諸水，言詞於紙素者烈諸火，分命御史乘驛走天下，察敢隱匿者罪之。由是天下名祠珍宇，毀撤如掃。天子建號之初，雪釋氏之不可廢也，詔徐復之。而自湖以南，遠人畏法，不能酌朝廷之禮，前時焚撤書像，殆無遺者，故雖明命復許創立，莫能得其書。道林寺，湘川之勝遊也，有釋疏言，警辨有謀，獨曰：『太原府，國家舊都，多釋祠。我聞其帥司空范陽公（盧鈞），天下仁人。我第往求釋氏遺文，以惠湘川之人，宜其聽我而助成之矣。』即杖而北遊。既上謁軍門，范陽公果諾之，因四求散逸不成藴帙者，至釋祠而不見焚而副剩者，又命講丐以補繕缺漏者。未幾，凡得釋經五千四十八卷，以大中九年秋八月，輦自河東而歸於湘焉。喜釋氏之助世，既言之矣。向非我君洞察理源，其何能復立之。即既立之，且亡其書，非有疏言識遠而誠堅，孰克洪之耶！吾嘉疏言奉君之令，演釋之宗，不憚寒暑之勤，德及遠人。」在所贈的詩中，李節指出：「湘川狺狺兮俗獷且佷，利殺業偷兮吏莫之馴。繄釋氏兮易暴使仁，釋何在兮釋在斯文」⑲

李節所說：「喜釋氏之助世，既言之矣，」是指他這篇詩序中前面的一段話：「俗既病矣，人既愁矣，不有釋氏使安其分，勇者將奮而思鬥，知者將靜而思謀，則阡陌之人皆紛紛而群起矣。」⑳這裡的見解，代表著一部分經歷了唐武宗會昌毀佛到唐宣宗興佛這一歷史轉變過程的士大夫對佛教的認識。因此，李節才自覺地起而捍衛佛教。

在佛教、道教並存的社會裡，兩方的教徒都有棄此就彼者。僧人棲玄就有奉道的想法，許渾作《聞釋子棲玄欲奉道因寄》一詩，加以阻攔。不管許渾的動機是什麼，那效果仍能捍衛佛教。詩云：「欲求眞訣戀禪扃，羽帔、方袍盡有情。仙骨本微靈鶴遠，法心潛動毒龍驚。三山未有偷桃計，四海初傳問菊名。今日勸師師莫惑，長生難學（一作不似）證無生。」㉑

以上這些捍衛佛教的事例，都是針對著佛教外部的不同力量的。佛教內部各宗派，見解歧異，矛盾也不少。士大夫或者模仿佛教界判教的作法，加以調和；或者介入其間，爭長較短。

劉禹錫、柳宗元都對佛教內部存在差異的現象作過解釋。劉禹錫說：「佛示滅後，大弟子演聖言而成經，傳心印曰法，承法而能專曰宗，由宗而分教曰支。」㉒柳宗元說：「金仙氏之道（佛教），蓋本於孝敬，而後積以衆德，歸於空無。其敷演教戒於中國者，離爲異門，曰禪，曰法，曰律，以誘掖迷濁，世用宗奉。」㉓然而佛教內部的差異、矛盾是客觀存在的。不是幾句話就可以彌和的。

慧能倡導頓悟法門，在南方創立了禪宗。恪守傳統漸悟法門的神秀，在北方仍有相當大的影響，以至於法嗣綿延好幾代。這樣，禪門便有了南、北宗的差異。于頔企圖掩蓋這種矛盾，在《郡齋卧疾贈晝上人》詩中說:「晚依方外友,極理探精賾,吻合南北宗,晝公我禪伯。」㉔南、北宗的主張和風格大相徑庭,因而是無法調和的,彼此形同水火,攻訐不已,最後頓門完全戰勝了漸門,風靡於天下。

律宗三家——南山宗、相部宗、東塔宗之間,對戒體理解不一,遂有所謂新、舊疏之爭。元載敬重東塔宗懷素,影響到唐代宗的態度。元載死後,唐代宗敕令三家討論二疏。唐德宗時,律僧如淨奏二疏並行。這是士大夫企圖配合朝廷調和律宗內部矛盾的事例。

禪宗和律宗之間,也有矛盾,互相看不起,爭個你長我短。杜荀鶴針對著具體的人和事,作了首《空閑二公遞以禪律相鄙因而解之》的詩,說:「一教誰云闢二途,律禪禪律智歸愚。念珠在手隳禪衲,禪衲披肩壞念珠。象外空分空外象,無中有作有中無。有無無有師窮取,山到平來海亦枯。」㉕同樣的精神,還出現在他的《贈臨上人》詩中:「不計禪兼律,終須入悟門。」㉖

禪宗與教派之間,矛盾也很深。柳宗元是理論家,對理論性強的教派,有著特殊的感情,尤其偏愛天台宗。他認爲應該通過鑽研佛教典籍來理解佛教。他說:「佛之跡,去乎世久矣,其留而存者,佛之言也。言之著者爲經,翼而成之者爲論,其流而來者,百不能一焉,然而其道則備矣。法之至,莫尚乎《般若》,經之大,莫極乎《涅槃》。世之上士,將欲由是以入者,非取乎經論則悖矣。」㉗他又說:「佛之言,吾不可得而聞之矣,其存於世者,獨遺其書。不於其書而求之,則無以得其言。言且不可得,況其意乎?」㉘他認爲只有天台宗的中道主張符合佛教原義,說:「嗚呼!佛道逾遠,異端競起，唯天台大師爲得其說。」㉙至於律宗，他認爲是從實踐方面來體現佛教精神的。他說：「其有修整觀行，尊嚴法容，以儀範於後學者，以爲持律之宗焉。」㉚又說：「儒以禮立仁義，無之則壞；佛以律持定慧，去之則喪。是故離禮於仁義者，不可與言儒；異律於定慧者，不可與信佛。」教、律在佛教界的地位，是佛教興衰的標誌。「凡浮圖之道衰，其徒必小律而去經。」㉛那麼，教、律的衰微，佛教內部是什麼因素在起作用？有什麼值得憂慮的趨向嗎？他認爲是教外別傳、不與物拘的禪宗。他說：「佛之生也，遠中國僅二萬里；其沒也，距今茲僅二千歲。故傳道益微，而言禪最病。拘則泥乎物，誕則離乎眞，眞離而誕益勝。故今之空愚失惑縱傲自我者，皆誣禪以亂其數，冒於嚚昏，放於淫荒。」㉜又說：「而今之言禪者，有流蕩舛誤，迭相師用，妄取空語，而脫略方便，顚倒眞實，以陷乎己，而又陷乎人。又有能言體而不及用者，不知二者之不可斯須離也。離之外矣，是世之所大患也。」㉝由於他認爲禪宗是佛教的變種，與佛教的眞正宗旨相左，他對於禪宗人的評價也就不能隨意拔高。慧能去世百餘年後，嶺南觀察使馬摠上疏請求給慧能加謚號，唐憲宗詔謚爲大鑒禪師。僧人仰慕柳宗元一代文宗的名氣，請他作碑文，他作了《曹溪大鑒禪師碑》，是繼王維之後的第二碑。碑文回避了對禪宗的評價，用儒家學說來比附禪宗，說慧能教人「始以性善，終以性善」㉞而大量的文字，卻是歌頌馬摠的。這篇不倫不類的碑文，完全起不到彰揚禪宗的作用。大概僧人對這一點不滿意，三年之後，又請劉禹錫作了第三碑。柳宗元所寫關於其他禪僧的碑文或序，不是批評禪宗的毛病，就是根本不談佛教，迂迴地講一些儒家說法、詩歌寫作、儒釋交遊、僧人的家世經歷，以及僧人不愛官不爭能之類的話。柳宗元針對佛教內部的這些情況，不厭其煩地發表意見，那用意在於糾正偏差，捍衛佛教。

柳宗元對佛教的捍衛，還表現在對佛教外部異己力量的鬥爭上。他所寫《送僧浩初序》一文，就是反駁韓愈批評他奉佛的專文。韓愈批評他不斥浮圖。他說：「浮圖誠有不可斥者，往往與《易》、《論語》合，誠樂之，其於性情奭然，不與孔子異道。」他還說，韓愈好儒的程度，沒能超過揚雄，揚雄的書，吸收了莊子、墨子、申不害、韓非子的很多說法，難道「浮圖者反不及莊、墨、申、韓之怪僻險賊耶？」他表示自己奉佛，只是取佛教中與儒學相合的成分，「雖聖人復生，不可得而斥也。」㉟這種捍衛佛教的態度，是十分堅定的。

士大夫對佛教的捍衛，在佛教處境困難時，起到了解危紓難的作用；在佛教處境正常時，起到了促進發展的作用。在這個意義上，可以說，士大夫是佛教的一支重要的同盟軍，休戚相關，輔車相依。

第三節 改造

清人惲敬評論韓愈反佛，認爲：「自公斥爲『子焉而不父其父』，而爲佛者知養其親；自公斥爲『臣焉而不君其君』，而爲佛者知拜其君，供賦稅，應力稅，未嘗不事其事。世之儒者知中國之變而爲佛，不知佛之變而爲中國；知士大夫之遁於佛，而不知爲佛者自托於士大夫。人理所同，豈能外哉！」㊱這個說法，有得有失。他指出佛教在士大夫的批判下，不得不吸收儒家思想，以消滅被攻擊的目標，因而儒、佛之間，相互影響，佛教被改造爲中國化的宗教和文化，這是對的。但他把這一現象的出現，只歸於韓愈一人的功勞，因而時間劃在中唐，則是錯誤的。他說在韓愈的批評下，佛教徒開始「供賦稅，應力役，」則是缺乏歷史知識而出現的技術性錯誤。中唐時期，彭偃這樣建議過（參看本書第三章第一節第二段落之（五）小段），但根本沒有實行。政府所以要限制佛教、打擊佛教，正是由於佛教徒不承擔賦稅徭役，很多人規避賦稅徭役，遁入空門，使國家喪失了剝削對象和財政收入。

早在唐高祖武德七年（六二四年），太史令傅奕上疏請取締佛教就說，佛教「使不忠不孝，削髮而揖君親；遊手遊食，易服以逃租賦。」㊲這涉及到倫理道德、社會責任、國家收入等等方面，是對佛教的致命一擊。維護佛教的僧俗人士，不得不盡量作出自圓其說的解釋，以擺脫窘境。關於賦稅徭役，不是幾個人說說就能解決的，因而，他們只就忠孝問題發表議論。

僧法琳就絞盡腦汁，拼湊了一些說法。他一方面說：「玄聖（釋迦牟尼）創典以因果爲宗，素王（孔子）陳訓以名教爲本。名教存乎治成，因果期乎道立。立道既捨愛居首，成治亦忠孝宜先。二義天殊，安可同日而言也。」因而僧人「捨愛捐親，仰衆聖也」，「剃除鬚髮，去華競也」，「廣仁弘濟，亦忠孝之盛也。」一方面又加以狡辯，說：「生則孝養無違，死則葬祭以禮，此禮制之異也；小孝用力，中孝用勞，大孝不匱，此性分之殊也。比夫釋教，其義存焉。至如灑血焚軀之流，寶塔仁祠之禮，亦敬始愼終之謂也。曁於輪王八萬，釋主三千，竭溟海而求珠，淨康衢而徙石，蓋勞力也。總群生爲己任，等合氣於天屬，棲遑有漏之壤，負荷無賴之儔，蓋勞心也。回軒實相之域，凝神寂照之場，指泥洹而長歸，乘法身而遐覽，斯不匱之道也。曁乃母氏降天，剖金棺而演句；父王即世，執寶床而送終。孝敬表儀，茲亦備矣。」㊳他還拾人牙慧，模仿東晉僧人慧遠關於僧人「內乖天屬之重，而不違其孝；外闕奉主之恭，而不失其敬」㊴的說法，說僧人出家，「雖形闕奉親，而內懷其孝；禮乖事主，而心戢其恩。」㊵

李師政也解釋說：「余昔每引《孝經》之不毀傷，以譏沙門之去鬚髮，謂其反先王之道，失忠孝之義，今則悟其不然矣。若夫事君親而盡節，雖殺身而稱仁；虧忠孝而偷存，徒全膚而非義。……立忠不顧其命，論者莫之咎；求道不愛其毛，何獨以爲過？……泰伯棄衣冠之制，而無損於至德；則沙門舍搢紳之容，亦何傷乎妙道？雖易服改貌，違臣子之常儀，而信道歸心，願君親之多福；苦其身意，修出家之衆善；遺其君父，以歷劫之深慶。其爲忠孝，不亦多乎！」㊶

這些說法，似是而非，不堪一擊。佛教界如果僅僅抱殘守缺，我行我素，而不改弦更張，勢必還會受到士大夫的強烈攻擊。因而，佛教界在士大夫的批判下，不得不悄悄地吸收儒家的說法，來修正自己的宗旨，調整自己的實踐。

這個情況，很快就扭轉了。活動於武則天、唐中宗、唐睿宗、唐玄宗時期的張說，寫了不少關於佛教的詩文，表彰佛教徒的孝道。僧人履徹爲了追薦先妣，用無價黃金裝飾武擔山靜亂寺一丈六尺高的盧舍那鐵像。張說《盧舍那像贊》並序文指出：「《詩》云：『哀哀父母，生我劬勞。欲報之德，昊天罔極。』是傷不可止也。戀而懷無所及之感，其有飾聖以資親，修法以展慕，豈非孝子持明之心哉！……張說聞其事而憚之，乃合掌西南遙禮，偈曰：孝哉彼沙門，愛母而錫類，法財裝妙色，空色不相異。」㊷《藍田法池寺二法堂贊》序文指出，禪僧初上「至性篤孝，執親之喪，七日不食。」初上修造了兩個法堂，其動機是「帝王、父母許我出家，雨露生成，恩猶一揆。依如來教，創是功德，萬一乎獻福二宮，潛祐七祖，將與一切咸登道場。」㊸《元識闍黎廬墓碑》又指出：「夫孝者，法象乎天地，感通乎鬼神。故愛敬之中又有貞報，哀慼之外，更追冥福。」禪僧元識，「以爲空不離色，體念子之慈，業不忘緣，起思親之孝。」他安葬了先父先妣，「負土成墳，結廬其域。」張說作偈歌頌說：「邈矣上德，行密道高。哀哀父母，生我劬勞。」㊹

這種情況，很快就發展爲普遍的現象。柳宗元《送元暠師序》說：「余觀世之爲釋者，或不知其道，則去孝以爲達，遺情以貴虛。」僧人元暠「以其先人之葬未返其土，無族屬以移其哀，行求仁者，以冀終其心。勤而爲逸，遠而爲近，斯蓋釋之知道者歟？釋之書有《大報恩》十篇，咸言由孝而極其業。世之蕩誕慢訑者，雖爲其道而好違其書，於元暠師，吾見其不違，且與儒合也。」㊺所以柳宗元徑直指出：「金仙氏之道，蓋本乎孝敬。」㊻在這種潮流下，僧人幾乎都把孝道作爲佛教的一種規定，加以修持。姚合《送僧默然》詩說：「出家侍母前，至孝自通禪。」㊼僧貫休《山居詩二十四首》中說：「回（顏回）賢參（曾參）孝時時說。」㊽儒家認爲：「其爲人也孝弟（悌），而好犯上者，鮮矣。不好犯上，而好作亂者，未之有也。君子務本，本立而道生。孝弟也者，其爲仁之本與！」㊾可見，孝道是中華民族文化的基本內容，佛教的主張和實踐，在這一點上，和民族文化趨於一致。佛教的這個改造，是同大量的士大夫削髮爲僧分不開的。這種自發的行動，從社會後果來看，可以說是士大夫改造佛教的組織措施。當士大夫脫掉逢掖之衣而穿上袈裟時，他們成爲儒僧，或者詩僧，是儒釋兩種身份、兩種成分的合一。他們並非革心洗面，被佛教所同化，而是將儒家的思想、風格、派頭，一古腦地帶進佛教，最終使佛教中國化。

下面我們可以具體地考察一下這種現象。

士大夫遁跡空門，蔚然成風。柳宗元《送方及師序》披露了這一消息：「代之遊民，學文章不能秀發者，則假浮屠之形以爲高；其學浮屠不能愿慤者，則又托文章之流以爲放。以故爲文章浮屠，率皆縱誕亂雜，世亦寬而不誅。」㊿這樣，儒僧便保持了很多士大夫的習性、嗜好。

柳宗元《送元暠師序》說：「元暠，陶氏子，其上爲通侯，爲高士，爲儒先。資其儒，故不敢忘孝；跡其高，故爲釋；承其侯，故能與達者遊。」51《送文郁師序》說，僧文郁「讀孔氏書，爲詩歌逾百篇，其爲有意乎文僧事矣，又遁而之釋。背笈篋，懷筆牘，挾海泝江，獨行山水間。翛翛然模狀物態，搜伺隱隙，登高遠望，淒愴超忽，遊其心以求勝語，若有程督之者。己則披緇艾，茹高芹，志終其軀。吾誠怪而譏焉。對曰：『力不任奔競，志不任煩拿。苟以其所好，行而求之而已爾。』終不可變化。」52

錢起《同王銷起居程浩郎中韓翃舍人題安國寺用上人院》詩說：「慧眼沙門眞遠公，經行宴坐有儒風。香緣不絕簪裾會，禪想方妨藻思通。」⑬

盧綸《敎顏魯公送挺贇歸翠微寺》詩說：「挺贇惠學該儒釋，袖有顏徐眞草跡。」《送契玄法師赴內道場》詩說：「昏昏醉老夫，灌頂遇醍醐。……深契何相秘，儒宗本不殊。」⑭

盧仝《寄贈含曦上人》詩說：「破鎖推玄關，高辯果難揣。論語老莊易，搜索通神鬼。起信中百門，敲骨得佛髓。此外雜經律，泛讀一萬紙。」⑮

劉得仁《和范校書贈造微上人》詩說：「修心將佛并，吐論與儒通。」⑯

這類僧人，在佛教徒中占有相當的比例，無疑會使佛教的成分和性質發生變化。京兆大興善寺僧人復禮，法名竟是儒家「克己復禮爲仁」⑰的省稱。他「遊心內典，兼博玄儒，尤工賦詠，善於著述，俗流名士皆仰慕之。」⑱會稽開元寺僧曇一，「漁獵百氏，囊括六籍，增廣見聞。自是儒家調御人天，皆因佛事，公卿向慕，京師籍甚。」⑲揚州龍興寺僧法愼，「與人子言依於孝，與人臣言依於忠，與人上言依於仁，與人下言依於禮。佛教儒行，合而爲一。」⑳敦煌僧慧菀，「利根事佛，餘力通儒」，「舉君臣父子之義，敎爾青襟」，「領生徒坐於學校，貴服色舉以臨壇。」由於他「勉弘兩教」，除了當僧正，還兼州學博士，又被唐宣宗敕授「京城臨壇大德。」㉑。

經過這一改造，佛教完全中國化了，成爲統治階級治理國家的重要工具。伴隨著這一改造的，是儒家理論吸收佛教成分，開始向理學轉化。由此看來，儒佛文化的交流融合，是有著時代的契機和社會的土壤的。然而佛教的這一改造，士大夫的批評和出家，卻是最直接的因素。

【附註】

①《張燕公集》卷一四，《唐陳州龍興寺碑》。

②《柳宗元集》卷二五，《送玄舉歸幽泉寺序》。

③《全唐詩》卷一二五。

④《全唐詩》卷三三二。

⑤《柳宗元集》卷二五，《送巽上人赴中丞叔父召序》。

⑥《劉禹錫集》卷二九，《送僧元暠南遊》詩序。

⑦《唐文粹》卷九二，崔恭《唐右補闕梁肅文集序》。

⑧《宋高僧傳》卷六《湛然傳》。

⑨《全唐詩》卷二八五。

⑩《太平廣記》卷一一二，牛騰條引《紀聞》。

⑪《楊炯集》卷三。

⑫《全唐詩》卷三八九。

⑬《全唐詩》卷二六三。

⑭《全唐詩》卷六〇六。
⑮《北夢瑣言》卷六。
⑯《廣弘明集》卷一四。
⑰《入唐求法巡禮行記》卷四。
⑱《樊川文集》卷一〇。
⑲《全唐詩》卷五六六。
⑳《全唐詩》卷七八八。
㉑《全唐詩》卷五三三。
㉒《劉禹錫集》卷二九，《送慧則法師上都因呈廣宣上人》詩序。
㉓《柳宗元集》卷二五，《送濬上人歸淮南覲省序》。
㉔《全唐詩》卷四七三。
㉕《全唐詩》卷六九二。
㉖《全唐詩》卷六九一。
㉗《柳宗元集》卷二五，《送琛上人南遊序》。
㉘《柳宗元集》卷二五，《送巽上人赴中丞叔父召序》。
㉙《柳宗元集》卷六，《岳州聖安寺無姓和尚碑》。

㉚《柳宗元集》卷二五，《送濬上人歸淮南覲省序》。
㉛《柳宗元集》卷七，《南岳大明寺律和尚碑》。
㉜《柳宗元集》卷六，《龍安海禪師碑》。
㉝《柳宗元集》卷二五，《送琛上人南遊序》。
㉞《柳宗元集》卷六。
㉟《柳宗元集》卷二五。
㊱清惲敬《大雲山房文稿》卷四，《潮州韓文公廟碑文》。
㊲《舊唐書》卷七九《傅奕傳》。
㊳《廣弘明集》卷一三，法琳《辨正論》。
㊴蕭梁僧僧祐《弘明集》卷五，東晉僧慧遠《沙門不敬王者論·出家二》。
㊵《集古今佛道論衡》卷丙。
㊶《廣弘明集》卷一四，《內德論》。
㊷《張燕公集》卷八。
㊸《張燕公集》卷八。
㊹《張燕公集》卷一四。
㊺《柳宗元集》卷二五。

㊻《柳宗元集》卷二五，《送濬上人歸淮南覲省序》。
㊼《全唐詩》卷四九六。
㊽《全唐詩》卷八三七。
㊾《論語·學而篇》。
㊿《柳宗元集》卷二五。
51《柳宗元集》卷二五。
52《柳宗元集》卷二五。
53《全唐詩》卷二三九。
54《全唐詩》卷二七六。
55《全唐詩》卷三八九。
56《全唐詩》卷五四四。
57《論語·顏淵篇》。
58《宋高僧傳》卷一七《復禮傳》。
59《宋高僧傳》卷一四《曇一傳》。
60《宋高僧傳》卷一四《法愼傳》。
61《樊川文集》卷二〇，《敦煌郡僧正慧菀除臨壇大德制》。

第六章 士大夫奉佛的原因

第一節 佛教環境對士大夫的熏染

唐朝建立後，相當一段時間中，佛教的社會基礎並不隱固。在當時並存的佛、道、儒三教之間，充滿了矛盾和鬥爭。李唐統治者爲了神化自己，稱道教祖老聃爲自己的祖宗，這樣，道教居於佛教之上。儒教實際並非宗教，而是治理國家和爲人處世的學說，是中華民族文化的主幹部分，爲唐代統治者所必需，也是士大夫安身立命的依據。佛教要想存在和發展，一面需要和儒、道兩家既鬥爭又和解，一面需要廣泛宣傳自己的作用和主張，爭取統治者的扶持和民衆的信仰。

唐初三教鬥爭，在這個關係到佛教生死存亡的嚴重關頭中，法琳奮起護法，連續寫了幾篇文章。在《三教治道篇》中，他比較了儒、道、佛三教的內容和作用，認爲：「若事親殉主，則以忠孝爲初；遠害全身，則以道德居始；利生救苦，則以慈悲統源。奉孝懷忠可以全家國，行道立德可以播身名，興慈運悲可以濟群品。濟群品則恩均六趣，播身名只榮被一門，全家國乃功包六合。故忠孝爲訓俗之教，道德爲持身之術，慈悲蓋育物之行，亦猶天有三光，鼎有三足，各稱其德，並著其功。遵而奉之，可以致嘉祐也。」他還認爲：「釋氏之教也，勸之以善，化之以仁，行不殺以止殺，斷其殺業，以斷殺故，而民畏罪。王者爲政，閉之以獄，齊之以刑，將殺以止殺，不斷殺業，以不斷故，而民弗禁。」這裡，法琳貌似公正地對待三教，實則以讓步的策略爲佛教的存在辯護，宣揚佛教比儒、道二者高明。但這僅僅是佛教徒的一廂情願，只有得到統治者和社會的普遍承認，才能成爲現實。

現在我們來看看佛教會遇到怎樣的對待。

法琳《對傅奕廢佛僧事》一文，由太子李建成奏呈唐高祖後，唐高祖被文中的說法所折服，幾乎放棄了興道廢佛的念頭。到了唐太宗時，雖然統治者還是壓制佛教，對待法琳，也欲置諸死地，但佛教終於度過了難關，其重要性開始爲統治者重視。唐太宗在《大興善寺鐘銘序》中指出：「皇帝道叶金輪，心居黃屋，覆燾萬方，舟航三界。欲使雲和之樂，共法鼓而同宣；雅頌之聲，與梵音而俱遠。」①佛教認爲，菩薩應世的轉輪聖王，因乘駕的輪子分別爲金銀銅鐵四種質地，就相應地稱爲金輪聖王、銀輪聖王、銅輪聖王和鐵輪聖王。金輪聖王統治四天下，銀輪聖王統治三天下，銅輪聖王統治二天下，鐵輪聖王統治一天下。三界是佛教對衆生所居世界的劃分：最下爲有食慾、情慾等粗鄙慾望的衆生所居的慾界；其上爲有男無女，有細微輕妙欲望的色界；再上爲沒有形體但有生存者的無色界。這些說法，實際上是階級社會中，等級制度和社會差別在宗教領域中的反映。法鼓、梵音，這也是佛教字眼。很明顯，唐太宗所說的，體現了統治者利用佛教鞏固統治的目的。在這裡，人間的活動和天國的形式結合在一起，此岸的行爲利用彼岸的行爲作辯解。宗教是人民的鴉片。在佛教的麻醉下，封建統治者君臨人世，就是天經地義的事，就有了安定的基礎。這實際上是西漢董仲舒天人感應論的翻版。

佛教的這個作用，除了最高統治者以外，從唐初到唐末，統治階級中大大小小的人物，也都看到了。李師政一語破的：「惟佛之爲教也，勸臣以忠，勸子以孝，勸國以治，勸家以和；弘善示天堂之樂，懲非顯地獄之苦，不惟一字以爲褒貶，豈止五刑而作戒。」②劉禹錫入木三分，認爲佛教「革盜心於冥昧之間，泯愛緣於生死之際。陰助敎化，總持人天。所謂生成之外，別有陶冶，刑政不及，曲爲調柔。其方可言，其旨不可得而言也。」③李節則十分坦白：「俗旣病矣，人旣愁矣，不有釋氏使安其分，勇者將奮而思鬥，智者將靜而思謀，則阡陌之人皆紛紛而群起矣。」④總之，佛教或者像儒家「道（導）之以德」⑤那樣，積極地發揮預防作用，或者躲在幕後，悄悄地發揮操縱作用。這樣，佛教同儒學一樣，成爲統治階級分別操於兩隻手中的同等重要的法寶。因此，統治階級對於佛教，是斷然不能割愛的。

統治階級的這種態度，體現了佛教存在的現實性。因此，儘管三教鬥爭激烈，但是，往往歸於握手言歡；反佛堅決的人，不管是道教，還是儒家，不是爲「通人所譏」，⑥就是受到行政處分。個別皇帝的毀佛政策，既不能持久，也不能永爲定式。僧人對這一點，深有體會。唐德宗貞元十二年（七九六年）四月，唐德宗生日，召集給事中徐岱，兵部郎中趙需，禮部郎中許孟容，四門博士韋渠牟，以及道士萬參成、郗惟素和僧人鑒虛、譚延等，一共十二人，作爲三教代表，在京師麟德殿講論三教。講論完畢後，僧鑒虛賣了個乖，說：「諸奏事云：元元皇帝，天下之聖人；文宣王，古今之聖人；釋迦如來，西方之聖人；今皇帝陛下，是南贍部洲之聖人。臣請講御制賜新羅銘。」唐德宗對僧人把自己同老子、孔子、釋迦牟尼同等看待，自己的著作被吹捧爲經典，十分高興，面有「喜色。」⑦這說明，法琳強調的佛教功能，得到了以皇帝爲代表的統治階級的承認。北宋人錢易評論這次三教論衡是，「初若矛盾相向，後類江海同歸。」⑧

統治階段的這種佛教政策，是當時經濟基礎在上層建築領域中的反映。這表明，佛教順應社會狀況，有其滋生發展的適宜土壤。因而佛教在唐代，異軍突起，蔚爲大觀，繼隋代創立天台宗、三論宗、三階教之後，法相宗、律宗、淨土宗、華嚴宗、禪宗、密宗等宗派，鱗次櫛比，應運而生。於是無山不寺，無處不僧。到會昌毀佛時，天下拆毀政府正式批准的佛寺共四千六百多所，未經政府正式批准而私自設立的小型招提、蘭若共四萬多所，收上等田數千頃，還俗僧尼二十六萬五百人，收寺院奴婢十五萬人，並爲國家稅戶。可見佛教勢力之大。

佛教滋蔓昌熾，對社會生活的滲透相當廣泛、深刻，全社會的崇佛也相當嚴重。我們可以看看下面一些事例。

唐太宗貞觀十九年（六四五年），玄奘由印度取經回國，到京師西郊時，「道俗相趨，屯赴闐闉，數十萬衆，如值下生。將欲入都，人物宣擁，取進不前，遂停別館。通夕禁衛，候備遮斷，停駐道旁。從故城之西南，至京師朱雀街之都亭驛，二十餘里，列衆禮謁，動不得旋。……致使京師五日，四民廢業，七衆歸承。」⑨唐代世俗人物，即使功勞最大，威望最高，也沒有這麼多人自發地停業幾天去歡迎他。

唐憲宗元和十四年（八一九年），朝廷迎佛骨於鳳翔法門寺，韓愈上《諫迎佛骨表》加以反對。他說，百姓見皇帝這樣敬信佛教，他們「豈合更惜身命？焚頂燒指，百十爲群，解衣散錢，自朝至暮，轉相仿效，惟恐後時，老少奔波，棄其業次。若不即加禁遏，更歷諸寺，必有斷臂臠身，以爲供養者。」⑩唐懿宗咸通十四年（八七三年），朝廷再迎佛骨於法門寺。佛骨到京師後，「公私音樂，沸天濁地，綿互數十里。」⑪朝廷舉行的其它大典，都沒有這麼隆重。

至於民間的崇佛，其虔誠的程度也是令人難以想像的。政府的公文曾指出：「流俗深迷至理，盡軀命以求緣，竭資財而作福，未來之勝因莫效，見在之家業已空，事等系風，猶無所悔。」⑫我們可以舉一個例子。在長安城南數十里的山里，有一尊觀世音菩薩鐵像。人們傳說觀世音會在這裡現身，鐵像經常現出光來。於是長安市人流俗之輩，背負米麵油醬，爭相前往禮謁。一到大齋日，多至千人，少亦不減數百，宿於鐵像周圍，禮念求光。有人說常見聖燈，高低不定，或在半山，或在平地。唐代宗大歷十四年（七七九年）四月初八夜裡，衆人合聲禮念，見有「雙聖燈」出現，一個兵士大聲呼叫著「觀世音菩薩」，撲上前去，逐漸接近亮光，「忽然被虎拽去，其見者乃是虎目光也。」⑬

以上這些崇佛的狂熱事例，千秋之下，使人瞠目結舌。

士大夫就是在這樣的佛教環境中生活著的，社會存在決定社會意識，自然免不了爲積習熏染。他們或者耳濡目染，先入爲主；或者爲社會潮流所裹挾，習而不察。於是在世界觀形成的時候，他們已經對佛教取信奉態度了。

現在以杜牧爲例加以分析。杜牧所寫《杭州新造南亭子記》一文，批判了佛教對社會的危害，歌頌了唐武宗的毀佛行動。但他在不少詩中，一再表示自己對佛教的崇奉態度。《將赴吳興登樂遊原一絕》詩說：「閑愛孤雲靜愛僧。」⑭《懷政禪師院》詩說：「莫訝頻來此，修身欲到僧。」⑮《將赴京留贈僧院》詩說：「空悲浮世雲無定，多感流年水不還。謝卻以前受恩地，歸來依止叩禪關。」⑯《行經廬山東林寺》詩說：「紫陌事多難暫息，青山長在好閑眠。方趨上國期干祿，未得空堂學坐禪。」⑰他對佛教的崇奉，便是由於佛教環境的積染。

唐文宗大和二年（八二八年），杜牧二十五歲，在東都洛陽應進士第被錄取爲第五名。他立即趕回京師長安，一月光景，又應制舉賢良方正能直言極諫科而被錄取。這使他立刻名振京邑，傳爲美談。他和一二同年，春風得意，興緻勃勃，到城南家鄉附近的文公寺遊覽，「有禪僧擁褐獨坐，與之語，其玄言妙旨，咸出意表。」僧問起杜牧的姓字職業，同行者向僧誇耀了杜牧的累捷事跡，僧人看看他，笑著說：「皆不知也。」杜牧非常驚訝，作詩說：「家在城南杜曲旁，兩枝仙桂一時芳，禪師都未知名姓，始覺空門意味長。」這是唐人孟棨《本事詩》中關於杜牧這首詩原由的說法。《全唐詩》

卷五二四和《樊川文集·外集》，都把這首詩題爲《贈終南蘭若僧》，首句作「北闕南山是故鄉」，其餘文字小異，僧名休。無論是城南，還是終南，都不妨礙我們透過它的字面意義，作出對當時社會的一般了解。通過這則故事，我們可以想到，一些與世隔絕的僧人，對周圍發生的與己無關的事，一無所知；這種白痴狀態，卻被談玄說空給掩蓋了，反而給人一種震懾一切的威力，使那些天眞爛漫的青年服膺於神秘莫測、不可兌現的宗教力量，甚至終生不悟。個別士大夫因爲種種緣故，在世界觀成熟以後，還會有一些反佛的言論和行動，但終無力改變整個社會的崇佛潮流。

士大夫從小讀儒家典籍，接受了孟子關於「人之患在好爲人師」⑱的教誨。韓愈因爲抗顏爲師，還受到人們的指責。柳宗元對這種社會現象和人情世故深有了解，說：「今之世，不聞有師，有輒嘩笑之，以爲狂人。獨韓愈奮不顧流俗，犯笑侮，收召後學，作《師說》，因抗顏而爲師。世果群怪聚罵，指目牽引，而增與爲言辭。愈以是得狂名，居長安，炊不暇熟，又挈挈而東。如是者，數矣。」⑲柳宗元在這種社會壓力下，竟然「避師名久矣。」⑳在這種社會風氣的影響下，士大夫在和僧人的交遊中，往往謙虛有餘，認爲自己不行，自覺地將自己置於被教誨開導的地位。獨孤及《詣開悟禪師問心法次第寄韓郎中》詩說：「障深聞道晚，根鈍出塵難。濁劫相從慣，迷途自謂安。得知身垢妄，始喜額珠完。」㉑權德輿《自揚子歸丹陽初遂閑居聊呈惠公》詩也說：「蹇淺逢機少，迂疏應物難。」㉒態度是何等的誠實，何等的謙虛！

僧人卻不是這樣。他們對人們稱自己爲法師、律師、禪師，泰然受之，還時時作出開導世人、指引迷航的大智大覺的姿態。本書第四章第三節第二段落之（一）小段的注文已經指出過，傳統說法以爲寒山是唐初僧人，近人余嘉錫先生考證出他是唐末隱士，「爲僧爲道不可知」，「爲仙爲佛，總屬寄托。」但寒山傳世的詩中，有不少佛教詩，則是確鑿無疑的事實。他寫道：「凡讀我詩者，心中須護淨。慳貪繼日廉，諂曲登時正。驅遣除惡業，歸依受眞性。今日得佛身，急急如律令。」又說：「下愚讀我詩，不解卻嗤誚。中庸讀我詩，思量無甚要。上賢讀我詩，把著滿面笑，楊修見『幼婦』，一覽便知『妙』。」㉓那裝腔作勢、大言不慚、自高身價、好爲人師、以社會弊病矯正者自居的樣子，不禁使人啞然失笑。所以能夠這樣，無非是佛教環境造成的習慣勢力給他們以憑藉，他們以這種憑藉，裝腔作勢，俘獲信徒，反過來又發展了佛教環境。

在這種佛教環境、佛教氛圍的熏染下，士大夫培養起了佛教情緒、佛教心理和佛教信念。張翬遊覽佛寺，首先產生的感覺是：「一從方外遊，頓覺塵心變。」㉔耿湋遊覽佛寺，也感嘆「浮世今何事，空門此諦眞；」㉕到僧房看看，便「更悟眞如性，塵心稍自寬。」㉖李頎投宿在僧房，聽到僧人贊唱佛教頌歌，便「始覺浮生無住著，頓令心地欲皈依。」㉗孟郊一行三四人，在僧人院宵聚，通宵浮想聯翩：「何處山不幽，此中情又別。一僧敲一磬，七子吟秋月。激石泉韻清，寄枝風嘯咽。冷然諸境靜，頓覺浮累滅。扣寂兼探眞，通宵詎能輟！」㉘呂溫夜宿山寺，聽到磬聲，也醞釀起了歸依空門的想法：「月峰禪室掩，幽磬靜昏氛。思入空門妙，聲從覺路聞。泠泠滿虛壑，杳杳出寒雲。天籟疑難辨，霜鐘誰可分。偶來遊法界，便欲謝人群。竟夕聽眞響，塵心自解紛。」㉙劉禹錫見到僧人，就推

論「從此多逢大居士，何人不願解珠瓔。」㉚

通過對以上事例的分析，可以看出，佛教環境對於士大夫奉佛，有著積極熏染的巨大作用。

第二節　佛儒文化的合流對士大夫的吸引

北宋蘇軾說過：「釋迦以文教，其譯於中國，必托於儒之能言者，然後傳遠。」㉛這裡指出了佛教依靠其典籍的譯出才傳入中國，因而必須借助於中國文化，才能廣泛傳播這一事實。佛教爲了擴大發展，必須順應中國的國情，同時，爲了對付儒家的批判，自身也需要補苴罅漏，改弦更張，以消泯被攻擊的目標。這樣，佛教就不得不與中國的傳統文化進行比較和吸收，在可能的範圍內，對自己的理論加以補充、修正、解脫，逐漸與傳統文化合流，成爲帶著中國特點的宗教。

關於佛教受魏晉玄學影響的問題，佛教史和思想史的研究取得了一致的意見，此不學舌。佛教與墨家的比較，歷來很少有人注意，南宋人李石認爲墨翟尙同兼愛，佛教同樣尙同兼愛。㉜和他同代的趙彥衛有過這樣的議論，佛教似墨翟，「民俗實樂其儉素，及其徒東來，加以神怪，民情翕然畏愛之。……墨子兼愛，即釋氏。」㉝這種說法是否成立，姑且不論，我們需要從中體會的是，古人在比較佛教與傳統文化的同異而加以取棄。至於佛教與道教，其出世主張完全一致，因而有很多相似之處。別的不說，一首佛教內容的詩，保留浮雲、流水、青松、寒草這樣的字眼，把眞如、因緣、蓮花、貝葉之類，換成道籙、金丹、白鶴、野鹿，便儼然是一首道教詩了。

士大夫接受的教育，以儒家學說爲主，因而這裡著重討論佛教文化中儒家學說的滲透問題。儒家學說中，有一整套倫理原則和道德規範，概括地說，就是孝悌忠信禮義廉恥這八方面。違背了這些原則、規範的人，就被斥爲忘八蛋。儒家的這些倫理原則和道德規範，是一個完整的體系，其目的在於協調宗法社會中家族和社會各方面的關係，使家族和社會融洽和諧。顯然，這是具有入世和用世的積極精神的。這些原則和規範，對於以出家遁世爲宗旨的佛教來說，無疑將了一軍，使佛教界感到十分棘手。早在東晉時，重臣桓玄就曾要求僧人一律拜敬王者，僧人慧遠者《沙門不敬王者論》，表示反對，他說：「凡在出家，皆遁世以求其志，變俗以達其道。變俗則服章不得與世典同禮，遁世則宜高尙其跡。」但他卻辯解說：「是故內乖天屬之重，而不違其孝；外闕奉主之恭，而不失其敬。」㉞唐初玄奘寫給朝廷的表，堅持自稱「沙門玄奘」，而不稱臣。上節所引《唐語林》關於唐德宗生日三教論衡的史料中，僧人鑒虛說：「臣請講御制賜新羅銘，」則直接了當地稱臣，承認僧人對於朝廷的隸屬關係。本書第五章第三節說過，唐初，法琳一面模仿慧遠的說法，詭辯道，僧人「雖形闕奉親，而內懷其孝；禮乖事主，而心戢其恩」；一面又將佛教故事加以比附，說：「母氏降天，剖全棺而演句；父王即世，執寶床而送終。孝敬表儀，茲亦備矣。」㉟此外，僧人不但把目連救母加以解說，進行比附，還編纂《大方便報恩經》宣傳孝道。這樣，忠孝的內涵，便在佛教中找到了。僧人也董得在實際行爲中遵守這些原則，以至於出現了張說、柳宗元所表彰的一些僧人（參看本書第五章第三節）。

儒家的禮義，佛教也在比附、吸收。南朝蕭梁僧人慧皎指出：「入道即以戒律爲本，居俗則以禮義爲先。《禮記》云：『道德仁義，非禮不成；教訓正俗，非禮不備』。」㊱也就是說，佛教的戒律相當於儒家的禮義。隋代僧人天台宗智顗用訓詁的方法對佛教加以解釋，說：「體字訓禮。禮，法也，各親其親，各子其子，君臣撙節，若無禮者，則非法也。出世法體，亦復如是。」㊲對於這一點，士大夫也有同樣的看法。柳宗元《南岳大明寺律和尙碑》說：「儒以禮立仁義，無之則壞；佛以律持定慧，去之則喪。是故離禮於仁義者，不可與言儒；異律於定慧者，不可與言佛。……儒以禮行，覺以律興。」㊳許棠在《送省玄上人歸江東》詩中寫道：「釋律周儒禮，嚴持用戒身。」㊴這樣，禮義的內涵也在佛教中找到了。

儒家學說在佛教中的滲透，使佛教完全改變了面貌。律宗高僧法慎，身居揚州，出入京師，交接朝廷和衆多的士大夫。他「與人子言依於孝，與人臣言依於忠，與人上言依於仁，與人下言依於禮。佛教儒行，合二爲一。」㊵禪宗也宣傳「恩則孝養父母，義則上下相憐，讓則尊卑和睦，忍則衆惡無喧。……苦口的是良藥，逆耳必是忠言。改過必生智慧，護短心內非賢。」㊶這都涉及到儒家倫理道德的各個方面，表明佛教和儒家已經相當接近了。這樣，佛教雖然還羞羞答答地打著一塊出世、方外的招牌，實際上，也在入世、用世。

儒家學說在總原則和整體上對佛教有所滲透，在一些枝節問題上，也存在著共同的或兩者合流的現象。

在內容方面，儒家把人分作上智下愚，佛教把衆生分成三根。隋僧人三論宗吉藏指出：「利根聞初即悟正道，不須後二。中根聞初不悟，聞第二方得入道。下根轉至第三始得領解也。」㊷法相宗分得更細，提出五種姓說，即菩薩乘、聲聞乘、辟支佛乘、不定乘和一闡提迦。

孟子提出性善論，認為人皆可以成舜堯。禪宗認為衆生都具有同樣的眞如本性，只要去掉上面所蓋覆的妄念浮雲，一悟即可成佛。慧能說：「世人性淨，猶如清天，惠如日，智如月，知惠常明。於外著境，妄念浮雲蓋覆，自性不能明。故遇善知識開眞法，吹卻迷妄，內外明徹，於自性中，萬法皆現，一切法自在性，名為清淨法身。」又說：「人中有愚有智。愚為小人，智為大人。迷人問於智者，智人與愚人說法，令彼愚者悟解心解，迷人若悟解心開，與大智人無別。故知不悟，即佛是衆生，一念若悟，即衆生是佛。」㊸

在表現形式方面，兩家也有相似之處。唐代新羅籍旅華士大夫崔致遠，在所作《唐大薦福寺故寺主翻經大德法藏和尙傳》中，評論華嚴宗創始人法藏的生平事跡，認為《左傳》說人死去後，有好名聲者體現在立德、立言、立功三個方面，那麼，法藏的遊學、削染、示滅三者，就是立德；講演、傳譯、著述三者，就是立言；修身、濟俗、垂訓三者，就是立功。

白居易對證得更加廣泛。他曾認為佛教的禪定、慈忍、報應、齋戒，在儒教中都有。「若欲以禪定復人性，則先王有恭默無為之道在。若欲以慈忍厚人德，則先王有忠恕惻隱之訓在。若欲以報應禁

人僻，則先王有懲惡勸善之刑在。若欲以齋戒抑人欲，則先王有防欲閑邪之禮在。」㊹

唐文宗大和元年（八二七年），三教辯論，白居易以儒方代表的資格，又寫了一篇《三教論衡》的文章。據近人陳寅恪先生研究，「其文乃預設問難對答之語，頗如戲詞曲本之比。」「其所解釋之語，大抵敷衍『格義』之陳說。」㊺從這篇文章可以看出，儒者在辯論前，預先進行佛儒之間的比較，並主動地將儒家比附佛家。因而所謂三教辯論，有時也不是眞的唇槍舌劍，一決雌雄，不過是例行公事，官樣文章而已，所以往往歸於喜劇性的收場。白居易此文寫道，《毛詩》有風賦比興雅頌六藝；佛教有十二部經（按：佛教按照體裁，將全部佛經分爲契經、重頌、諷頌、因緣、本事、本生、阿毗達摩、譬喩、論義、自說、方廣、授記等十二類）。儒家有德行、言語、政事、文學四科；佛教有檀波羅蜜（布施）、屍波羅蜜（持戒）、羼提波羅蜜（忍辱）、毗梨耶波羅蜜（精進）、禪定波羅蜜（禪定）、般若波羅蜜（智慧）六度。孔門有顏淵、閔子騫、冉伯牛、仲弓、宰我、子貢、冉有、季路、子遊、子夏十哲；如來有迦葉、阿難、須菩提、舍利弗、迦旃延、目乾連、阿那佛、優波離、羅瑘羅、富樓那十大弟子。白居易代表儒方得出這樣的結論：「儒門、釋教，雖名數則有異同，約義立宗，彼此亦無差別，所謂同出而異名，殊途而同歸者也。」㊻

而佛教徒也盡量揉合佛、儒、道三家思想，泯滅其間差別，熔冶於一爐。宗密年青時是儒生，二十八歲出家，當了禪宗人，後來又成爲華嚴宗人。他企圖調和禪、教，把禪宗分爲三類，相應地與教派中的三類會通。他說：「禪之三宗，教之三種，如經斗稱，足定淺深。禪三宗者，一，息妄修心宗，二，泯絕無寄宗，三，直顯心性宗。教三種者，一，密意依性說相教，二，密意破相顯性教，三，顯示眞心即性教。」㊼他認爲禪宗中的息妄修心宗和教派中法相宗等密意依性說相教一致；禪宗中的泯絕無寄宗，和教派中大乘空宗的密意破相顯性教一致；禪宗中的直顯心性宗，和教派中屬於一乘圓教的華嚴宗這樣的顯示眞心即性教一致。他因而得出結論：「三教三宗，是一味法。故須先約三種佛教，證三宗禪心，然後禪教雙忘，心佛俱寂。俱寂即念念皆佛，無一念而非佛心；雙忘即句句皆禪，無一句無非禪教。如此，則自然聞泯絕無寄之說，知是破我執情；聞息妄修心之言，知是斷我習氣。執情破而眞性顯，即泯絕是顯性之宗；習氣盡而佛道成，即修心是成佛之行。」㊽他還調和教派中的一些說法，企圖把佛教改造成無不統攝而各有分工的統一體。

在佛教內部作了這些調和之後，宗密還進而調和佛、儒、道三家。他把佛教由淺到深分爲五等，即是一，人天教；二，小乘教；三，大乘法相教；四，大乘破相教；五，一乘顯性教。他指出，根機淺的人認識能力低，爲了根據具體情況，對症下藥，使他們理解佛教道理，佛才變通處理，權且給他們講一些因果報應之類的淺近道理，這樣，就有了人天教。他認爲儒教是五常之教，和人天教相當。佛教人天教和世俗五常之教，儀式不同，懲惡勸善，卻無差別。五常是仁義禮智信，而佛教的五戒，「不殺是仁，不盜是義，不邪淫是禮，不妄語是信，不飲酒啖肉，神氣清潔，益於智也。」他接著指出，道教和小乘教相當。小乘教比人天教略深一等，不僅就淺顯的因果報應作出解釋，還探索宇宙生滅的問題。小乘教認爲世界成住壞空，空而復成，周而復始。道教也探討世界生成的問題，但「道教只知今此世界未成時一度空劫，云虛無混沌一氣等，名爲元始，不知空界已前，早經千千萬萬遍成住壞空，終而復始。」儘管道教在外典中已是深深之說，仍不及「佛教法中小乘淺淺之教。」㊾因此，道教和小乘教也只是約略相當而已。佛教中最深的一等是一乘顯性教，這是華嚴宗和禪宗的合一。宗密在探討這五等說法對於人的研究時，最後總結道：「今將本末會通，乃至儒、道亦是。」㊿這樣，他便以佛教爲中心，調和了佛、儒、道三家的思想。

宗密的這些作法，引起了人們的議論。北宋僧人贊寧爲宗密作傳，議論道：「或曰：密師爲禪耶，律耶，經論耶？則對曰：夫密者，四戰之國也，人無得而名焉，都可謂大智圓明，自證利他大菩薩也。」贊寧接著引了裴休對宗密的評論，其中有這樣的句子：「三乘不興，四分不振，吾師恥之。忠孝不並化，荷擔不勝任，吾師恥之。」「故親師之法者，貧則施，暴則斂，剛則隨，戾則順，昏則開，墮則奮，自榮者慊，自堅者化，徇私者公，溺情者義。」「凡士俗……有出而修政理以救疾苦爲道者，有退而奉父母以豐供養爲行者。」因此，他的「闡教度生」，是「助國家之化」的。51

無獨有偶。禪宗慧海在回答儒、釋、道三教爲同爲異的問題時，也加以調和，說：「大量者用之即同，小機者執之即異，總從一性上起用，機見差別成三，迷悟由人，不由教之異同。」52

士大夫同樣在作這方面的工作。本書第四章第一節第四段落在研究李翺的《復性書》時，已作過詳細的論述，指出《復性書》三篇吸收了佛教的思想，用以闡明儒家的性情說；不管李翺吸收佛教思想自覺還是不自覺，承認還是不承認，作爲一個歷史人物，卻體現了佛儒文化合流的歷史趨勢，成爲宋代理學的先驅。

從佛教界和士大夫兩方面都在努力使佛儒文化合流來看，兩種文化的交融匯合是歷史的必然趨勢，不是個別人的孤立意願和英雄行爲。

這樣，佛儒文化的合流就從思想上解除了士大夫嚴夷夏之防的警惕，也解除了士大夫對於佛教「道不同，不相爲謀」⑬的歧視和排斥。佛教不但不再是異端，反而是和儒家學說並行不悖的同類思想，是同一的經濟基礎在上層建築領域中不同角度的反映。士大夫從自己所受儒家等傳統文化的教育出發，也就容易理解和接受佛教了。柳宗元指出，佛教「往往與《易》、《論語》合，」「不與孔子異道。」㉞劉禹錫說：「是余知突奧於《中庸》，後鍵關於內典，會而歸之，猶初心也。」㉟姚合《贈盧沙彌小師》詩指出：「我師文宣王（孔子），立教垂書詩。但全仁義心，自然便慈悲。兩教大體同，無處辨是非。」㊱李丹說：「釋迦生中國，設教如周孔。周孔生西方，設教如釋迦。天堂無則已，有則君子生。地獄無則已，有則小人入。」他這個話，人們「以爲知言。」㊲

當然，佛、儒兩家畢竟存在著許多不同點，甚至根本的分歧。士大夫從「同」的立場出發，容易兜進佛教圈子裡；從「異」的立場出發，又會發出批評的聲音。這便是士大夫普遍奉佛的同時，反佛者又代不乏人的基本原因；也是有的士大夫時而奉佛，時而加以批評的基本原因；也是士大夫以儒學佛、以佛解儒的基本原因。

第三節　多才多藝的僧人的媒介作用

唐代有很多僧人，具有詩歌創作、評論、書法、美術、音樂、棋奕、天文、歷法、醫學、園藝等等多方面的知識和技能。唐代的文化生活，主要是作詩。在這種社會風氣下，詩僧輩出，群星燦爛。詩僧中，靈一、靈澈、皎然、清塞、無可、虛中、齊己、貫休八人，被元人辛文房評價爲「喬松於灌莽，野鶴於雞群者。」其中皎然存詩約四百六十首，無可約一百首，齊己八百多首，貫休七百多首，亡逸的自然不少。辛文房在評論「其或雖以多而寡稱，或著少而增價」時，一下子列舉了惟審、護國、文益、可止、清江、法照、廣宣、無本等等四十多位僧人㊿，從中可以檢閱當時的盛況。

這些僧人在和士大夫的交往中，成爲媒介，加深了士大夫對佛教的理解和崇奉。詩僧皎然受到士大夫的廣泛尊敬，「凡所遊歷，京師則公相敦重，諸郡則邦伯所欽。莫非始以詩句牽勸，令入佛智。」所謂「行化之意，本在乎茲」。⑲僧道宗也是「旁延邦國秀，上達王公貴，先以詩句牽，後令人佛智」。因而白居易說他「以詩爲佛事」。⑳僧尙顏《讀齊已上人集》詩認爲「詩爲儒者禪」。㉑在佛教和詩歌雙峰並峙的唐代，僧人的詩歌活動居然成爲溝通士大夫和佛教關係的橋梁。

現在，我們可以具體地考察一下這種媒介作用。孟浩然認識一位「墨妙稱古絕，詞華驚世人」的僧人，就主動地親近他，「朝來問疑義，夕話得清眞」。㉒岑參稱頌一位僧人「誦戒龍每聽，賦詩人則稱」，自己「久欲謝微祿，誓將歸大乘，願聞開士說，庶以心相應」。⑥³本書第四章第三節在研究佛教對士大夫詩歌活動的影響時指出，詩歌活動畢竟是世俗活動，而不是宗教活動。佛教界為了傳教，也有寫作詩歌、偈、變文等實踐，但佛典中卻沒有關於作詩的專門探討。佛教認為妄語、惡口、綺語屬於口業，是十惡中的三項；《大集經》甚至把惡口之業分為六十四種之多，都被斥為阻礙成佛的因素。白居易認為自己作品中「寓興放言，緣情綺語者，亦往往有之」，⑥⁴一再表示「願以今生世俗文字之業，狂言綺語之過，轉為將來世世贊佛乘之因、轉法輪之緣也。」⑥⁵他還認為，僧人的詩，只有極少數是「為義作，為法作，為方便智作，為解脫性作，不為詩而作也。」⑥⁶可見，絕大多數詩與佛教毫不相干。因而這種橋梁作用，只能在一定的社會背景下，才能體現出來，而且相當有限，有時候能成為士大夫奉佛的助因，有時候僅能建立僧俗友誼。一但佛教的社會需要趨於削弱，別說多才多藝的僧人，就是再高明的傳教士，也無力挽回頹勢。

第四節　佛教的善巧化誘

佛教為了發展，必須對僧俗廣泛進行宣傳教育。《法華經》卷一方便品說：「舍利弗，云何名諸佛世尊以一大事因緣故出現於世？欲令衆生開佛知見，使得清淨，故出現於世；欲示衆生佛之知見，故出現於世；欲令衆生悟佛知見，故出現於世；欲令衆生入佛知見，故出現於世。」慧能對這一說法，用禪宗人的立場加以解釋，說：「人心不思本源空寂，離卻邪見，即一大事因緣，內外不迷，即離兩旁，外迷著相，內迷著空，於相離相，於空離空，即是內外不迷。悟此法，一念心開，出現於世，心開何物？開佛知見，佛猶知覺也。分爲四門，開覺知見，示覺知見，悟覺知見，入覺知見。開示悟入，從一處入，即覺知見，見自本性，即得出世。」⑥⑦不管是從宣傳教育者，或被宣傳教育者哪一方來說，都是爲著達到理解和信奉佛教這一目的。佛教在漫長的發展過程中，形成了自己的宣傳藝術和教育手段，主要有以下幾點：

1.區別對象，因材施教。

佛教創立後，有一百多年保持著教海一味的統一性，後來分裂爲上座、大衆兩部，又出現大乘、小乘、空宗、有宗等派別。佛教傳入中國後，在南北朝、隋、唐時期，佛教界對這些派別間的矛盾和分歧有所體會，但又無法指責哪些派別所依據的佛經不對，因此就加以調和，將所有的佛經系統地進行排隊、剖析，指出這些佛經之所以說法有矛盾，是由於佛對不同根機的對象，在不同的場合靈活地進行不同的教育所致，總的原則和基本精神是一致的。這種作法，叫做判教。

隋代最早建立的宗派天台宗，繼南北朝判教之後，提出了以本宗爲中心的五時八教說。五時依次爲華嚴時、鹿苑時、方等時、般若時、法華涅槃時。八教指依據宣傳形式劃分的化儀四教和依據宣傳內容劃分的化法四教。「頓、漸、秘密、不定，化之儀式，譬如藥方；藏、通、別、圓，所化之法，譬如藥味。」⑥⑧天台宗人把五時和八教相應地配合起來，還用淡濃薄厚有別的五味加以比喻。

第一時爲華嚴時，屬於頓教，乳味。佛成道後，首次說法，講的是《華嚴經》。《華嚴經》博大精深，一般人聽不懂，只有根機高的人能領悟，「譬如日出，先照高山，機不經歷，故名爲頓。」⑥⑨

第二時爲鹿苑時，佛在鹿野苑講小乘經典《阿含經》，故第二時又叫阿含時，酪味。針對聽衆根機低這一實際狀況，佛爲他們講述自己成道前的世俗經歷，來誘導他們悟解正道。當時有五個聽衆歸依佛教，成爲弟子。

第三時爲方等時，是大乘初期，生酥味。方等是大乘有宗所有經典的通稱。對於已經接受了小乘道理的人，佛繼續加以開導，爲他們講解大乘經，使他們去小就大。

第四時爲般若時，熟酥味。《般若經》是大乘空宗的經典，是佛的弟子代爲立言的。佛以空宗理論向聽衆宣講諸法皆空的道理，使他們進一步接受大乘思想。

第二時、第三時和第四時，都屬於漸教。

第五時爲法華涅槃時，醍醐味。佛講解《法華經》和《涅槃經》，闡發出世本意。《法華經》是天台宗所宗奉的經典，天台宗人認爲《法華經》和《涅槃經》道理高妙，因而這一時最爲高級，超出頓教和漸教之上，屬於圓教。

那麼，什麼是秘密教和不定教呢？隨代僧人灌頂指出：「同聽異聞，互不相知，名秘密教。同聽異聞，彼彼相知，名不定教。秘密、不定名下之法，只是藏通別圓佛世逗機，一音異解，從化儀大判，且受二名。」⑦⓪就是說，從聽衆一方來說，同時聽佛講法，但根機不同，理解不一，互不相知，這就叫秘密教。從佛這一方來說，能使同時聽法的人都有不同的理解，都有收穫，這就叫不定教。

關於藏通別圓，隋代僧人智顗加以解釋，說：經、律、論總稱三藏。《阿含經》闡述修行法，是定藏；律是防止身口惡業的規定，是戒藏；論是闡釋經典的理論文字，是慧藏。因此，藏教指小乘，與鹿苑時（阿含時）相應。通是同的意思。通教是佛對根機不同的菩薩乘（大乘）和聲聞乘、辟支乘（同屬小乘）這三乘聽衆共同講的內容，是大乘的初門，與方等時相應。小乘聽衆根機低，可以通入藏教，大乘聽衆根機高，可以通入別教和圓教。別是不共的意思，別教只單獨對大乘利根人講，小乘鈍根人即使在座，也是如聾如啞，完全聽不懂，所以叫別教。別教與般若時相應。圓是不偏不別的意思。圓教「明不思議因緣，二諦中道，事理具足，不偏不別，但化最上利根之人。」圓教和藏教、通教、別教不同。圓教也說戒定慧，但「皆約眞如實相佛性涅槃而辨，豈同三藏偏淺戒定慧乎？佛性眞如平等之理，聲聞、辟支佛所不能知，何得而入，故非通也。種種法門位行階級，無不與實相相應，攝一切法，從初一地無不具足一切諸地，是故非別。」㉑圓教和這三教不同，是化導的級極，純圓獨妙，居於首位，與法華涅槃時相應。

隋唐時期的其它宗派，也從本位主義出發，提出不同的判教說法。隋代的三論宗分爲二藏三法輪，唐代的法相宗分爲三教，華嚴宗分爲五教十宗，淨土宗分爲二門，等等。

以上這些判教說法，都不符合歷史事實，這樣作，目的在於調和佛教內部分歧，抬高本宗地位，但卻曲折地反映出佛教的宣傳、教育原則和經驗。最重要的一點，就是分別聽衆根機的利鈍而因材施教。這個原則付諸實踐，就可事功倍地俘獲信徒。

長安青龍寺僧道氤屬於高層次的人。他年少時，「神氣俊秀，學問詳明，應進士科一舉擢第，名喧日下，才調清奇，榮耀親里。」後來有一梵僧住在他家，道氤和梵僧交談，「言皆詣理，梵僧稱嘆。」第二天早晨，梵僧告辭，一出門即「閃然不見」。道氤從此再也沒有仕宦的心思，一心想出家。出家後，「旋學律科，又隸經論，如是內外皆通矣。」⑫可見，梵僧對於根機高的人，不必正面進行宣傳教育，只好以「閃然不見」的方式來誘導。

李紳對佛教算不上崇信，在揚州時，十分輕視僧人，偶或接見，必定問難鋒起，答不上來，即驅逐出去。從佛教的角度來看，他的根機不高。但他是士大夫，僧人只有和他談論佛理，才能達到教育的目的。僧人崇演被李紳召入府中。他針對著李紳這一特點，「酬對詣理，談論鏗然。紳惘然，翻不測其畛域，特加歸信，請居慧照寺。」⑬

對於低層次的愚夫愚婦，僧人則以布施祈福和低級下流的內容來進行宣傳教育。唐玄宗《禁僧徒斂財詔》指出，僧人「因緣講說，眩惑州閭，溪壑無厭，唯財是斂，」使得百姓「盡軀命以求緣，竭資財而作福。」⑭僧人文淑還公然聚衆講說一些「淫穢鄙褻之事」。由於有傷風化，他本人受到政府的制裁，「前後杖背流在邊地數矣。」⑮

佛教這種分別對象的層次而因材施教的作法，士大夫有切身體會。獨孤及《詣開悟禪師問心法次第寄韓郎中》詩，就說自己「障深聞道晚，根鈍出塵難。濁劫相從慣，迷途自謂安」。但問了心法之後，也有心得體會，「得知身垢妄，始喜額珠完。」還勸韓郎中說：「欲知眞如理，君嘗法味看。」[76]

2.有的放矢，對症下藥。

針對具體問題進行教育開導，是佛教的又一原則。

佛教認爲，人對於自身和主觀認識作用的執著，叫做我執；對於外界事物和道理的執著，叫做法執。我執法執，都是偏見，應該通過佛教修養，加以排除。禪宗的臨濟宗，根據人們各自的具體情況，提出四料揀原則，逼迫人們放棄自身存在的某種偏見，有我執者則奪人，有法執者則奪境（事境和理境），我執法執都有者，則人境俱奪。四料揀是：

①有時奪人不奪境。比如：「煦日發生鋪地錦，嬰孩垂髮白如絲。」前句存境，後句奪人。

②有時奪境不奪人。如：「王令已行天下滿，將軍塞外絕煙塵。」前句奪境，後句存人。

③有時人境俱奪。如：「幷、汾絕信，獨處一方」。既奪人，又奪境。

④有時人境俱不奪。如：「王登寶殿，野老謳歌。」既存人，又存境。[77]

慧能交代弟子說，如果有人向你們請教佛義，你們應該先舉三科法門（陰、界、入），動用三十六對（參看本書第四章第三節第二段落之（二）小段）。「出語盡雙，皆取對法」，「來去相因，成中道義。」[78]也是針對問道者的具體問題而進行教育的。

3.利用教具，直觀形象。

華嚴宗的義理極爲深奧，人們往往難以理解。華嚴宗的創始人法藏，爲華嚴宗的理論建設作出了貢獻，又爲華嚴宗的宣傳教育付出了辛勞。

法藏爲武則天講解新譯《華嚴經》時，武則天茫然不解，法藏就以宮殿前的金獅子爲教具，撰寫《金師子章》，來開導武則天。這一直觀教學使艱深的義理變得徑捷易解，武則天「遂開悟其旨。」⑲《金獅子章》只有一千字，卻囊括了華嚴宗的基本理論和判教說法，眞可謂有咫尺萬里之勢。所以能這樣，除了法藏具備高度的概括能力以外，還由於他以實物爲例，深入淺出，捨棄了很多論證過程。我們不妨引證一點內容，以見一斑。

華嚴宗認爲，色非實色，即事物是由因緣和合而成的假有，虛幻不實；而空非斷空，即眞如佛性不是絕對的空，而是湛然長存的實有，但它必須通過事物的假有來體現自己的實有，因此，色空無礙。爲了說明這一點，《金師子章》就以金體比喻佛性——空，以獅子相比喻事物——色，說：「師子相虛，唯是眞金。師子不有，金體不無，故名色空。又復空無自相，約色以明。不礙幻有，名爲色空。」

秘密隱顯俱成門是華嚴宗十玄門之一，以爲事物有色和空兩重內容，人們看到假有的一面而看不到假有所體現的實有這一面，假有顯而實有隱；人們看到實有的一面而看不到假有的一面，實有顯而假有隱。雖然或隱或顯，但隱顯二相，俱時成就。《金師子章》解釋說：「若看師子，唯師子，無金，即師子顯金隱。若看金，唯金，無師子，即金顯師子隱。若兩處看，俱隱俱顯。隱則秘密，顯則顯著，名秘密隱顯俱成門。」

法藏很善於利用教具，由此及彼，由淺入深，進行直觀教育。爲了說明本體和現象之間、現象和現象之間圓融無礙的聯繫，他爲那些理解力低的人準備了十面鏡子，八方和上下，相隔一丈遠，各安放一面鏡子。鏡面相對，中間安放一尊佛像，點燃一支火炬來照著佛像，於是每面鏡子中都重重疊疊地現出佛像，以及其它鏡子映現佛像的樣子。在場的人一下子都明白了這一佛教理論。《宋高僧傳》卷五《法藏傳》總結法藏以金獅子和鏡子。佛像、火炬等實物從事教學活動時指出：「〔法〕藏之善巧化誘，皆此類也。」

這種化抽象爲具體的教育事例，在佛教中還有不少。戴叔倫《與虞沔州謁藏眞上人》詩說：「故侯將我到山中，更上西峰見遠公。共問置心何處好，主人揮手指虛空。」[80]據說慧能南遁後，在廣州法性寺聽印宗法師講《涅槃經》，恰值風吹幡動，有人說是風動，有人說是幡動，爭論不休。慧能反對這兩種見解，說：「不是風動，不是幡動，人心自動。」這件事，最早的敦煌本《壇經》沒有記載，晚唐僧人惠昕改編過的《六祖壇經》即第二個古本，開始有了這一說法，並爲後來的兩個本子所沿用。慧能是否確有其事，無法斷定，但寺院運用實物討論佛理，則屬唐代確確實實的現象。比如，馬祖道一在南岳懷讓門下學習佛教，他獨處一庵，調整呼吸和思慮，專心坐禪，誰來找他，他連看都不看。懷讓認爲這種外求的作法完全違背禪宗明心見性、頓悟成佛的主張，爲了開導他，就故意在庵外磨磚。起初，道一毫不理會，時間長了，就問懷讓磨磚作什麼。懷讓回答說用磚磨一面鏡子。道一說：「磨磚豈得成鏡？」懷讓因勢利導，說：「磨磚既不成鏡，坐禪豈能成佛？」終於使道一拋棄了坐禪的方式。[81]

4.啓發思維，由近及遠。

僧人有時不正面解答疑難問題，而是反詰一句，或就身邊的事情談點看法，啓發對象由近及遠，舉一反三，豁然開悟。李渤洽聞多識，博覽群書，外號李萬卷。他不懂佛教關於大小相攝的理論，就請教僧人智常說：「教中有言，須彌納芥子，芥子納須彌。如何芥子納得須彌？」智常問道：「人言博士學覽萬卷書籍，還有是否？」李渤答道：「忝此虛名。」智常反詰說：「摩踵至頂，只若干尺身，萬卷書向何處著？」李渤有所領解，「俯首無言，再思稱嘆。」[82]

懷讓用磨磚一事教育道一，道一雖懂了不能以坐禪求成佛的道理，但仍然不清楚如何作才對。懷讓就啓發他說：「譬牛駕車，車若不行，打牛即是？打車即是」[83]這正是儒家「不憤不啓，不悱不發」[84]的作法。啓發之後，懷讓繼續闡明道理，使道一「聞斯示誨，豁然開悟。」[85]

僧人神悟也是這樣。對於疑經難法的人，神悟就「近取諸身，遠喻於物，如理答酬，無不垂頭搭翼者。」李華是一代文宗，和崔益一同問起三教優劣。神悟回答時，運用比喻來啓發思維，說：「路迦邪典籍，皆心外法，味之者勞而無證。其猶澤朽思華，乾池映月，比其釋教，夫何遠乎？」這樣，雙方反複問答，李華、崔益「拱手無以抗敵。」[86]

5.形式多樣，喜聞樂見。

佛教界還採取多種民間喜聞樂見的方式來進行宣傳教育。他們爲了布置出佛教氣氛，就廣造寺塔，修造佛教，繪製壁畫，以便逗引出人們對於佛教的虔誠崇信情緒。

佛教界還以俗講的方式，歌謠的體裁，廣泛誘掖世人。僧人文淑是個普及佛教的能手，時人趙璘從士大夫反佛的立場，記述了這一事實，說文淑常常聚衆講說，「假托經論所言，無非淫穢鄙褻之事。不逞之徒，轉相鼓扇扶樹。愚夫冶婦，樂聞其說，聽者填咽。寺舍瞻禮崇奉，呼爲和尙。教坊效其聲調，以爲歌曲。其甿庶易誘，釋徒苟知眞理，及文義稍精，亦甚嗤鄙之。」[87]可見，文淑採用民間喜聞樂見的方式進行宣傳教育，影響極大。

禪宗玄覺所著《永嘉證道歌》，是通俗流暢的佛理韻文，有的地方表達得還非常美。《永嘉證道歌》的格式變化不一，其基本格式是：「窮釋子，口稱貧，實是身貧道不貧。貧則身常披縷褐，道則心藏無價珍。」戰國時期，荀子以民歌的通俗文藝形式寫成一組韻文《成相》，其格式是：「將成相，世之殃，愚暗愚暗墮賢良。人主無賢，如瞽無相何倀倀。」[88]《永嘉證道歌》與《成相》，何其相似乃爾。《永嘉證道歌》的另一格式是：「震法雷，擊法鼓，布慈雲兮灑甘露。龍象蹴踏潤無邊，三乘五姓皆醒悟。雪山肥膩更無雜，純出醍醐我常納。」且不說這個「兮」字和六、七言格式，就是雷、雲、甘露、龍象（龍象在佛教中有特定的含義，這裡僅就字面意義而言）這些字眼，就明顯地帶著《楚辭》的痕跡。戰國時期的楚國詩人屈原所著《離騷》中，有這樣的句子：「吾令鳳鳥飛騰兮，繼之以日夜。飄風屯其相離兮，帥雲霓而來御。……屯餘車之千乘兮，齊玉軑而並馳。駕八龍之蜿蜿兮，載雲旗之委蛇。」《永嘉證道歌》的又一種格式是：「一性圓通一切性，一法遍含一切法。一月普現一切水，一切水月一月攝。」這是七言古風，是很流行的體裁。這個月印萬川的比喻，用以說明佛性和現象之間一即一切、一切即一的圓融無礙關係，對於理學的醞釀和形成，起過相當的啓發作用。

除了以上這些原則和經驗以外，佛教界在宣傳、教育方面，也還有其它可取之處。比如，能夠尊重被宣傳、教育者，態度平和，不把自己的意思强加於人。慧能爲官僚三十餘人、儒士三十餘人和衆多僧尼道俗說法，很尊重被宣傳、教育者的人格，把他們稱爲善知識，並且幾乎每起講一層意思，都要稱呼一聲善知識。善知識本來是指精通一切知識，開導衆生，使他們悟入佛智的人，一般指說法的大師。《涅槃經》卷二十五說：「能教衆生遠離十惡，修行十善，謂之善知識。」慧能對於聽衆來說，是善知識，但他不以大師自居，反倒把聽衆尊稱爲善知識，態度最爲謙遜平和。他在指出愚人心迷，需要高明的人指點時，爲了區別，就把後者稱爲大善知識。再如，注意運用形象思維，使複雜難解的義理變得通俗易懂。佛教經常以故事、比喻來闡明道理，諸如投身飼虎、瞎子摸象、癡人學舌、熱釜求環、龜毛兔角、月印萬川、三界火宅、三車、舟筏，等等。這樣，就使邏輯思維得不到的宣傳效果，由另一條渠道得到。

下面，我們可以考察一下士大夫是如何看待佛教的宣傳、教育活動的。

盧綸《送契玄法師赴內道場》詩說：「昏昏醉老夫，灌頂遇醍醐。……深契何相秘，儒宗本不殊。」又《送曇延法師講罷赴上都》詩說：「金縷袈裟國大師，能銷壞宅火燒時。復來擁膝說無住，知向人天何處期。」⑻

劉禹錫《謁柱山會禪師》詩說：「吾師得眞如，寄在人寰內。哀我墮名網，有如翾飛輩。曈曈揭智燭，照使出昏昧。靜見玄關啓，歆然初心會。」[90]又《送僧仲剬東遊兼寄呈靈澈上人》詩說，仲剬「前時學得經論成，奔馳象馬開禪扃。高筵談柄一麈拂，講下門徒如醉醒。」[91]又《海門潮別浩初師（一作送如智法師遊辰州兼寄許評事）》詩說：「前日過蕭寺，看師上講筵。都人禮白足（按：僧人赤足），施者散金錢。」[92]又《送慧則法師歸上都因呈廣宣上人》詩序說，慧則講《淨名經》，「自京師涉漢沔，歷鄢郢，登衡湘，聽徒百千，耳感心化。」詩說：「昨日東林（一作鄰）看講時，都人象（一作乘）馬蹋琉璃。」[93]

張籍《送律師歸婺州》詩說：「京中開講已多時，曾向壇頭證戒師。歸到雙溪橋北寺，鄉僧爭就學威儀。」[94]

姚合《聽僧雲端講經》詩說：「無生深旨誠難解，唯是師言得正眞。遠近持齋來諦聽，酒坊魚市盡無人。」[95]

雍陶《安國寺贈廣宣上人》詩說：「馬急人忙塵路喧，幾從朝出到黃昏。今來合掌聽師語，一似敲冰清耳根。」[96]

可見，佛教界的善巧化誘，對於世俗普通人和士大夫的崇奉佛教，有著不可低估的作用。

第五節　士大夫的主觀需要

士大夫在社會生活中，不會一帆風順，往往會遇到一些煩惱、困惑、挫折、打擊和不幸。他們敏感而脆弱的神經容易趨於消極，尋求解脫。在科舉失意時，他們容易頹唐；在仕途蹭蹬時，他們慣於低沉，需要補養休息；在公事鞅掌時，他們需要調劑生活；在動亂歲月，他們渴求解救；在目擊到人世滄桑、風雲變幻時，他們希望得到解釋；在患病體弱或家庭遭到變故時，他們需要慰藉……這些主觀方面的需要，一旦和大而無當、神秘莫測的佛教拍上板，佛教便乘虛而入。

這些主觀需要，士大夫各自都明白無誤地說了出來。我們看一看下列士大夫的自白，便可發現共性，尋繹出這一條思路。

岑參《出關經華岳寺訪華雲公》詩說：「謫官忽東走，王程苦相仍。欲去戀雙樹，何由窮一乘？」⑰

耿湋《春日遊慈恩寺寄暢當》詩說：「浮世今何事？空門此諦眞。」⑱

杜甫《謁文公上房》詩說：「久遭詩酒汚，何事忝簪裾？王侯與螻蟻，同盡隨丘墟。願聞第一義，回向心地初。」⑲

李端《病後遊靑龍寺》詩說：「境靜聞神遠，身羸向道深。」⑩

麴信陵《出自賊中謁恆上人》詩說：「再拜吾師喜復悲，誓心從此永歸依。浮生況忽若眞夢，何事於中有是非。」⑩

劉禹錫《送僧元暠南遊》詩序說：「予策名二十年，百慮而無一得，然後知世所謂道，無非畏途，唯出世間法可盡心耳。」⑩他在《謁柱山會禪師》詩中，叙述了自己的平生經歷，思想上向佛教的轉變，以及奉佛的堅定決心，說：「我本山東人，平生多感慨。弱冠遊咸京，上書金馬外。結交當世賢，馳聲溢四塞。勉修貴及早，狃捷（一作健）不知退。錙銖揚芬馨，尋尺招瑕纇。淹留郢南都（一作鄙），摧頹羽翰碎。安能咎往事，且欲去沈痗。吾師得眞如，寄在人寰內。哀我墮名網，有如翾飛輩。曈曈揭智燭，照使出昏昧。靜見玄關啓，歆然初心會。夙尙一何微，今得信可大！覺路明證入，便門通懺悔。悟理言自忘，處屯道猶泰！色身豈吾寶，慧性非形礙。思此靈山期，未卜（一作來）何年載！」⑩

白居易《郡齋暇日憶廬山草堂兼寄二林僧社三十韻多叙貶官以來出處之意》詩說：「不堪匡聖主，只會事空王。」⑩

羅隱落第後，僧禪月（貫休）作詩安慰，羅隱在《和禪月大師見贈》詩中寫道：「高僧惠我七言詩，頓豁塵心展白眉。……應覩法界蓮千朵，肯折人間桂一枝！漂蕩秦吳十餘載，因循猶恨識師遲。」⑩

因此，當士大夫從喧囂紛亂的塵世走進清幽恬靜的佛寺，便頓覺到了一個新天地，「誰能厭軒冕，來此便忘機。」⑩當他們研讀佛典時，便覺得心靈中充滿了妙氣，永遠玩味不盡，思想得到昇華，對塵世的一切都想得開了。他們虔誠地把自己置於弟子的地位，對於僧人的說教，洗耳恭聽。對於僧人，他們開口上人閉口公，甚至當一位並不怎麼出衆的僧人去世時，他們也模仿著禪宗慧能「一燈能除千年暗，一智惠能滅萬年愚」⑩⑦的腔調，對亡僧大加贊美：「山色依然僧已亡，竹間疏磬隔殘陽。智燈已滅餘空燼，猶自光明照十方。」⑩⑧

總之，由於以上客觀和主觀兩類因素的作用，士大夫的奉佛便成了唐代社會生活中的普遍現象。

【附　註】

①《全唐文》卷一〇。
②《廣弘明集》卷一四，李師政《內德論》。
③《劉禹錫集》卷四，《袁州萍鄉縣楊岐山故廣禪師碑》。
④《全唐文》卷七八八，李節《餞潭州疏言禪師詣太原求藏經詩序》。
⑤《論語·爲政篇》。
⑥《舊唐書》卷一九二，《吳筠傳》。
⑦《唐語林》卷六。
⑧《南部新書》乙部。同書同部還說：「三殿談經，自此始也。」同書丙部說：「麟德殿三面，亦謂之三殿。」麟德殿在東內，是唐高宗麟德年間修的大宮殿，用於皇帝會見公卿大臣、外國使節和舉行盛大集會。唐代皇

帝親自觀聽的三教爭論會，早在唐高祖武德八年（六二五年）就舉行過，不過沒在內殿，而在國學。我所見到的在內殿舉行三教辨論會的最早紀錄，是在唐玄宗開元時。《宋高僧傳》卷一七《利涉傳》說：開元中，……玄宗詔三教各選一百人，都集內殿。」儒方代表大理評事、秘書省校書郎韋玎，挫敗了道士葉靜能和僧人思明。僧人利涉上場，大耍無賴，惡意中傷，以韋玎的姓氏諧音作了首偈說：「我之佛法是無爲，何故今朝得有爲？無韋始得三數載，不知此復是何韋？」引起唐玄宗對唐中宗故后韋庶人亂政的回憶。經核實，韋玎不是韋后宗戚，才免殺頭之禍，「敕貶象州百姓。」翦除韋黨才三數載，可見這次辯論應在開元初期，比貞元十二年這次早約八十年。唐玄宗一朝，將興慶宮由離宮改爲起居、聽政的正宮殿，即南內，成爲政治重心之所在。而開元初期尚未這樣作，故這次內殿談經不可能在南內，也不在三殿，可能在東內紫宸殿，即內朝正殿。

⑨《續高僧傳》卷五，《玄奘傳》。
⑩《韓昌黎集》卷三九。
⑪《資治通鑑》卷二五二唐懿宗咸通十四年條。
⑫《全唐文》卷三〇，唐玄宗《禁僧徒斂財詔》。
⑬《太平廣記》卷二八九，雙聖燈條引《辨疑志》。
⑭《全唐詩》卷五二一。
⑮《全唐詩》卷五二六。

⑯《全唐詩》卷五二六。
⑰《全唐詩》卷五二六。
⑱《孟子·離樓上》。
⑲《柳宗元集》卷三四，《答韋中立論師道書》。
⑳《柳宗元集》卷三四，《報袁君陳秀才避師名書》。
㉑《全唐詩》卷二四七。
㉒《全唐詩》卷三三二。
㉓《全唐詩》卷八〇六。
㉔《全唐詩》卷一一四，張翬《遊（一作題）棲霞寺》。
㉕《全唐詩》卷二六八，耿湋《春日遊慈恩詩寄暢當》。
㉖《全唐詩》卷二六八，耿湋《題惟幹上人房》。
㉗《全唐詩》卷一三四，李頎《宿瑩公禪房聞梵》。
㉘《全唐詩》卷三七五，孟郊《與二三友秋宵會話清上人院》。
㉙《全唐詩》卷三七〇，呂溫《終南精舍月中聞磬聲詩》。
㉚《劉禹錫集》卷二九，《送僧元暠南遊》。《全唐詩》卷三五九作「東遊」。
㉛《蘇東坡集》後集卷一九，《書柳子厚大鑒禪師碑後》。

㉜南宋李石《方舟集》卷九，《釋老論》。
㉝南宋趙彥衛《雲麓漫鈔》卷三。
㉞《弘明集》卷五。
㉟《廣弘明集》卷一三，法琳《辨正論》。
㊱《高僧傳》卷一一。
㊲隋僧智顗《妙法蓮華經玄義》卷一上。
㊳《柳宗元集》卷七。
㊴《全唐詩》卷六〇四。
㊵《宋高僧傳》卷一四，《法慎傳》。
㊶宗寶本《壇經·疑問品第三》。
㊷隋僧吉藏《中觀論疏》卷二。
㊸敦煌本《壇經》。
㊹《白居易集》卷六五，《議釋教》。
㊺近人陳寅恪《元白詩箋證稿》頁三一一。
㊻《白居易集》卷六八。
㊼唐僧宗密《禪源諸詮集都序》卷二。

⑱《禪源諸詮集都序》卷三。
⑲唐僧宗密《華嚴原人論·斥偏淺第二》自注。
⑳《華嚴原人論·會通本末第四》。
㊿《宋高僧傳》卷六，《宗密傳》。
51《大珠禪師語錄》卷下。
52《論語·衛靈公篇》。
53《柳宗元集》卷二五，《送僧浩初序》。
54《劉禹錫集》卷二九，《贈別君素上人》詩序。
55《全唐詩》卷四九七。
56唐李肇《唐國史補》卷上。
57《唐才子傳》卷三，《靈一傳》。
58《宋高僧傳》卷二九《皎然傳》。
59《全唐詩》卷四四四，白居易《題道宗上人十韻》。
60《全唐詩》卷八四八。
61《全唐詩》卷一五六，孟浩然《還山貽湛法師》。
62《全唐詩》卷一九八，岑參《寄青城龍溪奐道人》。

64《白居易集》卷七〇，《蘇州南禪院白氏文集記》。
65《白居易集》卷七一，《香山寺白氏洛中集記》。
66《全唐詩》卷四四四，白居易《題道宗上人十韻》詩序。
67敦煌本《壇經》。
68隋僧灌頂《天台八教大意》。
69《天台八教大意》。
70《天台八教大意》。
71隋僧智顗《四教義》。
72《宋高僧傳》卷五，《道氤傳》。
73《宋高僧傳》卷一一，《崇演傳》。
74《全唐文》卷三〇。
75唐趙璘《因話錄》卷四。
76《全唐詩》卷二四七。
77《古尊宿語錄》卷四，《鎮州臨濟慧照禪師語錄》。
78宗寶本《壇經·付囑品第十》。
79《宋高僧傳》卷五《法藏傳》。

⑧⓪《全唐詩》卷二七四。
⑧①《古尊宿語錄》卷一。
⑧②《宋高僧傳》卷一七,《智常傳》。
⑧③《古尊宿語錄》卷一。
⑧④《論語·述而篇》。
⑧⑤《古尊宿語錄》卷一。
⑧⑥《宋高僧傳》卷一七,《神悟傳》。
⑧⑦《因話錄》卷四。
⑧⑧《荀子·成相》。
⑧⑨《全唐詩》卷二七六。
⑨⓪《全唐詩》卷三五五。
⑨①《全唐詩》卷三五六。
⑨②《全唐詩》卷三五七。
⑨③《全唐詩》卷三五九。
⑨④《全唐詩》卷三八六。
⑨⑤《全唐詩》卷五〇二。

⑯《全唐詩》卷五一八。
⑰《全唐詩》卷一九八。
⑱《全唐詩》卷二六八。
⑲《全唐詩》卷二二〇。
⑳《全唐詩》卷二八四。
(101)《全唐詩》卷三一九。
(102)《劉禹錫集》卷二九。
(103)《全唐詩》卷三五五。
(104)《全唐詩》卷四四一。
(105)《全唐詩》卷六五七。
(106)《全唐詩》卷六四九，方幹《登雪竇僧家》。
(107)敦煌本《壇經》。
(108)《全唐詩》卷六八一，韓偓《僧影》。

附錄一：唐宣宗復興佛教再認識

郭紹林

一

唐武宗和宰輔李德裕在會昌季年主持了毀佛活動，與北魏太武帝、北周武帝和五代周世宗時的毀佛事件，並稱爲中國古代史上的三武一宗「法難」。那三次毀佛是在國家分裂、僻守一隅的情況下進行的，而會昌這一次，則是在佛教全盛的情況下，在統一帝國的全境內鋪開的，因而對於佛教的打擊至爲沉重，一共拆毀國家賜額的佛寺四六〇〇多所，稱作招提、蘭若的國家未賜額私立小寺四萬多所，沒收上等良田數千萬頃，強令僧尼還俗二六〇五〇〇人，解放寺院奴婢十五萬人，都充作兩稅戶，還大量銷毀金屬土木佛像和佛教典籍。佛教勢力從此銷歇式微。這對於解決佛教勢力的過分膨脹，防止編戶齊民流入佛門而逃避賦稅兵役，制止佛教勢力同國家爭奪經濟利益，增加國家收入等問題，無疑是有積極作用的，因而爲古今學人極口稱贊。然而在毀佛高潮中，武宗突然去世，宣宗即位後，立即著手恢復佛教，還處死了鼓動武宗毀佛的道士趙歸眞、劉玄靖等十二人。於是宣宗受到了指責，典型的說法是目前國內部頭最大的一部研究隋唐佛教的專著中的幾句話，說：「宣宗一上台，就急不可待地要爲佛教『出氣』了」，「宣宗不愧是一個『護法』皇帝」，「宣宗是憲宗以後最佞佛的一個皇帝」。①乍看起來，這結論十分符合邏輯，但稽考史籍，細加玩味，則又覺得不然。因此，這裡將自己對於宣宗復興佛教的認識公諸同好，或能爲該問題的進一步研究推一波而助一瀾。

二

解釋宣宗復興佛教的原因，已有二說。其一以明清之際的王夫之爲代表，認爲：「宣宗忌武宗君相，而悉反其政，浮屠因緣以復進。」②上面典型說法引用這句話，說：「事實確是如此。」③但據《舊唐書》卷一八下《宣宗紀》，宣宗在大中三年（八四九）貶斥李德裕的詔書中，歷數其罪過，卻隻字未提毀佛一事。兩年後，宣宗處理政事，曾兩度依據武宗敕令精神：「准會昌元年敕」，「准會昌三年十二月敕」。可見「悉反其政」之說不是實錄，而認爲「事實確是如此」，也未免武斷。

另一種說法認爲宣宗在藩邸時和佛教關係密切，甚至曾遁跡爲僧。這就有必要辨析一下他和佛教的關係到底如何。

南宋陳巖肖《庚溪詩話》卷上說：「唐宣宗微時，以武宗忌之，遁跡爲僧。一日遊方，遇黃檗禪師同行，因觀瀑布，……黃檗云：『千巖萬壑不辭勞，遠看方知出處高。』宣宗續云：『溪澗豈能留得住，終歸大海作波濤。』其後宣宗竟踐位，志先見於此詩矣。」《全唐詩》卷四收了這首詩，題爲

《瀑布聯句》，題下注云：「《詩史》云帝遊方外，至黃蘗，與黃蘗禪師同觀瀑布聯句。《佛祖統紀》云帝至廬山，與香嚴閑禪師詠。時黃蘗在海昌，《詩史》誤。」《全唐詩續補遺》卷一一也收了這首詩，題爲《四面寺瀑布》，前二句略異，注爲出自《古今圖書集成》職方典安慶府部。諸說多有歧異，就地點而論，或僅說遊方，未確指具體地點，或說黃蘗、廬山或安慶。黃蘗山在江西高安縣，唐代屬洪州（南昌）管轄；廬山在江西九江，九江在唐代稱爲江州；安慶在安徽，唐代屬於舒州。就人而論，或說是廬山閑禪師，或說是黃蘗禪師希運。閑禪師事跡不詳，也可能根本就沒這個人。希運在北宋初年僧人贊寧所著的《宋高僧傳》卷二〇中有傳，根本未提聯詩一事。贊寧喜歡交接君王，曾因此受譏，他在該書卷六《宗密傳》中發了一通議論，無疑含有爲自己的行爲辯解的成分，說：「或有誚密不宜接公卿而屢謁君王者，則吾對曰：教法委在王臣，苟與王臣不接，還能興宗教以不？佛言力輪王臣是歟。今之人情，見近王臣則非之，曾不知近王臣人之心苟合利名，則謝君之誚也；或止爲宗教親近，豈不爲大乎？」爲此，他在書中不厭其煩地描述僧人同君王、大臣的親密關係。假若希運有和宣宗聯詩事，他絕不會略而不記的。因此，以上諸說只能看作是齊東野語，不能作爲信史。

此外，五代孫光憲《北夢瑣言》卷一說：「武宗嗣位，宣宗居皇叔之行，密遊外方，或止江南名山，多識高道僧人。」《全唐詩補遺》卷一收有一首所謂宣宗的《南安夕陽山眞寂寺題詩》，前二句云：「惟愛禪林秋月空，誰能歸去宿龍宮。」此詩出於明人陳懋仁所撰《泉南雜誌》卷上，原詩題注云：「居邸時遁於此。」似乎宣宗的蹤跡到了福建泉州。孫光憲未說宣宗當僧人，陳懋仁說「遁於此，」也未說清是宣宗遁跡爲僧駐錫於此，還是作爲世俗人駐足於此。這兩句詩也不像當僧人的口氣。然而這樣的行蹤是不可能的，下面即將論到。

《宋高僧傳》卷一一《齊安傳》說：「帝（宣宗）本憲宗第四子」，「武宗恆憚忌之，沉之於宮廁，宦者仇公武潛施救護，俾髡髮爲僧，縱之而逸。周遊天下，險阻備嘗。因緣出授江陵少尹，實惡其在朝耳。」他遊方到浙江，僧齊安預感到「當有異人至此」；來後，「禮殊他等」，並「囑以佛法後事而去。」《宋高僧傳》多據碑文而寫成，「每傳末恆言某某爲立碑銘或塔銘，此即本傳所據，不啻注明出處。」④《齊安傳》交代「盧簡求爲建塔焉。」《全唐文》卷七三三載有盧簡求《杭州鹽官縣海昌院禪門大師塔碑》一文，其內容爲《齊安傳》採用，但盧文根本沒說宣宗作爲遊方僧參禮齊安事。《齊安傳》多出的這個內容，也未交代宣宗見齊安的時間和地點，但點明齊安在武宗登基兩年半後即去世。武宗是文宗的異母弟，在文宗去世後由宦官矯詔而突然立爲皇帝，也就是說，此前已立有皇太子，武宗不可能有當皇帝的充分精神準備，如果憚忌宣宗，只能在自己登基後才有必要。即便在這兩年半中，宣宗去見了齊安，說出於「武宗恆憚忌之」，哪裡談得上「恆」呢？而且兩《唐書》、《冊府元龜》、《唐會要》、《全唐文》、《全唐詩》都明確記載宣宗是憲宗的第十三子，贊寧卻說成是第四子，其餘事情的可信程度也就要打個折扣了。

我認爲宣宗登基前不可能削髮爲僧，理由有如下兩點：

(1)《舊唐書·宣宗紀》說他「嚴重寡言」，「幼時宮中以爲不慧。」他在文宗、武宗時「愈事韜晦，群居遊處，未嘗有言。文宗、武宗幸十六宅宴集，強誘其言，以爲戲劇」。「武宗氣豪，尤不爲禮。」《舊唐書》是根據唐代的國家文獻整理成書的，關於帝王的經歷，其可靠程度遠在私家著述之上。這裡說他在宮邸中生活，不可能削髮爲僧雲遊四方，也不可能出爲江陵少尹。武宗根本看不起他，而不是一貫怕他防他。他既然要韜晦，自然要裝出一副庸庸碌碌的樣子，那敢寫什麼「宿龍宮」、「終歸大海作波濤」之類的詩呢？

⑵宣宗生於元和五年（八一〇）六月，會昌六年（八四六）三月即帝位時，不足三十六周歲。其長子懿宗大和七年（八三三）十一月出生，宣宗當時二十三周歲。大中四年（八五〇）二月，宣宗不足四十周歲，女兒萬壽公主出嫁。次年正月，封了三個皇子爲王，其第十一子李汶封爲康王⑤。在當時的交通條件下，如果削髮爲僧，長期不在長安，而在南方（不管是安徽，還是江西、浙江、福建）遊方，又何至於有自己的家庭和衆多的子女？

那麼宣宗即位前和佛教有沒有什麼瓜葛呢？有的。大中七年（八五三），他「政閑賞景」幸京師莊嚴寺，下敕回憶自己「藩邸之時，遊此伽藍」。⑥不過是就近遊玩，多少作點佛事而已。

唐代已出現了儒佛合流的趨勢，但由於兩家在入世、出世方面的主張不同，一般地說，還是處於對立狀態的。因此，在辨析宣宗同佛教的關係時，還需要從考察他和儒學關係的角度來加以說明。

幾乎涉及到的所有文獻，都說宣宗崇儒。《舊唐宗·宣宗紀》說：「帝雅好儒士，留心貢舉。」《北夢瑣言》卷一說他「好儒雅，每直殿學士從容，未嘗不論前代興亡。」《唐語林》卷二說他退朝後讀書到半夜，宮中把他叫作「老儒生。」他「厚待詞學之臣，於翰林學士恩禮特異，宴遊無所間。」卷四又說他「好儒」，「愛羨進士，每對朝臣，問答第否。有以科名對者，必有喜，便問所賦詩賦題，並主司姓名。或有人物優而不中第者，必嘆息久之。」他還在宮中柱子上自題姓名爲「鄉貢進士李道龍」。《唐詩紀事》卷四八說宰相裴休「能文章，爲人醞藉，進止雍閑」，被他稱贊爲「眞儒者。」他挑女婿，也以風流儒雅爲標準。《唐語林》卷七說，鄭顥既是進士及第，又出身於以禮法門風爲特徵的山東老牌士族之家，於是乎由宰臣白敏中從中撮合，被他選爲駙馬。但當時幾家士族內部通婚，既不與庶族聯姻，也不願與帝室結親。鄭顥本來待婚盧氏，卻被迫與萬壽公主結合，因而對白敏中恨之入骨。可見他好儒竟到了不擇手段的地步。這樣看來，就崇儒而論，宣宗無疑是唐代諸帝中的翹楚，說他是「憲宗以後最佞佛的一個皇帝，」完全沒有根據。

三

那麼，宣宗復興佛教的原因，就應該到更爲廣闊的社會背景中尋找，我認爲有以下一些因素值得注意：

(1)我在拙著《唐代士大夫與佛教》中這樣說過：「佛教在當時爲社會所需要，也就是說，皮存毛附，佛教賴以依存的社會條件還存在。只有當這個社會條件受到歷史進程的否定時，佛教本身才能被否定；當這個社會條件消亡時，佛教本身才能隨著消亡。唐代是我國封建社會中的一個階段。在這個階段中，由於生產力和科學技術的發展非常有限，人依然受著自然的束縛和社會的束縛，承受著種種苦難，無力支配自己的命運，不能得到自由、解放。也就是說，人不成其爲人，處於微弱、可憐的境地。於是，人就把擺脫這種境地，謀求現世和來世的幸福，寄希望於一種超自然力量，幻想並且認定這種力量是公道、善良、強而有力的主宰。這便是佛教和其它宗教能夠存在和發展的社會條件。只有生產力和科學技術的發展，達到物質文明和精神文明的高度發展程度，人才能成其爲人，才能擺脫自然和社會的束縛，才能成爲支配自己命運的強者，才不需要乞求超自然力量的庇護。這時，佛教才能同其它宗教一樣，逐漸消亡。但唐代距離這個時代還非常遙遠」。⑦而「會昌毀佛是政府以行政手段來簡單否定佛教的自上而下的政治運動。這種運動儘管來勢迅猛，但不能有效地觸動宗教的理論基礎和社會基礎，猶如下了一場暴雨，雨水還來不及滲進土壤便流走了。」⑧這可從下面一些事例得到證實：

從毀佛的地區範圍來說，儘管是在統一帝國的全境內鋪開的，但由於藩鎮割據，黃河以北的奉佛藩鎮節帥拒不執行朝廷詔令。鎮、幽、魏、潞四節度，不拆毀佛寺，不條流僧尼，敕使責問起來，他們便說：「天子自來毀拆焚燒即可然矣，臣等不能作此事也。」⑨

從僧人方面來說，並沒有改變宗教信仰。據《宋高僧傳》下列僧人本傳，僧文喜「變素服，內秘之心無改」；僧神智「形服雖殊，誓重爲僧」；僧願誠「志不動搖」；僧允文白天穿俗服，夜晚著僧裝，「罔虧僧行，唯逭俗譏」；僧玄暢「例從俗服，寧弛道情，龍蛇伏蛩而待時」，等等。

從世俗方面來說，也沒有改變對佛教的感情。長沙信士羅晏毀佛中見僧人，就「召居家供施」。⑩日本僧人圓仁在毀佛高潮中由長安回國，大理卿中散大夫賜紫金魚袋楊敬之，派人詢問出城的日期、道路，還送給書狀等，說：「弟子書狀五通，兼手書付送前路州縣舊識官人處，但將此書通入，的有所益者。」職方郎中賜緋魚袋楊魯士，也送給圓仁供化妝成俗人用的衣物、錢幣、團茶等等。鄭州長史辛文昱對圓仁說：「此國佛法即無也！佛法東流，自古所言。願和尚努力，早建（達）本國，弘傳佛法。弟子多幸，頂謁多時。今日已別，今生中應難得相見。和尚成佛之時，願不捨弟子」。⑪

⑵正因爲宗教賴以依存的社會條件還存在，所以會昌毀佛夾雜著佛道相爭的因素，在取締佛教、摩尼教、拜火教、景教的同時，極力抬高道教的地位。武宗即位的前三年，慶生辰時，還照例在大內設齋，由僧道御前論議，但道士賜紫，僧人不得著紫。到會昌四年（八四四）誕日，索性不召僧人入內論議，並取消內齋和內道場，換成道教的內容：「長生殿內道場，自古以來，安置佛像經教。抽兩街諸寺解持念僧三七人，番次差入，每日持念，日夜不絕。」武宗「便令焚燒經教，毀拆佛像，起出僧衆，各歸本寺。於道場安置天尊老君之像，令道士轉道經，修練道術。」⑫同時，他召衡山道士劉玄靖入禁中，充當崇玄館學士，賜號廣成先生；還在禁中築望仙觀，以道士趙歸眞爲師，授以左右街道門教授先生。他還不斷絹給道士、道觀，更有甚者，要把自己的道教信仰強加給民衆，「敕召國子監學士及天下進士及第、身有學者，令入道教」，但「未曾有一人入其道者」。⑬不平則鳴，這樣厚此薄彼，必然引起民衆的反感。天旱時，功德使奉敕讓僧道轉經求雨，事後，「道士偏蒙恩賞，僧尼寂

寥無事。」長安民衆議論道：「祈雨即惱亂師僧，賞物即偏與道士。」⑭長安各寺七月十五日供養，作花蠟、花瓶、假花果樹等物，鋪設於佛殿前，「傾城巡寺隨喜，甚是盛會。」會昌四年這次，武宗「敕令諸寺佛殿供養花藥等，盡搬到興唐觀祭天尊。」他來到興唐觀，召百姓前來觀看，百姓罵道：「奪佛供養祭鬼神，誰肯觀看！」⑮這表明在保留道教的情況下單方面廢除佛教，是在宗教消亡條件不成熟時強行取消宗教的不徹底的行爲，因而具有超前性質，不但不能使人心服口服，而且還帶來社會不安和騷動等後果。

⑶佛教對社會生活的滲透既深且廣，成爲社會習俗的重要組成部分，幾乎到了不可或缺的地步。這裡僅就主要的方面舉一些例子。

A.詔敕傳達儀式。武宗即位詔令下達到登州，地方官吏、軍將和百姓、僧尼、道士的代表，在州城內的一個院子中依次站立，點名唱諾。傳達詔令前，官吏、百姓再拜，僧、道不拜，傳達完畢，有人宣布「好去」，於是一時唱諾，「官人、諸軍、僧道、百姓於此散去。」⑯如果疑心這是詔令要傳達到各界人士才這樣作的，那麼，另外的一則資料便可說明問題。《太平廣記》卷四八三《南中僧》條說，嶺南僧人極少，「每宣德音，須假作僧道陪位。」昭宗即位，詔令下達到崖州，「宣時，有一假僧不伏排位」，太守問起來，這個假僧抱怨道：「役次未當，差遣編並。去歲已曾攝文宣王（孔子，這裡代指儒生），今年又差作和尙。」連偏遠的南荒地區尙且這樣，可以想見，傳達詔令的儀式須僧人陪位，已在全國範圍成爲程式。

B．慶生辰。拙稿《論隋唐時期慶生辰》⑰對此有所論列，這裡簡要地介紹一些內容。仁壽三年（六〇三）隋文帝首創慶生辰，其制度淵源是佛教的佛誕節，其指導思想是儒家的孝道和佛教的斷屠主張，佛教開始介入世俗的慶生辰活動。唐代慶生辰蔚成風氣，佛教充當了重要的角色。肅宗誕日，曾在宮中設置道場，宮女裝扮成佛、菩薩，武士裝扮成金剛神王，大臣們圍繞禮拜。德宗誕日，在宮中舉行儒佛道三教辯論，爲以後諸帝效法。有時，內供奉僧還作詩祝壽，僧廣宣《早秋降誕日獻壽二首應制》祝穆宗「彌天福壽長」，「千秋樂未央」。⑱大臣慶生辰也離不開佛教。宰相李林甫生日請僧來家中設齋，一僧念佛，李林甫施捨給他一具馬鞍作爲報酬，僧拿去賣了七萬錢。另一僧想多得些施捨，就極口稱頌李林甫的功德，遂得寶骨，以一千萬錢賣給胡商。

C．國忌日設齋行香。玄宗時修成的《大唐六典》卷四關於國忌日僧道設齋行香，作了這樣的規定：「凡國忌日，兩京（長安、洛陽）定大觀寺各二散齋。諸道士、女道士及僧尼皆集於齋所，京文武五品以上與清官七品以上皆集，行香以退。若外州亦各定一觀一寺以散齋，州縣官行香，應設齋者，蓋八十有一州焉」。對此，武宗也不得不從俗。圓仁記述了自己在長安親眼見到的事：武宗即位當年（八四〇），「十二月八日，準敕，諸寺行香設齋。當寺（大興善寺）李德裕宰相及敕使行香，是大唐玄宗皇帝忌日也。總用官物設齋，當寺內道場三教談論大德知玄法師表贊。」次年正月四日，是文宗周年忌日，「奉爲先皇帝，敕於薦福寺令行香，請一千僧。」⑲他還記有在揚州開元寺見到的玄宗忌日設齋行香活動。可見國忌日首都和外州佛寺設齋行香，是長期以來一直實施的事。

D 盂蘭盆會。盂蘭盆會是依據佛教故事，結合儒家孝道而舉行的國事大典或民間活動。佛教故事說，佛的大弟子目連用天眼看見自己的先母在餓鬼道受著飢餓的煎熬。如處倒懸，就向佛請教解救的方法。佛讓他在七月十五日設盂蘭盆，盛以五味百果，供養十萬僧衆，即可使自己的七世父母脫離餓鬼道，升到人、天道中，享受清福。南朝梁武帝大同四年（五三八）開始設盂蘭盆會，以後漸成風俗，朝廷和民間都在每年的七月十五日舉行，以超度祖宗，報答祖德。如意元年（六九二），武則天在神都洛陽南門舉行盂蘭盆會，時人楊炯《盂蘭盆賦》有所記述，說她「乃冠通天，佩玉璽，冕旒垂目，紞纊塞耳」，官員們「穆穆然南面以觀矣」，再拜稽首而言曰：「聖人之德，無以加於孝乎！」⑳

E 求雨乞晴。天旱時，常請僧人設壇祈雨。玄宗時，梵僧善無畏、金剛智、不空，都曾受敕求雨。一次，從正月到五月，滴雨未下，「岳瀆靈祠，禱之無應」，玄宗就請金剛智結壇祈請。金剛智設道場，到第七天時，「西北風生，飛瓦拔樹，崩雲洩雨。」㉑淫雨時，要請僧人乞晴。圓仁在揚州見到的情況是：「自去十月來，霖雨數度，相公（李德裕）帖七個寺，各令七僧念經乞晴，七日爲期，及竟天晴。」㉒

F 養僧、飯僧。唐人有養僧念經的習慣。桂州薛氏家中供養一位「道德甚高」的僧人，「瞻敬尤切」，「十有餘年。」㉓長安士人楊希古家中置道場，養僧人，自己每天凌晨進入道場，以身俯地，讓僧人蹲在自己身上誦《金剛經》三遍㉔。飯僧更爲普遍。王維「日飯十數名僧。」㉕王建有首《飯僧》詩，說得很具體：「別屋炊香飯，熏辛不入家。溫泉調葛面，手摘藤花。蒲鮓除青葉，芹齏帶

紫芽。願師常伴食，消氣有薑茶。」㉖

G．喪事設齋作七。唐人辦喪事，要請僧人來家設齋念經，以求冥福。一位朝士妻死後，請僧「至家修福」，僧「住其家數日，居於廡前，大申供養。」㉗玄宗時宰相姚崇遺囑告誡自己的孩子說：「吾亡後，……若未能全依正道，須順俗情，從初七至終七，任設七僧齋。」㉘

此外，如元宵觀燈，三長月斷屠，佛寺遊覽，觀花、避暑、聽俗講，等等，都已成爲社會風俗，這裡不再屢述。

姚崇是著名的反佛士大夫，但在遺囑中不得不承認「須順俗情」，除了作七設齋，還講到「若隨齋布施，宜以吾緣身衣物充，不得輒用餘財，爲無益之枉事，亦不得妄出私物，徇追福之虛談。」㉙他讓自己的孩子不得已而順俗的話，適當敷衍一下，各方面都照顧到就算了。可見，移風易俗是長遠的任務，如果指望一朝一夕就完成一個社會性的根本變革，必然會是急剎車，會引起強烈的震動，遇到強大的抵觸。

⑷玄宗季年政府的戶口統計數是「戶九百六十一萬九千二百五十四」，「口五千二百八十八萬四百八十八。」㉚平均每戶將近五．五人。會昌毀佛時，政府統計的戶數是「四百九十五萬五千一百五十一。」㉛口數可折合爲二七二五三三三〇人。這時還俗僧尼二六〇五〇〇人，解放寺院奴婢十五萬人，共計四一〇五〇〇人，占總人口的一．五%。這麼多人的安置應該是個愼重的問題。當時規定「腴田鬻錢送戶部，中下田給寺家奴婢丁壯者，爲兩稅戶，人十畝」。㉜上等良田一共沒收了數千萬頃，剩

下的中下田還能有多少？哪種田才算作中下田？奴婢給田有沒有成家和單丁的區別，以及婦女作爲戶主和不作爲戶主的區別？剛給田立業，有沒有給復若干年的優待？算不上丁壯的老弱病殘怎麼安置？這些問題在史書中都無記載。《唐會要》卷八六說：「會昌五年四月，中書門下奏：天下諸寺奴婢，江淮人數至多，其間有寺已破廢，全無僧衆，奴婢既無衣食，皆自營生。」那麼，所謂奴婢給田的規定，不過是具文而已。當時還規定不許官民購買和隱藏寺院奴婢，違者判刑，乃至於處死。彭州刺史因買一寺婢爲乳母，就貶爲隨州長史㉝。奴婢的出路如何，就可想而知了。

對僧尼的處置是盡勒還俗，遞歸本貫。爲了防止僧尼再著僧裝，武宗下敕各州縣收繳僧服，予以焚毀。僧尼只好臨時找些俗服，並以絹帛蒙頭。但返回原籍，實際上難以實行，因爲不少僧人本來就是破產農民，原籍已經沒有房產土地，依傍親戚或地主，也不是長遠之計。這麼多僧人突然還俗，失去了寺院的集體生活和民間的施捨，衣食住行全無著落，生計出現嚴重的危機。於是，他們或者投靠藩鎮當鎮兵，或者到處搶劫。關於前者，《資治通鑑》卷二四八說：山西五台山的還俗僧「多亡奔幽州」，李德裕召見幽州鎮駐京人員說：「五台僧爲將，必不如幽州將，爲卒，必不如幽州卒。何爲虛取容納之名，染於人口。」幽州節度使「張仲武乃封二刀付居庸關，曰：『有遊僧入境，則斬之』。」關於後者，圓仁說：「唐國僧尼本來貧，天下僧尼盡令還俗，乍作俗形，無衣可著，無物可吃，艱窮至甚，凍餓不徹，便入鄉村，劫奪人物，觸處甚多。州縣捉獲者，皆是還俗僧。」㉞李德裕《請淮南等五道置遊奕船狀》也說：「自有還僧已來，江西劫殺比常年尤甚。自上元至宣池地界，商旅絕行。」

㉟社會治安和封建秩序出現如此嚴重的危機，如果不給僧尼出路，不解決他們的生計問題，光靠增置遊奕船來加強鎮壓，無疑是治標不治本的辦法，不可能解決任何問題。

(5)於是，宣宗時的官員不得不對佛教進行認眞的反思。佛教的社會後果是極其複雜的，其中當然也包含著對統治階級有利的一面，在會昌毀佛之後，這點更容易爲人們認識。激揚宣宗復興佛教的宰相裴休，這樣評論僧人宗密的傳教活動：「忠孝不並化，荷擔不勝任，吾師恥之。」「親師之法者，貧則施，暴則斂，剛則隨，戾則順，昏則開，墮則奮，自榮者慊，自堅者化，徇私者公，溺情者義。」「其以闡教度生，助國家之化也如此。」㊱河東鎮巡官李節認爲：「夫釋氏之教，以清淨恬虛爲禪定，以柔謙退讓爲忍辱，故怨爭可得而息也。以菲薄勤苦爲修行，以窮達壽夭爲因果，故賤陋可得而安也。」「夫俗旣病矣，人旣愁矣，不有釋氏使安其分，勇者將奮而思鬥，智者將靜而思謀，則阡陌之人，皆紛紛而群起矣。」「故離衰亂之俗可得而安，賴此也，若之何而剪去之哉？」所以應當思「釋氏扶世助化之大益，」而不要「疾其雕鏤彩繪之小費。」㊲可見，從中央到地方，都有官吏認爲佛教是治理國家和統治人民的工具，不應該棄而不用。

以上這些因素，或者是無法回避的客觀存在，或者是反映這一客觀存在的社會意識。這就表明毀佛不可能持久。武宗旣然在毀佛一年之後便溘然長逝，他的後繼者不管其宗教態度如何，都不得不把恢復佛教付諸實踐。這體現了歷史發展的否定之否定規律，不以人的意志爲轉移。那麼，把宣宗復興佛教這一重大事件，歸結爲他忌恨前朝君相而悉反其政，因而是鬧意氣似的主觀意念衝動的產物，是在為佛教「出氣」，顯然不是唯物史觀。

四

現在再來分析一下宣宗復興佛教的性質。

《北夢瑣言》卷一記載宣宗初聽政時說：「佛者雖異方之教，深助理本，所可存而無論，不欲過毀，以傷令德。」《舊唐書·宣宗紀》說即位之明年（八四七）下敕道：「中國之人，久行其道，釐革過當，事體未弘。」兩則史料精神一致，對佛教採取一種不肯過分革除的態度，體現了儒家去泰、不為已甚者、過猶不及、中庸之道等思想的影響。

我們再看看一些實例。宣宗恢復了京師的一些佛寺，興唐寺、保壽寺保留舊名，其餘的改為新名，有資聖寺、護國寺、保唐寺、安國寺、唐安寺、唐昌寺等等㊳，帶有相當濃的政治色彩，要佛教為維護唐帝國而效力，這就明明白白地將方外勢力納入了國家管轄的範圍之內。宣宗還建了報聖寺，堂名「介福」，供奉其先考憲宗的御像㊴，即為他求冥福，盡孝道。河湟地區收復之後，宣宗將敦煌郡僧正兼州學博士慧菀提升為京城臨壇大德，敕文表彰這位僧人「利根事佛，餘力通儒」，「舉君臣父子之義，教爾青襟」，「使悍戾者好空惡殺，義勇者徇國忘家」，「勉弘兩教，用化新邦。」㊵顯然，宣宗是在以儒學改造佛教，用行政力量管束佛教，算不上什麼佞佛皇帝的「護法」行為。

宣宗當政一三年，政績斐然，生前和死後，受到人們的普遍贊揚。鄭嵎《津陽門詩》把這一期間稱爲「堯年」，說：「河清海晏不難睹，我皇已上升平基。湟中土地昔湮沒，昨夜收復無瘡痍。戎王北走棄青冢，虜馬西奔空月氏。」㊶這即是《舊唐書·宣宗紀》所說的「河隴歸地，朔漠消氛。」這時，收復了被吐蕃占領百餘年的河湟地區，平定了回鶻、奚、室韋、党項等族，鞏固了內地的安全，重振了國威。《舊唐書·宣宗紀》說：自敬宗以來，宦官擅權，事多假借，京師豪右，大擾窮民。而宣宗執政後，「權豪斂跡」，「奸臣畏法」，「閽寺（宦官）讋氣」，「由是刑政不濫，賢能效用，百揆四岳，穆若清風，十餘年間，頌聲載路。」《資治通鑑》卷二四九總結道：「宣宗性明察沉斷，用法無私，從諫如流，重惜官賞，恭謹節儉，惠愛民物，故大中之政，訖於唐亡，人思詠之，謂之小太宗。」可見宣宗是唐後期少有的傑出帝王，大中年間是難得的清明時期。他的政績在總體上是值得肯定的，而復興佛教，是其中的一個組成部分，是對武宗毀佛矯枉過正的再矯正，對於協調各種勢力的關係，穩定政治局勢，有其積極意義。因此，不能在肯定武宗毀佛的積極作用時，把宣宗復興佛教作爲對立面來加以斥責。

【附註】

①③郭朋《隋唐佛教》頁三六三—三六六。

②《讀通鑑論》卷二六。

④陳垣《中國佛教史籍概論》卷二。

⑤據《舊唐書》卷一八下《宣宗紀》，卷一九上《懿宗紀》，卷一七五宣宗諸子。
⑥《宋高僧傳》卷一六《慧靈傳》。
⑦⑧《唐代士大夫與佛教》第三章第二節。
⑨⑪⑫⑬⑭⑮㉞《入唐求法巡禮行記》卷四。
⑩《宋高僧傳》卷一二《慶緒傳附洪諲》。
⑯《入唐求法巡禮行記》卷二。
⑰載《陝西師大學報》（哲學社會科學版）一九八八年三期。
⑱《全唐詩》卷八二二。
⑲《入唐求法巡禮行記》卷三。
⑳《楊炯集》卷一。
㉑《宋高僧傳》卷一《金剛智傳》。
㉒《入唐求法巡禮行記》卷一。
㉓《太平廣記》卷九五《道林》。
㉔《玉泉子》。
㉕《舊唐書》卷一九〇《王維傳》。
㉖《全唐詩》卷二九九。

㉗《太平廣記》卷三三〇《僧儀光》。
㉘㉙《舊唐書》卷九六《姚崇傳》。
㉚《舊唐書》卷九《玄宗紀下》。
㉛㉜《新唐書》卷五二《食貨志二》。
㉝《舊唐書》卷一八上《武宗紀》。
㉟《李文饒文集》卷一二。
㊱《宋高僧傳》卷六《宗密傳》。
㊲《全唐文》卷七八八《餞潭州疏言禪師詣太原求藏經詩序》。
㊳《舊唐書》卷一八下《宣宗紀》。
㊴《唐語林》卷一。
㊵杜牧《樊川文集》卷二〇《敦煌郡僧正慧菀除臨壇大德制》。
㊶《全唐詩》卷五六七。

附錄二：關於唐代洛陽與絲綢之路的幾個問題

郭紹林

古都洛陽在唐代通過絲綢之路建立起中國與西部世界的聯繫，本文擬就其中幾個問題展開論述。

一

玄奘是中國佛教史上的一代偉人。在把他的事跡作爲一個內容來考察唐代洛陽與絲綢之路的關係時，需要強調指出的是：他是洛陽人；他通過絲綢之路去求法問道，起點和終點都是洛陽；他西行的動因和回國後的譯經活動都與洛陽有關。此外，對於唐太宗在洛陽詔令他撰寫《大唐西域記》的政治目的究竟是什麼，也作一些辨證。

《大慈恩寺三藏法師傳》記載了玄奘西行的路線。關於長安（今陝西西安市）以西這段絲綢之路，是由長安出發，經秦州（今甘肅天水市）、蘭州（今甘肅蘭州市）、涼州（今甘肅武威）、敦煌（今甘肅敦煌）、伊吾（今新疆哈密市）、高昌（今新疆吐魯番市），然後由高昌王派人護送，經阿耆尼（今新疆焉耆西南）、屈支（即龜茲，今新疆庫車）、姑墨（今新疆溫宿）、素葉（即碎葉，今吉爾吉斯托克馬克附近），到西突厥可汗牙帳所在地，再到康國（今烏茲別克撒馬爾罕），後來便南下進入天竺境內。由天竺北上回國時，有一段沒有再沿原線，而是經由疏勒（今新疆喀什市）、于闐（今新疆和田）、敦煌，才又踏上原路返回。

那麼，何以說玄奘的起點和終點都是洛陽呢？玄奘生於洛州緱氏鄉陳河村，今屬洛陽市偃師縣緱氏鄉。他少小時隨二哥長捷法師在洛陽淨土寺誦讀佛典，因學業優異被隋朝官府特許破格度為小沙彌。隋唐之際，河洛一帶紛紛擾擾，他和二哥商量，離開洛陽，西奔長安。此後幾年間，他雲遊四方，參禪問道，又回到長安。這段經歷給他帶來的影響是：「法師既遍謁眾師，備餐其說，詳考其義，各擅宗途，驗之聖典，亦隱顯有異，莫知適從，乃誓遊四方，以問所惑。」①近幾年屢有闡述洛陽是絲綢之路東端起點的論文見諸報刊，玄奘即首從洛陽啓程，到達長安，雖漫遊四方後又從長安西去，但考慮到他往返於絲綢之路上，中途曾在高昌、于闐滯留，長者達九個月之久，那麼，剔除旅行中的時間因素，而從空間因素著眼，便不能割斷聯繫，不算上絲綢之路上洛陽到長安這一段路程。此外，他早年在洛陽學習了不少佛典，「抑揚剖暢，備盡師宗」②，對後來西行考鏡源流、尋根問底，實際上起了張本的作用，故而是西行的最初動因。因此，完全有理由說，玄奘沿著絲綢之路西行求法，起點是洛陽。

至於說玄奘返回的終點是洛陽，更是有案可稽的。他於貞觀十九年（六四五）正月七日到達長安。這時，太宗為了遼東戰事，已駐蹕洛陽。玄奘奉詔於正月二十二日前往洛陽，二月初一在洛陽宮儀鸞殿受到接見，最終結束了這趟旅行。他家鄉東南的少林寺是洛州的一座名刹，遠離市塵，環境清幽，他希望在這裡翻譯由天竺帶回的佛典，未獲允許，這才又於三月初一從洛陽折回長安。顯慶二年（六五七）二月，唐高宗巡幸洛陽，他陪同前往，安置在積翠宮翻譯。九月，他再次提出住進少林寺從事翻譯，以了此生，高宗不准。可見，他把洛陽作爲自己西行求法歸來後的終點站，一直期待朝廷成全自己的終焉之志。

太宗在洛陽接見玄奘時，問對涉及到西行經歷，太宗指示他寫出來。次年，由玄奘口授弟子辯機執筆的《大唐西域記》在長安完成，並上呈太宗。關於這段公案，有人解釋爲：唐太宗「熱切地要玄奘把在西域的見聞寫出來，爲實現消滅西突厥這一重大目標服務。玄奘充分領會唐太宗的意圖，……對於佛教故事傳說雖有著錄，但著重叙述的卻是國俗民情和政治地理現狀。……在太宗、高宗二朝的努力下，西突厥割據政權終於被摧垮，……玄奘西行和他的《西域記》起了應有的歷史作用。」③揆諸史籍，則可發現，這一關於玄奘西行和撰書政治目的說法不能成立。

太宗在接見玄奘的過程中，發現他「堪公輔之寄」，就勸他返初，「助秉俗務」④但他毫無興趣，堅決拒絕。太宗又邀請他同赴遼東戰場，他以「自度終無裨助行陣之效」和「兵戎戰鬥，律制不得觀看」⑤爲由，又堅決拒絕。可見，他恪守佛教的出世和慈悲主張，不肯染指俗務，更不肯介入民族間的戰爭。他當年西行，因高昌王修書並派人護送，才南其轅而北其轍，去西突厥牙帳。高昌王請西突厥爲他的旅行提供方便和保護。西突厥可汗熱情地招待他，施以絹帛，委派翻譯，致函沿途各國，使他順利到達天竺。對於這樣一個有德於已的西突厥，他難道情願違背佛教義理，認友爲敵？況且，他回國不再繞道西突厥，對將近二十年後那裡的政治狀況會有多少了解？說他充分領會太宗消滅西突厥的意圖並寫書服務於這一重大目標云云，未免顯得鑿枘。

那麼，《大唐西域記》到底是在什麼意圖下成書的？太宗在洛陽接見玄奘時，「因廣問彼事，自雪嶺以西，印度之境，……並博望之所不傳，班、馬無得而載。」他對答如流，太宗很高興，對他說：「佛國遐遠，靈跡法教，前史不能委詳。師既親睹，宜修一傳，以示未聞。」⑥原來太宗認爲玄奘的遊歷超過了西漢博望侯張騫通西域的鑿空之舉，所見所聞又是自司馬遷、班固以來，史書就不曾詳細記載過的，因而希望寫出來，把西部陌生的世界介紹給世人，以加深了解。玄奘不辱君命，在《大唐西域記·序》中作了交待。他把當時的人類社會分爲四個人文區域，東方是唐朝統治區，爲人主，其情況「國史詳焉」；西方是波斯（今伊朗）等善於經商的國家，爲寶主，北方是突厥等遊牧政權，爲馬主，二者的情況「史誥備載」；只有南方是前人寡聞而自己親歷的佛教國家，爲象主，由於「前古未詳」，因而「訪道遠遊，請益之隙，存記風土」，並在此基礎上撰成該書。這正符合在結束了將近四個世紀的分裂而復歸於統一的隋唐時期，人們對於外部世界的好奇心理和友好相處的良好願望。

玄奘西行也體現了一定的政治意義。他最初申請西行求法，由於唐朝初建，西部不寧，禁止國人出蕃，未能獲准。後來遭受天災，太宗敕令道俗四處就食，他乘機偷偷踏上征途，路上被勒令還京，並遭到追捕。盡管他以佛教徒的身份，爲著佛教的目的，私自到外邦，畢竟還是體現了國與國之間的來往。中天竺的戒日王曾問他：「大唐國在何方？」他答以就是印度所說的摩訶至那國。戒日又問道：「嘗聞摩訶至那國有秦王天子，……早懷遠略，興大慈悲，拯濟含識，平定海內，風教遐被，德澤遠洽，殊方異域，慕化稱臣，氓庶荷其亭育，咸歌《秦王破陣樂》。聞其雅頌，於茲久矣。盛德之譽，誠有之乎？」他作了肯定的回答，戒日感嘆道：「盛矣哉！彼土群生，福感聖主。」⑦他在《序》中還總結自己所到之處見到的情況是：「幽荒異俗，絕域殊邦，咸承正朔，俱沾聲教。贊武功之績，諷成口實；美文德之盛，郁爲稱首。……不有所叙，何記化洽？」辯機所寫《大唐西域記贊》也稱頌他「宣國風於殊俗，諭大化於異域。」這無疑是被各族尊稱爲「天可汗」的太宗急於想知道的，也是制定對外關係政策的重要依據。《續高僧傳·玄奘傳》所記情況可以作爲例證，說：「戒日及僧，各遣中使，齎諸經寶，遠獻東夏。是則天竺信命，自奘而通，宣述皇猷之所致也。使既西返，〔太宗〕又勑王玄策等二十餘人，隨往大夏，並賜綾帛千有餘段，王及僧等，數各有差。」這可進一步看出，玄奘西行和撰書，與消滅西突厥無關。

綜合以上的分析，可以說，論及當時的中國通過絲綢之路與西部世界建立的聯繫，不應該忽視洛陽在絲綢之路上的重要作用。

二

由絲綢之路傳入的文化對中國政治的干預，當以佛教對定都於洛陽的武則天政權的有效支持爲典型。

武則天作爲一個女性，先後以皇后、皇太后和女皇帝的名義，參與政治，統治中國，長達半個世紀之久，其中有三十年在洛陽度過。論者以爲「婦女主持門戶」是「鮮卑的遺風」。「大抵北方受鮮卑統治的影響，禮法束縛比較微弱，婦人有發揮才能的較多機會，成爲一種社會風氣。武則天就是從這種風氣裡產生出來的傑出人物」。⑧實際上，經過數百年的民族融合，鮮卑人已被漢族同化，不再作爲一個獨立的種族而存在，鮮卑風氣的遺存，也根本不可能動搖漢族固有的儒家禮法的統治地位。不僅在內地，人們堅持認爲「帝之與后，猶日之與月，陽之與陰，各有所主守也」⑨，武氏君臨天下，是所謂「牝雞司晨」⑩；就連北方的突厥族，在武則天改朝換代八年之後，有可汗女請和親，武則天令其侄孫武延秀赴突厥納爲妃，「突厥以延秀非唐室諸王，乃囚於別所。」⑪這表明儒家的禮法主張規定了男女、夫妻、父子、君臣各自的名分，不可逾越，成爲當時占支配地位的政治倫理體系和正常的封建秩序，北方何嘗因受鮮卑統治的影響而禮法束縛比較微弱？

儒家學說是入世用世的學說，主要講當世，帶有現實主義的風格。武則天要想克服儒家給自己帶來的不利，打破傳統的男性皇儲繼位規矩，自己當皇帝，當時除了佛教，沒有別的學說可資利用。這是因爲佛教講前世和來世，遊談無根，無從驗證，對於具有盡信書陋習的當時人來說，效果最佳。於是，佛教徒配合武則天稱帝大造輿論，僞撰成一部《大雲經》。此書雖已失傳，它所依據的中竺僧曇無讖於十六國時期在絲綢之路上的姑臧（今甘肅武威）譯出的《大方廣無想大雲經》，仍爲我們了解情況提供了線索。該書卷四和卷六說：淨光天女本是男身菩薩，「爲衆生故，現受女身」，「當王國土，得轉輪王」，「女既承正，威伏天下，閻浮提中所有國土，悉來奉承，無違拒者。」接著，天竺僧菩提流志又來洛陽，譯出《寶雨經》，是該書的第三個譯本，卷一說：佛告訴東方日月光天子：你在中國，「實是菩薩，故現女身，爲自在主。」武則天的困境終於被解除，聲稱自己前世本是男身，當皇帝有來歷，說：「朕曩劫植因，叨承佛記。金仙降旨，《大雲》之偈先彰；玉扆披祥，《寶雨》之文後及。」⑫於是她造了一個「曌」字，取作自己的名字，表明自己合日月陰陽於一身，並且在稱帝的十五年中相繼上的四個尊號裡，都有「金輪聖神皇帝」的字樣。佛教認爲菩薩成爲轉輪聖王後，乘坐的車子有金銀銅鐵四種質地，分別稱爲金輪聖王或銀、銅、鐵輪聖王。金輪聖王統治四天下，其它聖王依次遞減爲三、二、一天下。武則天的尊號體現了此岸世界和彼岸世界兩個權威的合璧。儒學由於缺乏彼岸的內涵，難以和佛教對壘，讓佛教占了上風，得以干預中國的政治。

按照古代的天人感應說，上天常常因爲朝政失誤而降生各種反常的自然現象來警告皇帝。這時，臣子可以批評皇帝，指斥時弊；皇帝也會下罪己詔向國人承認錯誤，同時減膳、錄囚，減免賦稅，施行仁政。垂拱二年（六八六），武則天已在洛陽以皇太后身份臨朝稱制兩年多，新豐縣（今陝西臨潼）東南湧出一山，武則天下令將縣名改爲慶山縣。有人上疏批評道：「今陛下以女主處陽位，反易剛柔，故地氣塞隔，而山變爲災。陛下謂之『慶山』，臣以爲非慶也。臣愚以爲宜側身修德，以答天譴，不然，殃禍至矣。」⑬聖曆二年（六九九），絲綢之路康國人的後裔、中國籍僧人法藏，根據絲綢之路上於闐僧實叉難陀攜帶至洛陽的梵本，在洛陽重新譯出《華嚴經》，武則天令他在佛授記寺中開講。當他講到《華藏世界品》的「海震動」說法時，突然發生強烈地震，講堂和寺院發出震吼聲。僧人作爲吉兆瑞應向武則天上疏匯報，武則天批示說：「開講之辰，感地動而標異。斯乃如來降祉，用符九會之文；豈朕庸虛，敢當六種之動！」⑭這是又一次利用佛教文化去同傳統文化抗衡，使武則天在解釋地震是六道衆生爲如來降福而歡欣蠢動的同時，以假裝謙虛的方式美化自己，順利地避開了一次受批評的機會，立於不敗之地。

這樣，武則天自然會感激佛教，抬高佛教的地位。唐朝初年，李唐統治者自稱是道教祖老子李耳的後裔，規定道先佛後。這時，武則天便調整爲佛先道後。這在社會上引起一起波動，出現棄道入佛的現象。道士社乂就是這種投機分子，請求轉入佛教。武則天親加恩准，把他安排在洛陽佛授記寺，法名叫元嶷。這位新手由於沒有僧齡，在佛教界地位很低，武則天甚至破天荒賜他「夏臘」三十年，使他「頓爲老成。」⑮

這裡再附帶論及一件事。《宋高僧傳·善無畏傳》說：天竺僧善無畏在邙山見一條巨蛇，嘆道：「欲決瀦洛陽城耶？」因而用天竺語念咒數百聲，不幾天蛇死，「乃安祿山陷洛陽之兆也。」佛教密宗不用正常的語言和邏輯談論問題，荒誕不經，可置而不論。至於安祿山，史籍說他是營州柳城（今遼寧朝陽縣西南）雜種胡人。他原姓康，母爲突厥人，改嫁胡將安延偃，遂冒姓安。康國、安國都在絲綢之路中亞地區，是粟特人政權，屬於昭武九姓。安祿山和安延偃無血統關係，而是康國人和突厥人的混血兒。有人據此釋「雜種胡」爲混血胡人，也有人據父系釋爲昭武九姓雜胡，不管怎麼說，都與絲綢之路有關。他於唐中葉發動叛亂，在洛陽建立所謂大燕政權。叛亂給了唐帝國以沉重的打擊、致使中原板蕩，國勢日衰，大一統局面不能爲繼。但安祿山的叛亂不是爲著粟特胡人的利益，也不是沿絲綢之路而來，而是依靠東北少數族，由范陽（今北京市西南）南下的。

三

唐代洛陽的社會生活，也因絲綢之路胡族文化的東漸而受到影響。

數十年前，向達撰《唐代長安與西域文明》一文，引證過洛陽出土的祖籍西域的唐人墓志，以及胡服俑、西域花紋銅鏡、海馬葡萄銅鏡等唐代文物，可見唐代洛陽居住過很多沿絲綢之路而來的西域人及其後裔。這裡要進一步討論的是，西域文化給洛陽的社會生活注入了什麼樣的異族情調，其程度如何。

景教是基督教的一個支派，由叙利亞人聶思脫里創建，在大秦（東羅馬）受排斥，傳到波斯。貞觀九年（六三五），波斯景教徒阿羅本來華傳教，在長安建寺一所，稱爲波斯寺，發展教徒二十一人，景教始傳入中國。景教傳入洛陽的年代已不可考，只知天寶四載（七四五）唐玄宗命長安、洛陽兩京和各地的景教寺改稱爲大秦寺。另外，向達說：「其在洛陽者，有景雲元年（七一〇）逝世之波斯國酋長阿羅憾及其子俱羅，……原爲景教徒。」「建中二年（七八一）復立《大秦景教流行中國碑頌》，……據碑末叙利亞文，及烈乃總攝長安、洛陽兩地景衆之主教。」⑯

摩尼教爲波斯人摩尼所創，武則天延載元年（六九四）傳入中國，唐憲宗元和二年（八〇七），回紇請在河南府等地置寺，獲准。

祆教又稱拜火教，由波斯人瑣羅亞斯德創立。北魏神龜年間（五一八—五二〇），兩國通使，北魏知波斯俗事火神，當時北魏首都是洛陽，可想見傳入洛陽較景教、摩尼教爲早。信奉拜火教的胡商經絲綢之路來洛陽經商、定居，拜火教也得到傳播，因而洛陽的里坊和市場都有了祠廟。《朝野僉載》卷三記載唐代洛陽的情況說：「河南府立德坊及南市西坊皆有胡祆神廟。每歲商胡祈福，烹豬羊，琵琶鼓笛，酣歌醉舞。酹神之後，募一胡爲祆主，看者施錢並與之。其祆主取一橫刀，利同霜雪，吹毛不過，以刀刺腹，刃出於背，仍亂擾腸肚流血。食頃，噴水咒之，平復如故。此蓋西域之幻法也。」

以上三教傳入時間不長，與中國傳統文化差別很大，未能在唐代得到長足的發展，對洛陽的社會生活來說，可以想見只有爲數有限的教徒從事各自的宗教活動，其它則難以考知了。

絲綢之路胡族樂舞在洛陽的傳播較三教要普遍一些。王建《涼州行》云：「洛陽家家學胡樂。」⑰元稹《法曲》詩云：「自從胡騎起煙塵，毛毳腥膻滿咸洛。女爲胡婦學胡妝，伎進胡音務胡樂。……胡音胡騎與胡妝，五十年來競紛泊。」⑱胡樂指什麽？原來唐朝的十部樂中，只有燕樂和清商屬於漢族樂，其餘八部，除高麗樂以外，西涼、龜茲、安國、疏勒、康國、高昌等六部，都是絲綢之路上胡族的音樂，天竺樂的傳人，亦當與絲綢之路有關。

康國的潑（乞）寒胡戲在北周末年傳入中國，武則天末年再度在洛陽流行。其具體作法是：十一月份，表演者裸身赤足，成群結隊，在街道上互相揮灑冷水，投擲泥土，以乞求寒冷。神龍元年（七〇五）十一月，唐中宗曾親臨洛陽南門觀看。次年，山西一位縣尉呂元泰上疏批評，說：「安可以禮儀之朝，法戎虜之俗？……夫樂者，動天地，感鬼神，移風易俗，布德施化。重犬戎之曲，不足以移風也；非宮商之度，不足以易俗也；無八佾之制，不足以布德也；非六代之樂，不足以施化也。」又說：「君能謀事，則燠寒順之，何必裸露形體，澆灌衢路，鼓舞跳躍，而索寒也？……夫陰陽不調，政令之失也；休咎之應，君臣之感也。理均影響，可不戒哉！」⑲中宗沒有採納。後來，睿宗、玄宗又在長安舉辦，不斷受到批評，開元元年（七一三）終於詔令無論蕃漢一律禁斷，此後，再也沒出現過。

唐代社會雖然較爲開放，但對於外族文化，並非不加選擇地兼收並蓄。儘管胡族樂舞引起人們的共鳴而得到傳播，但人們依然堅持嚴夷夏之辨的原則，以中原的政治觀念、民族心裡和審美情趣爲依據，而審愼對待，超出一定的程度，便會加以批評，這使得胡族樂舞的流傳受到某種程度的制約。

相比之下，佛教對洛陽社會生活的滲透則廣泛、深入得多，茲舉數例如下：

如意元年（六九二）七月十五日，武則天在洛城南門舉行了孟蘭盆會。孟蘭盆會是依據佛教故事，結合儒家孝道，而舉行的國事大典或民間活動。佛教故事說，佛的大弟子目連用天眼看見自己的先母在餓鬼道受著飢餓的煎熬，如處倒懸，就向佛請教解救的方法。佛讓他在七月十五日設孟蘭盆，盛以百味飲食，供養十方僧衆，即可使自己的七世父母脫離餓鬼道，升到人、天道中，享受清福。南朝梁武帝大同四年（五三八）開始設盂蘭盆會，以後漸成風俗，稱爲中元節或鬼節，旨在超度祖宗，報答祖德。武則天這一次，時人楊炯《盂蘭盆賦》有所記述，說：女皇「乃冠通天，佩玉璽，冕旒垂目，紞纊塞耳」；官員們「穆穆然南面以觀矣」，再拜稽首而言曰：「聖人之德，無以加於孝乎！」⑳

據《宋高僧傳·善無畏傳》記載：善無畏自天竺來華，睿宗下詔派人「出玉門塞表以候來儀」，然後沿絲綢之路進入內地。善元畏在洛陽，一次旱情嚴重，玄宗讓他祈雨，他盛了一鉢水，以小刀攪動，用梵語念咒數百聲，鉢中出現一條和手指大的龍，露出水面，又潛伏鉢底。他邊攪邊咒，鉢上升騰起一團白氣，像一匹素絹翻空而上。接著，陰雲密布，風雷大作，傾盆大雨，隨之而下。

《宋高僧傳·從諫傳》記載：洛陽廣愛寺僧從諫於咸通七年（八六六）去世，弟子們奉遺旨，將其屍體送至洛陽建春門外屍陀林中，施舍給鳥獸。三天之後，弟子們見鳥獸並未吃掉他的遺體，形容竟同生前一般，就用餅餌覆蓋而去。次日，發現有孤狼行跡，也只是吃掉餅餌而已，弟子們「仍議用外國法焚之，收合餘燼，起白塔於道傍。」

所以出現這些現象，是因爲佛教同上述波斯三教在中國的遭遇、經歷不同。佛教傳入後，長時期和中國傳統文化既對立又融攝，得到改造，逐漸成爲中國文化的一個組成部分。孟蘭盆會吸收的孝道精神是中國傳統文化的主幹成份，佛教背棄君親而出家出世的主張，在這時實際上便不復存在了。龍是中國上古即有的假想動物，《易·乾·文言》說：「雲從龍」。古人認爲龍在自然方面主宰雲水，那麼，佛教參與求雨活動，只是順應了中國的習俗，並非將印度的習俗移植於中國。僧人死後以身布施，供食鳥獸，稱爲「野葬」，是自隋代三階教以來即實行的主張。火葬在我國上古時期已經實行，《墨子·節葬下》說：「秦之西有儀渠之國者，其親戚死，聚柴薪而焚之，熏上，謂之登遐，然後成爲孝子。」儀渠，又作義渠，在今甘肅慶陽縣西南。但僧人死後火葬，卻是遵循的佛教教規。《高僧傳》卷二記載十六國時期僧人鳩摩羅什在長安去世，「依外國法，以火焚屍。」這個外國法，就是佛教國家天竺的殯葬儀式。《大唐西域記》卷二提及三種送終殯葬儀式，第一就是火葬，「積薪焚燎。」其餘兩種是水葬和野葬。僧人出家，不講祖禰不婚配，自然不必附葬、合葬、在已盛行土葬的時代，野葬、火葬得以實行，但基本上限定在佛教界的範圍內，遠不能達到改變社會習俗的地步。總之，佛教對社會生活的滲透，不過意味著它向中國文化的貼近。

【附　註】

①②《大慈恩寺三藏法師傳》卷一。
③《大唐西域記》上海校點本前言。
④⑤⑥《大慈恩寺三藏法師傳》卷六。
⑦《大唐西域記》卷五。
⑧范文瀾《中國通史簡編》第三編第一冊第一〇八頁。

⑨《舊唐書》卷八四《郝處俊傳》。

⑩⑪《舊唐書》卷六《則天皇后本紀》。

⑫《全唐文》卷九七《大周新譯大方廣佛華嚴經序》。

⑬《資治通鑑》卷二〇三。

⑭大正《大藏經》五〇，崔致遠《唐大荐福寺故寺主翻經大德法藏和尚傳》。

⑮《南部新書》戊部。

⑯《唐代長安與西域文明》第二五—二六頁。

⑰《全唐詩》卷二九八。

⑱《全唐詩》卷四一九。

⑲《唐會要》卷三四。

⑳《楊炯集》卷一。

附錄三：

論唐代的觀音崇拜

郭紹林

一、唐代觀音形象的定型

唐代是佛教發展的鼎盛時期，僧俗朝野形成了對佛教偶像的多元崇拜，其中以崇拜觀世音菩薩最爲突出。

觀世音略稱觀音，又稱觀自在、觀世自在。觀世音的得名，據《妙法蓮華經》卷七《觀世音菩薩普門品》說，受苦受難的衆生只要稱念其名號，「觀世音菩薩即時觀其音聲，皆得解脫」。這是說觀音神通廣大，對於聲音不是如同通常那樣用耳朵聽的，而是用眼睛觀察的，即「普觀察一切音聲」。①同書的另一譯本《正法華經》卷十《光世音普門品》則譯爲光世音：「光世音境界，威神功德，難可限量，光光若斯，故號光世音」。

後代的觀音形象，是身著唐服、善目長髮的女性，一手提淨瓶，一手持楊柳枝。這在唐代已經大致定型。在現存唐代文物中，我們尚能見到這種形象。唐高宗永隆元年（六八〇）完成的河南洛陽龍門萬佛洞的洞口南側，有觀音立像的浮雕，左手提淨瓶，右手持麈尾。洛陽古代藝術館（關林）藏唐高宗總章元年（六六八）和唐睿宗景雲二年（七一一）的造像碑，都有左手提握淨瓶右手揚起的觀音石像。觀音形象的定型，當與下列幾點情況相關：

1.關於觀音的性別，佛經說法不一，《小乘經》說是妙莊王的第三個女兒，《悲華經》說是轉輪聖王無諍念（阿彌陀佛）的長子。觀音本是佛教虛構的神話人物，這給人們隨意塑造其形象留下了餘地。

2.《妙法蓮華經·觀世音菩薩普門品》說觀音能「現婦女身而為說法」，這為觀音女性形象的塑造，提供了理論根據。

3.初唐僧人啓芳、圓果崇奉淨土信仰，「共折一楊枝於觀音手中，誓曰：『若得生佛土者，願七日不萎』。至期鮮翠也。」②何國僧人伽來華五十多年，唐中宗景龍四年（七一〇）去世。他為人治病，「或以柳枝拂者」，「或擲水瓶」，被人說成是「觀音菩薩化身也」。③唐玄宗時，中印度僧人善無畏說來華前天旱求雨，見「觀音在日輪中，手執軍持注水於地」④。軍持即淨瓶一詞的音譯。這些不斷的造神活動，逐漸使觀音形象的內容具體而豐富。

4.這一時期婦女的社會地位相對崇高，武則天能稱帝，與這一時代背景有關。她稱帝前，僧人編撰《大雲經》為她製造輿論。此書雖佚，但從其它資料中仍能找到一些線索。前代譯出的《大方等元想大雲經》卷四說：佛對淨光天女說：「汝於爾時，實是菩薩，現受女身」。「當王國土，得轉輪王」，

「得大自在」。卷六又說：「女既承正，威伏天下，閻浮提中所有國土，悉來奉承，無違拒者」。敦煌殘卷《大雲經神皇授記義疏》解釋說：武則天在佛的授記下，「王南閻浮提一天下」。「當今大臣及百姓等，盡忠赤者，即得子孫昌熾」；「如有背叛作逆者，縱使國家不誅，上天降罰並自滅」。武則天稱帝後，印度僧人菩提流志又在華譯出《寶雨經》，卷一說：佛對東方日月光天子說：你在中國，「實是菩薩，故現女身，爲自在主」，「正法教化」，「養育衆生」。武則天因此便宣稱自己當皇帝有來歷：「朕曩劫植因，叨承佛記。金仙（佛的別稱）降旨，《大雲》之偈先彰；玉扆披祥，《寶雨》之文後及」。⑤她於是加尊號爲「慈氏越古金輪聖神皇帝」。社會上也作如是觀，賈膺福《大雲寺碑》一文即說：「菩薩成道，已居億劫之前；如來應身，俯授一生之記。《大雲》發其遐慶，《寶雨》兆其殊楨。」⑥宗教現象不過是社會生活的折射反映。世間既然有君臨天下的女皇帝，佛教中當然也可以出現主宰人類命運的女菩薩，於是觀音的性別便最終確定。

5.人的習性、品質固然要從屬於各自的社會地位和階段分野，但也不能完全排除其性別、天性等因素，前者是社會屬性，後者是自然屬性。一般地說，婦女慈祥善良，溫柔敦厚，因而自古便有「婦人之仁」的說法。對於這位不分貴賤貧富賢愚、男女老少，而普渡衆生、隨類化度的「大慈大悲救苦救難觀世音菩薩」，人們把她塑造成爲一位「月面光舒，淨慮莊嚴」⑦的女性形象，也是符合生活邏輯的。

二、狂熱的觀音崇拜風氣

唐代社會形成了觀音崇拜的風氣。

僧人方面，不斷地翻譯和持誦有關觀音的典籍。唐高宗時，來華印度僧人尊法和中國僧人智通，分別譯出《千手千眼觀世音菩薩廣大圓滿無礙大悲心陀羅尼經》，和《千轉陀羅尼觀世音菩薩咒》，《觀自在菩薩隨心咒》，《清淨觀世音菩薩陀羅尼》。僧元康居山野間，「恆務持誦《觀音》，求加慧解」。⑧當僧人遇到危難時，總是少不了稱念觀音名號，乞求解救（事例詳下）。晚唐時來華的一位印度僧人，還附會《華嚴經》中觀音住在普陀洛伽山的說法，說觀音曾在浙江舟山群島現身說法，因而稱之爲普陀山。日本僧人慧蕚由山西五台山請觀音像回國，路過這裡，被風所阻，不得歸去，就與當地人修建一所「不肯去觀音院」。於是南海普陀山開始成爲中國佛教的四大名山之一。

世俗方面表現亦很突出。秦王李世民平定王世充、竇建德後，在河南滎陽廣武山於夜雨朦朧中見「東南雲際，光焰射天」，「觀音菩薩，金身畢露」。李世民「頓首拜瞻」。唐高祖下詔在當地建立觀音寺。⑨

民間不只是稱念觀音名號，還大量造觀音的石像、繡像。張說解釋說：觀世音菩薩「心入萬有，身包大空」，「日月有盡，光明無際；天地有終，神通不滅。禮其形像，隨緣而成功；稱其名號，因時而獲果」。⑩有人發願繡像時，竟然「淚逐聲盡」。⑪司空圖作《觀音懺文》，表示「所期劫蓋微塵，不竭依投之懇；慶流末裔，共成香火之緣」。⑫有則小說把民間崇拜觀音的情況描繪得很具體。終南山靈應台有一塔，塔中有一尊觀音鐵像，衆人傳說觀音曾在這裡現身，鐵像常放出光彩。長安市民爭往禮謁，到大齋日，多者千人，少者數百，同宿於台上，禮念求光。有人說常見聖燈出現，或在半山，或在平地，高低不定。唐代宗大歷十四年（七七九）四月八日夜，衆人合聲禮念，見西南邊出現「雙聖燈」，一兵士呼喚著「觀世音菩薩」，撲向前去，「忽然被虎拽去，其見者乃是虎目光也。」⑬

由此可見，唐代的僧俗朝野，對觀音的崇拜，達到了虔誠而狂熱的程度。

三、內涵型觀音崇拜

觀音崇拜的具體內容，按照性質，可分爲內涵型和外延型兩類。內涵型指與佛教精神相吻合的現象，有如下一些事例：

唐帝室自稱是道教祖老子李耳之後，因而抬高道教，壓制佛教。僧人對此極爲不滿，法琳竟冒著大不敬的風險，奮起抗爭。他說李唐皇室出自代北鮮卑族達闍達系，譯爲漢語則爲李；而李耳之父名韓虔，字元卑（這裡用諧音攻擊他寒蹇卑下），是個獨眼、無耳、跛足的乞丐，一生娶不起妻，七二歲時和鄰里老婢私通，在李樹下生下李耳，因以爲姓。唐太宗大怒，下令逮捕法琳，處以死刑，七天後執行。唐太宗說：你著論說念觀音者臨刃不傷，我赦你七天，你念觀音，到時候看是否刀槍不入。另外，甘肅敦煌莫高窟的唐代壁畫中，有罪犯稱念觀音名號，而枷鎖自落，臨刑時刀杖段段折斷的畫面。

憎懷讓住衡山觀音台，僧玄至觸犯刑律，希望懷讓救護。懷讓「早知而勉之，其僧脫難，云是『救苦觀音』。」佛教說法以爲觀音忌日是九月十九日，懷讓在唐玄宗天寶三載（七四四）八月十日去世，後來衡陽太守令狐權「捨衣財以充忌齋，自此每歲八月爲觀音忌焉。」⑭

僧玄奘西行取經，一路上歷盡艱辛，常依靠稱念觀音而化險爲夷。一次，接連四五天滴水未盡，人馬飢渴，幾乎死掉。他「遂卧沙中默念觀音，雖困不捨，」說：「仰惟菩薩慈念群生，以救苦爲務。」到第五夜半，終於有力量繼續前進，忽然發現草地水池，「人馬俱得酥息。計此應非舊水草，固是菩薩慈悲爲生。」⑮

神功元年（六九七），武周和契丹族發生軍事衝突，武則天詔令僧法藏依經教阻遏契丹內侵。法藏說：「若令摧伏怨敵，請約左道諸法。」得到批准後，他即沐浴更衣，建立十一面道場，置光音像。行道幾天後，契丹軍隊即看見武周軍隊無數神王之衆，觀音也浮空而至，武周因而戰勝契丹。武則天下詔表彰說：「賊衆睹觀音之像」，「此神兵之掃除，蓋慈力之加被。」⑯

當過縣令的何昌系，認爲「非大雄（釋迦牟尼）之慈，法雲之悲，則莫能拯救我無明苦果，敷佑我宏誓願力，」於是在自己生日時，繡成觀音等身像，「諦觀睟容，瞻仰聖位」，「將令功德池水，溉灌其三業（身業、口業、意業，是佛教所說衆生阻礙自己成佛的行爲、語言、思想等方面的過失）；菩提（智慧）根芽，發生於一雨。」⑰

崔綽妻李氏父死，李氏「思求冥祐，徼福上聖，」就繡成觀音像，「蓋以展《蓼莪》者。」⑱《蓼莪》是《詩經·小雅》中的一首詩，有「哀哀父母，生我劬勞，欲報之德，昊天罔極」的句子，常被用來表達子女對父母的孝心。

穆員的小妹繡藥師佛和觀音像，「靈以指集，慶將縷延，」希望因此得到「潛護」，「無妄之疾，有生之害，何從而來哉！」⑲

攝資州錄事參軍鄧暗到官二月餘，被猾吏誣陷而停職，就發願造觀音像，終於官復原職。他認爲：「若非聖力所加，安得無移舊貫。」⑳

唐宗室李從晏妻許氏想生個男孩，「常持《觀音普門品》，「夢神光燭身而懷孕，終於生了個聰明端莊的男孩。㉑

僧文照「敦樸遲訥」，夢中受《聰明經》，「自此聰敏日新，辯給在口，時謂爲觀音附麗於厥躬也。」㉒

淨土宗僧人岸禪師，「見觀音、勢至二菩薩現於空中，持久不滅。」他寫贊語道：「觀音助遠接，勢至輔遙迎，寶瓶冠上顯，化佛頂前明。俱遊十方剎，持華候九生。願以慈悲手，提獎共西行。」㉓

淨土宗僧人慧日，在北印度禮謁觀音像，叩頭絕食七日，夜半時分，觀音空中現身，對慧日摩頂授記道：「汝欲傳法，自利利他，西方淨土極樂世界彌陀佛國，勸令念佛誦經，回願往生，到彼國已，見佛及我，得大利益」。觀音說完就消失了。慧日「斷食旣困，聞此強狀。」㉔

這些現象與《妙法蓮華經》的說法和淨土宗的宣傳密切相關。《妙法蓮華經·觀世音菩薩普門品》說觀音爲了普渡衆生，能根據解救對象身份和根機的不同，而示現出三十二種應化形象，救十二種大難，並且有求必應，如願以償。比如說：「設入大火，火不能燒」；「若爲大水所漂，……即得淺處」；「有人臨當被害，……彼所執刀杖尋段段壞」；「扭械枷鎖，檢繫其身，……皆悉斷壞，即得解脫」；惡鬼、毒蛇、猛獸等，都不會加害於人，反而「疾走無邊方」；雷電雨雹會「應時得消散」；爭訟能贏，打杖能勝；各種煩惱痛苦，「以漸悉令滅」；「設欲求男，……便生福德智慧之男」；「設欲求女，便生端正有相之女」等等。要想得到這些好處，很簡便，只消稱念觀音的名號即可，這便是所謂「念彼觀音力」，因爲「觀世音菩薩有如是自在神力，遊於娑婆世界。」對於這段經文，梁肅解釋說：「蓋變動不測之謂神，窮理盡性之謂聖，慈悲廣運之謂力；三者一貫，是謂妙覺。」㉕而這一切，全集中於觀音一身。

淨土宗更作了富於誘惑力的宣傳。淨土宗說：西方十萬佛土之外，有個淨土，叫極樂世界。這裡黃金爲地，七寶莊嚴，晝夜六時，天雨寶花，風是香風，水是寶水，各種神鳥鳴叫著悅耳動聽的聲音。極樂世界的主人是阿彌陀佛，觀音和勢至兩位菩薩是他的左、右脅侍，合稱爲西方三聖。修淨土的人只要呼喚阿彌陀佛的名號，功德滿時，二脅侍就會將他接到淨土，永遠脫離痛苦，想要什麼，就能立即得到什麼：「衣服飲食，花香瓔珞，繒蓋幢幡，微妙音聲，所居舍宅，宮殿樓閣，稱其形色高下大小，或一室二室，乃至無量衆寶，隨意所欲，應念即至。」㉖

在唐代這樣的封建社會，自然存著種種的苦難和不幸。受著社會力量和自然力量束縛的廣大民衆，難免要把擺脫苦難不幸和爭取公正幸福的希望，寄托在超自然的力量身上。他們中絕大多數人無意成佛，只乞求佛敎的祐護和解救。佛雖崇高完美，但既不可望又不可及，難以接近。而觀音是菩薩，地位雖低佛一等，卻仍然對人生和宇宙的究竟大徹大悟，達到解脫境界，既能利己，又能利他。她以遊於娑婆世界（人世間）普渡衆生爲己任，隨叫隨見效，不擺架子，不要代價，公正無私，神通廣大，實際上是人類的救星，民衆的公僕。加上淨土宗對於極樂世界的烏托邦式描繪，更調動了人們的熱情，完成從穢土到淨土過渡的使者，又有這位觀音菩薩，因此，她贏得了人們的信賴和崇拜。這自然是人造的神話偶像，是宗敎囈語，人們未必不能看出其中的破綻，但觀音崇拜卻未曾稍減，可見這不過是人們的一種精神寄托，它帶給人們的是一種無可奈何的安慰，和虛幻不實的希望。

四、外延型觀音崇拜

唐代的觀音崇拜不只是僅僅沿著一條軌跡單向發展，而是呈現出多樣化的趨勢，有所引申、衍化，表現爲外延型的內容。有這樣一些例子：

侍郎蔣凝長得標緻，每次到士大夫家，都被認爲是吉祥的徵兆，被人喚作「水月觀音。」㉗進士薛調除了標緻以外，爲人還非常寬厚，因而被人稱爲「生菩薩。」㉘裴談和任恪以懼內著稱，都認爲妻子有三點可怕。關於第一點，裴談說是「少妙之時，視之如生菩薩；」㉙任恪說是「初娶之時，端居若菩薩，豈有人不怕菩薩呢？」㉚這裡提到的菩薩，雖然沒有明確指出就是觀音，但通過本文的敘述，可以推知這裡是特指觀音，至少是包括著觀音的。觀音在這樣的場合，被當作眞善美的象徵，體現了人們對於眞善美的熱愛和追求。不過觀音畢竟是「神」，人們對於她的愛戴，不可能像世俗那樣隨便和狎昵，總還是多少帶著一些敬畏感的。

上元二年（七六一）九月三日，是天成地平節，即唐肅宗的生日。唐肅宗在內殿設置道場，讓宮女裝扮成佛、菩薩，衛士裝扮成金剛神王，披堅執銳，守衛在佛、菩薩寶座旁，「焚香贊唄，大臣近侍作禮圍繞。」㉛這裡的菩薩當然也包括著觀音。這是娛樂活動，借佛教來增添慶生辰的歡樂氣氛。這時，觀音不再負荷什麼救苦救難的重任，而是參與了人間的喜慶活動，充當了一個輕鬆而開心的角色。

蘇頲年靑時當洛陽令，有善政，調離後，當地人吏父老思念他，就募工匠依照他的形象在龍門雕成一尊等身觀音石像。張說《龍門西龕蘇合宮等身觀世音菩薩像頌》一文記其本末，說：「模宰官之形儀，現輪王之相好。諦視瞻仰，將莞爾而微笑；攝心傾聽，疑偲然而有聲。……知妙容之常在，睹永劫之因緣。盛德相傳，與此山而終始，不其偉歟！」張說勉勵他調任後「德業日新」，「致大君於堯舜，紹層構於韋平。」㉜洛陽民衆把蘇頲比作活菩薩，爲他不惜耗工費錢造成模擬像，那意義遠遠超過爲他修生祠或造遺愛碑。人們討厭官吏虐民害物，中飽私囊，尸位素餐，玩忽職守，徇私舞弊，舞文弄法，希望他們正直公正，勤於職守，關心民衆疾苦，甚至把國君輔佐爲仁君賢主。這在當時，無疑是正當的政治要求。在這種情況下，觀音從天國被引進人間，成爲清官和公僕的象徵。

五、觀音和皇權的關係

觀音菩薩和皇權的關係，在唐代，經歷了一個長時期的理順過程。

唐初，唐太宗指示讓法琳念七天觀音再行刑，到期後，法琳說：七天來未念觀音，唯念陛下。陛下子育恆品，就是觀音。「陛下若順忠順正，琳則不損一毛。陛下若刑濫無辜，琳有伏屍之痛。」㉝唐太宗免其死罪，流放於益州。法琳將唐太宗比作菩薩，並不全是諛詞，而是有其理論根據的。佛教認爲，菩薩應世的轉輪聖王，因乘駕的輪子分別爲金銀銅鐵四種質地的金屬，就相應地稱爲金輪聖王、銀輪聖王、銅輪聖王和鐵輪聖王。四聖王有等級的區別，金輪聖王統治四天下，其餘依次遞減一天下。唐太宗在《大興善寺鐘銘序》中說：「皇帝道葉金輪」，㉞便以金輪聖王自居了。如前所述，武則天認爲自己是菩薩應世，加尊號爲慈氏越古金輪聖神皇帝。這樣，從邏輯上說，觀音菩薩和世俗皇帝是平級的。但是，中國人自古便有敬畏天地神祇的觀念，唐太宗也不例外，於是出現上述以秦王身份「頓首拜瞻」觀音菩薩的事。

觀世音略稱觀音，普遍認爲是避唐太宗名諱所致，這是一種習而不察的錯誤說法。唐太宗雙名，稱帝後「令天下不連言者勿避。」㉟因此，大臣李（徐）世勣當時仍行其名，唐太宗死後，才以犯諱「單名勣焉。」㊱這時，民部也改爲戶部。觀音則不是這樣。唐太宗死後，觀世音仍行全稱，上述唐高宗時所譯有關佛典，以及張說、梁肅、獨孤及、穆員等人的文章，都作「觀世音」。而在唐太宗之前，觀世音已略稱爲觀音了。《妙法蓮華經·觀世音菩薩普門品》的五言偈中，「念彼觀音力」句出現了一三次，還有「汝聽觀音行」、「觀音妙智力」等句。可見觀音略稱的出現，是爲了適應五言偈的句式，絕非避唐太宗的名諱。觀音能在避諱方面搞特殊化，當然也反映了神祇和皇帝之間的關係，既是平級，又略有高下之分。既然有高下之分，就有誰服從誰、誰凌駕於誰之上的問題。

這種關係一直綿延了很長時間，人們不以爲怪。中唐時，唐文宗愛蛤蜊，有一個蛤蜊掰不開，就焚香祝之，「俄爲菩薩形，梵相克全，儀容可愛，遂致於金粟檀香合，以玉綿覆之，賜興善寺，令致禮之。」僧恆政解釋說：「物無虛應，此乃啓沃陛下之信心耳。故契經中應以此身得度者，即現此身而爲說法也。」這還是說皇帝就是菩薩，故觀音相應地現菩薩身而爲皇帝演示佛法。唐文宗表示「深信焉」，於是「敕天下寺院各立觀音像，以答殊休。」㊲

晚唐時，情況發生變化。著名的佞佛皇帝唐懿宗，幸左軍時見觀音像，就連忙致禮，而觀音像竟陷地四尺。他手下的人解釋說：觀音不敢接受皇帝的頂禮膜拜，是因爲「陛下，中國之天子，菩薩，地上之道人。」唐懿宗聽了很高興。㊳這裡的說法和上文所引很多地方一樣，非常荒誕離奇，我們不必泥看，只須從中體會另外的含義。佛教雖然作了很多出世宣傳，塑造了很多圓滿聖潔的形象，但它作爲一種社會組織，畢竟是世間的一種力量，它不可不接受國家的管束。事實上，佛教一直在爲國家服務，一些上層僧人不過是穿著袈裟的政府官員，和不享受國家俸祿的編外政工幹部。法藏可以參與武周同契丹的戰爭，又在武則天病重唐中宗復辟的軍事政變中「內弘法力，外贊皇猷。」㊴禪宗領袖神會主持度僧，收取香水錢，作爲政府平定安史之亂的經費。有的僧人「與人子言依於孝，與人臣言依於忠，與人上言依於仁，與人下言依於禮。」㊵全然是在按照儒家的倫理道德，廣泛普遍地作思想工作。受過僧人開導的人，「貧則施，暴則斂，剛則隨，戾則順，昏則開，墮則奮，自榮者慊，自堅者化，徇私者公，溺情者義，」因此，僧人的「闡教度生」，是「助國家之化」的。㊶這樣，佛教只不過是打著一塊出世的招牌在入世、用世，那就必然要納入國家的軌道，接受皇權的管束。祠部、鴻臚寺和功德使，便是國家設置的管理佛教的機構和人員。這種管理一直在起作用，愈到後來愈益明顯，愈益名實相符，也愈益需要調整關係。特別是經過唐武宗會昌毀佛，佛教受到致命的打擊，泥菩薩過河，自身難保，觀音菩薩才有可能還其「地上之道人」的本來面目。人們看來，皇帝至高無上，無所不統，當然應該在佛教面前擺擺架子，耍耍威風，皇帝不該再拜觀音菩薩了。觀音與皇權的關係最終理順。這體現了人們對宗教的極其朦朧的覺醒，以及社會的微弱進步。

【附　註】

①《全唐文》卷二二二，張說《龍門西龕蘇合宮等身觀世音菩薩像頌》。

②《宋高僧傳》卷二四《僧銜傳附啓芳圓果傳》。

③《宋高僧傳》卷一八《僧伽傳》。

④《宋高僧傳》卷二《善無畏傳》。
⑤《全唐文》卷九七《大周新譯大方廣佛華嚴經序》。
⑥《全唐文》卷二五九。
⑦《唐文續拾》卷一三，佚名《觀世音石像銘》。
⑧《宋高僧傳》卷四《元康傳》。
⑨《全唐文》卷一四六，陸元朗《敕建廣武山觀世音碣》。
⑩《全唐文》二二三，《龍門西龕蘇合宮等身觀世菩薩像頌》。
⑪《全唐文》卷七八三，穆員《繡藥師佛觀世音菩薩贊》。
⑫《全唐文》卷八〇八。
⑬《太平廣記》卷二八九雙聖燈條。
⑭《宋高僧傳》卷九《懷讓傳》。
⑮《大慈恩寺三藏法師傳》卷一。
⑯《唐大薦福寺故寺主翻經大德法藏和尚傳》。
⑰《全唐文》卷三八九，獨孤及《觀世音菩薩等身繡像贊·序》。
⑱《全唐文》卷五一九，梁肅《繡觀世音菩薩像贊·序》。
⑲《全唐文》卷七八三，穆員《繡藥師佛觀世音菩薩贊·序》。

⑳《唐文續拾》卷六，鄧暗《造觀音像記》。

㉑《宋高僧傳》卷一七《道丕傳》。

㉒《宋高僧傳》卷二五《文照傳》。

㉓《宋高僧傳》卷一八《岸禪師傳》。

㉔《宋高僧傳》卷二九《慧日傳》。

㉕《全唐文》卷五一九《繡觀世音菩薩像贊·序》。

㉖《無量壽經》。

㉗《北夢瑣言》卷五。

㉘《唐語林》卷四。

㉙《本事詩》。

㉚《太平廣記》卷二四八任恪條。

㉛《南部新書》壬部。

㉜《全唐文》卷二三二。

㉝《法琳別傳》。

㉞《全唐文》卷十。

㉟《資治通鑑》卷一九九。

㊱《舊唐書》卷六七《李勣傳》。
㊲《宋高僧傳》卷一一《恆政傳》。
㊳《唐語林》卷七。
㊴《唐大薦福寺故寺主翻經大德法藏和尚傳》。
㊵《宋高僧傳》卷一四《法愼傳》。
㊶《宋高僧傳》卷六《宗密傳》載裴休語。

後記

一九八〇年九月，我被錄取爲陝西師範大學唐史專業研究生。在學習的過程中，我接觸到一些唐代士大夫和佛教之間內外聯繫的史料，就想把這一問題弄清楚。是否眞能弄清楚，我當時並沒有十分確鑿的把握，只是覺得士大夫和佛教之間旣然有著千絲萬縷的聯繫，又構成了唐代社會生活中的重大現象，總會有跡象可尋，總會作出規律性的認識，問題在於史料的多寡和我個人的能力是否勝任。當時覺得困難比較大，一是沒有集中的史料可資憑藉，這就不得不從佛教典籍、正史、野史筆記、唐人詩文等多種古籍中大海撈針似地鉤沉索隱，加以排比、分析、歸納。二是研究內容涉及到政治史、社會史、宗教史、思想史、文學史、美學史、教育史、經濟史等，這就要求自己在短期內提高對這些學科的修養，並形成自己的一些見解，才談得上對問題作整體研究。三是畢業之前的時間十分有限，完成論文是否有時間的保障。然而，一種熱切的學術衝動很快地淹沒了我的種種疑慮，先幹著再說吧。於是，我在一九八一年九月擬定了《唐代士大夫與佛教》一文的提綱，經導師黃永年先生審定和指導後，即著手撰寫。這年十一月，我寫出了三萬字的初稿。初稿奠定了現在這本書的結構基礎，當然，在論述方面是相當幼稚、粗糙的。嗣後，我又用了半年時間，繼續搜集史料，深化認識，到一九八二年六月，修改成五萬四千字的規模。

修改稿得到黃永年師的肯定。同時，永年吾師還指出了文中的幾處錯誤，惠示了幾則資料，並對某些地方提出了具體的修改意見。到一九八三年二月，我又稍事修改，成爲畢業論文的定本，計有六萬字。接著，打印出五十份油印本，除供答辯之需外，還有十多份在師友間交流。

一九八三年六月下旬，河北師範學院胡如雷先生，應陝西師範大學之請，光臨西安，主持我們幾位研究生的畢業論文答辯。胡先生除了爲拙稿寫出審查意見，還帶來了河北師範學院張老恆壽先生爲拙稿所寫的詳細意見。張老和胡先生都是一代鴻儒，對於學術具有高度的鑒別能力，用佛家語來說，那便是鵝王吃乳。他們對拙稿的高度評價，使我倍受鼓舞，所提寶貴意見，對我的進一步研究，有著指示的作用。胡先生和永年吾師還一再叮嚀我，畢業之後，繼續深入研究，修改成一部專著。

畢業以後，我分配到河南大學歷史系工作。一九八三年十月下旬，中國唐史學會第二屆年會在四川省成都市召開。這年十二月二十八日的《光明日報》發表了署名春成的簡短報導，其中說：「對唐代文化史問題，大家認爲目前研究十分薄弱，比如對唐代佛教研究只停留在一般水平，尚未深入到社會其它領域，值得重視。」我覺得自己再進一步研究，將油印本增補修訂成書，對於學界同仁起而改變上述薄弱狀態，或許能聊助一臂之力。但是，由於我負荷的教學任務很繁重，再加上雜事猬集，一直沒能作這一工作。直到一九八五年五月，我才有了一段相對集中的時間來重操舊業，使中斷了兩年的研究得以繼續，並於一九八六年一月上旬完成了這部二十多萬字的書稿。

書稿基本上維持了油印本的結構，但增補了一些章節、史料和論述過程，並廓清了油印本中一些偏激的說法。我覺得自己想要說的話，基本上說清了。那麼，我就不揣譾陋，將書稿奉獻給學界同仁和讀者諸君；假若書中這些篳路藍縷、聊勝於無的論述，能夠爲對這一歷史現象的了解和繼續研究提供一些參考意見，自己也就感到相當的欣慰了。

張老、胡先生、永年吾師對本書的撰寫和修改給予了極大的關懷和幫助，已如上述。此外，我在陝西師範大學期間，日本僧人圓仁所著《入唐求法巡禮行記》一書極爲難找，我聽說胡錫年先生有手抄本，就通過胡錫年先生的研究生戴禾先生而輾轉借閱。牛致功師對拙稿的撰寫給予了很大的關懷和幫助，爲了使我的一孔之見能在學界交流，曾於一九八三年將油印本推薦給當地的一家出版社。現在，當我將書稿修訂、謄寫完畢，呈交河南大學出版社時，想起前前後後這些事，不禁從心底裡感謝上述前輩、老師、朋友的種種恩德，也從心底裡感謝河南大學出版社總編朱紹侯先生和編輯先生爲本書的問世提供了機會。

郭紹林　一九八六年三月六日於河南大學歷史系

臺灣版後記

拙著《唐代士大夫與佛教》將在台灣出版，我要感謝台灣文史哲出版社在一九九二年金秋北京國際圖書博覽會上見到本書大陸本時所給予的一份厚重的偏愛，也為能有一個繁體字本在海外更廣闊的範圍內和學者、讀者交流而感到高興。

本書大陸簡體字本是由河南大學出版社出版的。我原在河南大學歷史系供職，一九八七年排版後，曾參與兩次校對。一九八八年六月，我調至洛陽師範高等專科學校歷史系工作，當年十月收到樣書。後來，河南大學陸續轉寄給我海內外學者、讀者的來信，或指正，或諮詢，或索書，或讚譽。一九九一年，河南省教育委員會組織評定一九八八年至一九九〇年本省高等教育領域社會科學成果優秀獎，洛陽師專上報了我這本書。在參評的歷史學著作中，評委會把拙著列為一等獎。然而版權頁上印的是一九八七年八月第一版的字樣，按說是沒有資格參評的，河南大學出版社總編朱紹侯教授介紹了由於經費原因，本書實際上拖到一九八八年才出版，以及本書在海內外引起的反響，河南省教育委員會終於對本書「非常賜顏色」，評為二等獎。嗣後，河南大學又託人帶給我一份榮譽證書，原來本書已由他們申報，榮獲了大學出版社協會評定的一九八六年至一九八八年中南地區大學出版社優秀學術專著二等獎。以上這些情況，本來不足掛齒，只是由此而覺得敝帚未必僅僅自珍，心頭時時拂過一縷縷溫暖。

這些年我發表了一些論文，還參與了兩部書的撰寫工作。從研究傾向來說，轉到了隋唐時期的制度、政治、人物和社會生活。與佛教相關的研究，有幾篇完整的專題論文，同時在其它的論文中也有零星的涉及。後者如《論隋唐時期慶生辰》（載《陝西師範大學學報》哲學社會科學版一九八八年第三期），研究了佛教與慶生辰活動的關係。前者值得提起的有三篇，即：《唐宣宗復興佛教再認識》（載《洛陽師專學報》社會科學版一九九〇年第三期），《關於唐代洛陽與絲綢之路的幾個問題》（載同刊一九九二年第三期），以及《論唐代的觀音崇拜》（載中國社會科學院《世界宗教研究》一九九二年第三期）。由於這三篇論文同本書的見解互為發明，且小有變化，我希望能作為附錄收入本書台灣版中。至於由此而體現的個人在學術研究上的蹣跚步履，則不敢麻煩讀者見知也。

一九九三年二月六日郭紹林於洛陽師範高等專科學校歷史系